Y GWRON O GENEFA
JOHN CALFIN A'I DDYLANWAD

Y GWRON O GENEFA

JOHN CALFIN A'I DDYLANWAD

GAN

D. BEN REES

BWRDD Y DDARLITH DAVIES

ISBN 978-1-907424-34-2

Mae'r cyhoeddwr yn cydnabod cefnogaeth ariannol
Cyngor Llyfrau Cymru

Cyhoeddwyd gan Wasg Pantycelyn
ar ran
Bwrdd y Ddarlith Davies
Argraffwyd gan Wasg y Bwthyn, Caernarfon

CYNNWYS

RHAGAIR

Pan ddaeth y gwahoddiad caredig gan Ysgrifennydd Bwrdd y Ddarlith Davies, y Parchedig Ddr John Tudno Williams, yn 2006 imi draddodi'r Ddarlith Davies yng Nghymanfa Gyffredinol Eglwys y Methodistiaid Calfinaidd neu Eglwys Bresbyteraidd Cymru ar 9 Medi 2008 yn y Gymanfa Gyffredinol yn Neuadd Coleg Prifysgol Cymru, Dewi Sant, Llanbedr Pont Steffan, yr oeddwn uwchben fy nigon. Sylweddolwn dri pheth. Yn gyntaf gwyddwn yn dda hanes a chefndir y Ddarlith Davies. Un o Bootle ger Lerpwl oedd Thomas Davies, y gŵr a roddodd swm o arian i gynnal y Ddarlith yn 1892 er cof am ei dad, David Davies, a fu'n aelod ffyddlon o'r enwad yn ninas Lerpwl. Yr oedd cael traddodi'r Ddarlith, a pharatoi cyfrol, yn amod yr elusen. Bûm yn pendroni llawer ar destun. Yr oedd gennyf dri phwnc i'w hystyried, sef Cyfraniad Capeli a Gweinidogion y Methodistiaid Calfinaidd yn Lerpwl i'r Cyfundeb o ddyddiau Pedr Fardd; yn ail, perthynas y Cyfundeb â phynciau cymdeithasol yng Nghymru'r ugeinfed ganrif; ac yn drydydd, gan ein bod ar drothwy pum can mlwyddiant John Calfin, y diwygiwr o Genefa, teimlwn fel ymgodymu â'r gŵr hwn o ran ei fywyd a'i waith. Rhyfeddais nad oedd neb o 1893 hyd heddiw wedi cloriannu Calfin yn y Ddarlith Davies gan fod iddo gysylltiad agos iawn â'r enwad. Yn wir ni ellir ymddihatru o gyfaredd ei gyfraniad. A dyna yn y diwedd oedd y modd y penderfynais ar y pwnc, cyfle i baratoi cyfrol a fyddai'n atgoffa ein cenhedlaeth ni o'n dyled i John Calfin.

Erbyn i haf 2008 ddod, yr oeddwn yn sylweddoli nad oedd fy iechyd yr hyn yr hoffwn iddo fod, ac yn niwedd Gorffennaf fe'm hysbyswyd gan y ffisigwr y dylwn wynebu ar driniaeth lawfeddygol ar y galon o fewn wythnosau. Ofnwn na fyddwn yn medru traddodi'r Ddarlith ar John Calfin a'i ddylanwad yn y Cyfundeb ar fore Mawrth, 9 Medi, ond drwy Ras Duw, a gofal fy mhriod, llwyddais i fynychu'r Gymanfa a thraddodi'r Ddarlith o dan lywyddiaeth y Parchedig John Owen, Rhuthun (Llywydd y Gymanfa). Yr oedd hynny yn fendith. Euthum yn ôl i Lerpwl o Lanbedr Pont Steffan gyda darlith yn unig. Ond yr oedd rheidrwydd arnaf i baratoi cyfrol sylweddol. Derbyniais aml i gymwynas. Anfonodd yr Athro Euros Wyn Jones gopi o'r gyfrol hyfryd *Ffydd y Dydd* imi, a chefais lawer budd yn ei darllen yn ofalus yn ogystal â chyfrolau eraill o eiddo'r Diwygiwr, a chyfle i baratoi yn fanwl y gwaith gorffenedig hwn.

Yr wyf yn dra dyledus i'r Dr Bobi Jones am ddarllen trwy'r drafft cyntaf a chynnig aml i awgrym. Darllenwyd yr ail ddrafft gan y Dr R Geraint Gruffydd, a Dr Pat Williams a diolchaf iddynt am eu cydweithrediad. Dyledus wyf am gymorth arbennig y Dr John Tudno Williams a Dr J Gwynfor Jones gyda'r trydydd drafft. Bellach gobeithio y caiff eraill fudd o ddarllen yr ymdrech.

D. BEN REES, Lerpwl
1 Awst 2012

PENNOD 1

Paratoi'r ffordd i Calfin

Y mae'n anodd i ni yn yr ugeinfed ganrif ar hugain sylweddoli pa mor ddylanwadol a phwerus oedd yr Eglwys Gristnogol ar gyfandir Ewrop yn y Canol Oesoedd. Ac ni ellir amgyffred o gwbl bwysigrwydd yr hyn a elwir y Diwygiad Protestannaidd, a gymerodd le yn yr unfed ganrif ar bymtheg, heb gofio hynny. Yr oedd yr Eglwys yn hynod o bwysig yng ngwleidyddiaeth rhyng-wladol y dydd ac yn gwbl ganolog i fywyd pob rhanbarth a phob person gan roddi i gymunedau hunaniaeth ac i drigolion gyfle i wella eu byd ac i gyfrannu ar y llaw arall i anghenion teuluoedd.[1] Meddai yr Eglwys Gatholig a'i phencadlys yn Rhufain yn ogystal â'r eglwys leol, y mynachlogydd, a'r offeiriaid awdurdod nad oedd modd ei wrthsefyll.

Ond o fewn yr Eglwys fonolithig bwerus hon ceid ar adegau unigolion a amlygai awydd i fyw yn fwy tebyg i Grist yr efengylau. O fewn Catholigiaeth rhaid cyfeirio at gyfraniad pwysig Ffransis o Assisi (1181-1226), un o seintiau pennaf y canrifoedd.[2] Gwnaeth ei esiampl argraff ar eraill, a thyfodd y cwmni bach yn gymdeithas o ddynion a oedd o ddifrif yn barod i fyw yn dlawd er mwyn cyfleu'r efengyl yn ei gogoniant. Yna ymddangosodd y gwragedd ar yr un genhadaeth. Tyfodd yr Urdd honno hefyd. Un arall a gafodd ddylanwad fel pregethwr o blaid diwygio'r Eglwys oedd yr athro cyfriniol o'r Almaen, Meistr Johannes Eckart (c.1260-1327) a pherthynai ef i Urdd y Dominiciaid.[3] Yna yn 1374 sefydlwyd *Broeders des gemeenen levens,* sef Brodyr y Bywyd Cyffredin, gan y cyfrinydd o'r Iseldiroedd, Gerhard Groote (1340-1384), gyda nifer o wragedd duwiol yn awyddus i weld diwygio'r gyfundrefn eglwysig.[4] A gellir nodi ymhellach nifer fawr o bobl ymroddedig yn yr Almaen,

Lloegr a'r Eidal oedd yn ysbrydoliaeth. Dioddefodd nifer o'r diwygwyr hyn am eu safbwynt. Crogwyd y Diwygiwr tanllyd o Fflorens, Savonarola (1452-1498), am feiddio galw am ddiwygiad personol ac eglwysig.[5] Nid oedd maddeuant i'r diwygwyr heriol. Gwyddom am y drefn a gychwynnwyd yn y drydedd ganrif ar ddeg, sef Chwil-lys Sbaen. Dioddefodd pob grŵp oedd yn dyheu am efengyl Brotestannaidd fel y Cathariaid a'r cyfrinwyr. Rhwng 1481 a 1498, llwyddodd y Dominican, Thomas de Torquemada, fel Arch-chwilyswr, i gondemnio, carcharu a dienyddio 120,000 o ddeallusion a diwygwyr.[6]

Ond er gwaethaf yr erlid ceid hefyd arwyddion o blaid y Diwygiad, yn arbennig pan ddarllenwn hanes Urddau Mynachaidd a sefydlwyd yn ystod y bymthegfed ganrif. Daeth o leiaf saith ohonynt i fodolaeth, a'r ddau bwysicaf yn ddiamau oedd y Capuchiniaid a'r Jesiwitiaid. Sylfaenydd Urdd y Jesiwit-iaid oedd Ignatius Loyola (1491-1556), cyfoeswr John Calfin.[7] Yr oedd Cymdeithas Iesu yn ôl Loyola i fod yn gymdeithas o offeiriaid oedd i weinidogaethu i'r tlodion, i addysgu bechgyn ac i efengyleiddio'r paganiaid. Y trychineb mawr yw i'r Eglwys Babyddol fethu ymateb yn llwyr ac yn llawn i'r diwygwyr a weithiodd o fewn y gyfundrefn yn y Canol Oesoedd.

Gwelodd yr unfed ganrif ar bymtheg newidiadau aruthrol yn economaidd, cymdeithasol a diwylliannol, ac i ddeall twf Protestaniaeth rhaid nodi hynny.[8] Sylweddolodd gwerinwyr tlawd a oedd yn byw o dan bawen y cyfoethogion a'r offeiriaid fod ffordd rwyddach ar gael i'w plant os nad iddynt hwy. Ac nid yw'n syndod o gwbl fod y gwerinwyr ar dro yn barod i ymosod ar yr awdurdodau gwladol oedd o dan gyfaredd yr Eglwys Babyddol.[9] Mab i werinwyr oedd aml un o'r diwygwyr cynnar, yn ymwybodol iawn o rym yr Eglwys ac yn ymateb i'w chyfaredd.

Ond mudiad a roddodd hwb sylfaenol a sylweddol i'r Diwygiad Protestannaidd oedd y Dadeni Dysg, ac yn arbennig yr hyn a ddigwyddodd yng ngogledd Ewrop, yn feddyliol, ac yn dech-nolegol gyda'r datblygiad yn y broses o argraffu, ac yn arbennig cyfraniad Johannes Gutenberg (c.1395-1468), a wnaeth y dasg o wasgaru syniadau y Diwygwyr Protestannaidd led led y cyfandir yn bosib.[10]

Ysgolhaig praff y Dadeni Dysg oedd y 'dyneiddiwr Cristnogol' o Iseldirwr, Desiderius Erasmus (c.1469-1536).[11] Bu ef yn aelod o Urdd o Ganoniaid Awstinaidd, ond ymadawodd â'r bywyd mynachaidd er mwyn canolbwyntio ar ddysg y Clasuron. Yng nghwmni yr ysgolhaig John Colet o Brifysgol Rhydychen sylweddolodd ei bod hi'n bosibl dilyn gyrfa fel ysgolhaig Cristnogol. Sylweddolodd fod ganddo ddawn i aralleirio'r Ysgrythurau, yn arbennig yr Efengylau a'r Epistolau. Fe'u cyfieithiwyd i'r Almaeneg, Ffrangeg a Saesneg. Ond ei gyfraniad pwysig oedd ei gamp ar y Testament Newydd. Cymerodd ddeng mlynedd i olygu'r Testament Newydd yn yr iaith Roeg gyda rhagymadrodd, nodiadau manwl, a chyfieithiad i'r Lladin, a chyhoeddwyd y cyfan ym mis Mawrth 1516. Croesawyd argraffiad Erasmus o'r Testament Newydd gan bob un o'r Diwygwyr Protestannaidd. Gellir maentumio fod pob arweinydd o'r Diwygiad yn Ewrop yn ddyledus i Erasmus mewn gweledigaeth o'r Eglwys, o bwysigrwydd yr Ysgrythurau a'r angen i ryddhau y ffydd Gristnogol o ofergoeliaeth, ac anwybodaeth. Dywedir mai Erasmus oedd yn gyfrifol am ddodwy'r wy ac mai Martin Luther oedd yr un a ofalodd fod y cyw yn dod allan o'r wy. Ac eto rhaid cyfaddef fod byd o wahaniaeth rhwng rhesymu gofalus Erasmus a gwres a thanbeidrwydd emosiwn a brwdfrydedd Luther. A chydnabyddwn fod cyfraniad, Martin Luther (1483-1546) yn fwy cyffrous o lawer na chyfraniad Erasmus a'r hiwmanistiaid.[12] Beirniadu yn garedig a wnâi Erasmus a'i gymrodyr, tra gwelodd Luther fod angen adnewyddu helaeth ar yr Eglwys Gatholig Gristnogol. Cyffro dirdynnol poblogaidd oedd y Diwygiad Protestannaidd o'i gymharu ag ysgolheictod syber y Dadeni Dysg.

Ond dylanwadodd Erasmus ar Luther yn arbennig gyda'r gamp o argraffu'r Testament Newydd.[13] Bu astudio'r Beibl yn agoriad llygad iddo. Yr oedd Martin Luther yn ugain mlydd oed cyn iddo ddechrau darllen y Beibl drosto ef ei hun. Felly hefyd John Calfin. Erbyn hynny yr oedd Martin Luther wedi ennill gradd ym Mhrifysgol Erfurt. Er dirfawr siom i'w rieni, Hans a Margarethe, penderfynodd, heb ymgynghori dim â hwy, fynd yn fynach ac ymunodd ag Urdd Awstin Sant yn Erfurt.[14] Cafodd

agoriad llygad yn 1511 pan deithiodd i Rufain ar ran Urdd
Awstin Sant. Gwelodd drosto ef ei hun lygredigaeth y Babaeth, a
gwrthryfelodd yn erbyn yr arferiad cyffredin o werthu maddeu-
ebau ar ran y Pab. Ar 31 Hydref 1517 lluniodd 95 o ddatganiadau
gwrthwynebol i'r Eglwys Gatholig a'i hoelio ar ddrws eglwys lle
yr addolai yn Wittenberg. Creodd cynnwys y datganiadau storm
gymdeithasol a chrefyddol enbyd.[15] Bu'n rhaid iddo sefyll ei
brawf ar gyhuddiad o heresi, ac erbyn 1521 yr oedd hi'n amlwg i
bawb fod Luther yn barod i herio awdurdod y Pab Leo X a'r
Ymerawdwr Siarl V fel ei gilydd. Bu Luther yn ffodus o'r cymorth
a gafodd gan wŷr galluog fel ei ffrind dibynadwy Philip
Melanchthon a'i edmygydd mawr, Justus Jonas.[16] Rhoddodd
Luther fri arbennig ar gyfraniad y diwinydd a phregethwr yr
Efengyl. Yn ei olwg ef, yr oedd tair canllaw i'w parchu gan y
diwinydd fel y pregethwr, sef gweddi, myfyrdod a phrofiad, a
dylid ymarfer yn feunyddiol o fewn y canllawiau hyn. Siglodd ef
sylfeini yr eglwys fonolithig. Ni fu Ewrop na Christnogaeth byth
yr un fath ar ôl ei brotest herfeiddiol. Gosododd ei stamp ar yr
Almaen a'r Almaenwyr, a bu ei ragoriaethau a'i ragfarnau, yn
gysur ac yn gaethiwed. Ond pwysleisiodd ef neges arhosol a
fabwysiadwyd gan bob un o'r Diwygwyr. Dyna yn fyr oedd y
Diwygiad, mudiad y Gair, y Gair ar waith, Gair Duw yn llywio
bywyd y Cristion o'r crud i'r bedd. Astudio'r Ysgrythur a
phregethu'r Ysgrythur, dyna oedd y drefn, ym mhob un o'r canol-
fannau pwysig fel Wittenberg a Strasbourg, Zürich a Genefa, y
dinasoedd yn yr Almaen a'r Swistir a ddaeth yn adnabyddus fel
dinasoedd Protestannaidd.[17] Tra fod Luther yn athrylith
crefyddol i'r Almaen, cafodd gwlad y Swistir wr nodedig arall yn
arweinydd, sef Ulrich Zwingli (a adnabyddir hefyd fel Huldrych
Zwingli), sylfaenydd Eglwysi Diwygiedig y Swistir.[18] Gwladwr
pybyr oedd ef yn ymhyfrydu yn ei wlad fynyddig a'i gyd-
fforddolion, ac un a fu yn hynod o ddylanwadol yn ninas Zürich,
lle y cafodd ei ethol yn bregethwr eglwys y Grossmünster. Yn
1523 mabwysiadodd Cyngor Dinas Zürich 67 pwynt Zwingli:
carreg filltir yn hanes y Diwygiad Protestannaidd yn y Swistir ac
yn wir i Ewrop gyfan.

Yn 1529 bu Zwingli yng nghynhadledd Marburg ac

anghytunodd â Martin Luther ynghylch natur y sagrafen. Arweiniodd hyn yn anorfod at rwyg sylfaenol yn yr eglwysi Protestannaidd, ond llwyddodd Zwingli i berswadio'r mwyafrif yn Zürich o werth y Diwygiad a chreu dinas, hyd y gellid, a fyddai'n parchu gwerthoedd gwareiddiad Cristnogol, yn wir fel y dywedodd ef ei hun ychydig cyn ei farw ar faes y gad, 'nid yw dinas Gristnogol ond enw arall ar yr eglwys'.[19]

Nid oedd y Diwygwyr cynnar yn medru derbyn o gwbl yr hierarchaeth Babyddol y cawsant eu magu i'w chydnabod. Roeddent yn wrthwynebus i'r Pab, y cardinaliaid a'r esgobion. Iesu Grist oedd pen yr Eglwys ac nid y Pab yn ei rwysg yn Rhufain. Felly y cyhoeddai Luther a Zwingli fel ei gilydd.[20] Y pedwar pwynt pwysig o safbwynt Luther a Zwingli oedd:

i) Awdurdod y Gair trwy'r Beibl. Yr oedd hi'n bwysig astudio a byw yn unol â'r Gair.

ii) Addoliad syml ac nid rhwysgfawr. Coron yr addoliad oedd y bregeth, a dylid rhoddi amser i'w pharatoi yn ofalus.

iii) Y Sacramentau. Dau sacrament ac nid saith oedd eu hangen yn Eglwys Crist. Y ddau Sacrament hyn oedd y Cymun a'r Bedydd. Ond ar ddehongliad y Cymun methodd Luther a Zwingli gytuno, a bu hyn yn rhwystr amlwg yn hanes y Diwygiad Protestannaidd.[21] Yn nysgeidiaeth Luther yr oedd corff Crist yn bresennol yn y bara yn y cymun er nad oedd y bara yn newid, tra i Zwingli yr oedd hyn yn gyfaddawd amlwg â'r gredo Babyddol mewn traws-sylweddiad. I Zwingli symbolau yn unig oedd y bara a'r gwin, gyda'r gynulleidfa yn eu derbyn oddi wrth y gweinidog wrth eistedd yn y seddau. Nid oedd angen iddynt gerdded i ymyl yr allor. Gwasanaeth didwyll yw'r Cymun i atgoffa disgyblion Crist fod y Gwaredwr wedi marw drostynt ar y Groes. Credai Zwingli fod Crist Iesu, Arglwydd yr eneidiau, yn bresennol yng nghalonnau'r credinwyr. Felly i Luther yr oedd y bara yn llythrennol yn Grist, tra i Zwingli cynrychioli corff Crist a wnâi'r bara.

iv) Cyfiawnhad trwy ffydd. Dyma i'r ddau ohonynt oedd un o athrawiaethau mawr y ffydd.[22] Yr Epistol at y Rhufeiniaid, pennod 4 adnod 5, a roddodd y seiliau iddynt. Y mae Duw yn barod i gyfiawnhau'r annuwiol, yn maddau'n rhad i'r pechadur ac yn barod i'w gyfiawnhau os yw'r pechadur yn barod i ymddiried yn ei gariad anfeidrol yn Iesu Grist. Dyma wirionedd canolog a therfynol i Luther a Zwingli; nid athrawiaeth newydd mohoni ond safbwynt newydd. Luther a Zwingli a glymodd farwolaeth Crist gyda'r cyfiawnhau. Ond yr hyn oedd o'i le ar y Pabyddion oedd difaterwch ynghylch gwaith Crist. Nid oeddent yn cymryd gweithred y groes ddigon o ddifrif fel unig sail iachawdwriaeth dyn, ond yn ceisio cefnogi hynny trwy sôn am weithredoedd dynion. Dyma safbwynt y Diwygwyr cynnar: 'Crist yn unig, ac nid gweithredoedd dynion, sy'n achub eneidiau.'[23]

Gellid credu yn hawdd y byddai Luther a Zwingli wedi cydweithio yn braf â'i gilydd yn y cyfnod o 1519 i 1530. Nid oes amheuaeth nad oedd Luther wedi ysbrydoli Zwingli er na fyddai ef yn cydnabod hynny o gwbl. Yn wir cythruddid ef pan glywai'r Pabyddion yn edliw hynny iddo. Dywedodd yn 1523:

> Mae'r Catholigion yn dweud fy mod yn Lutheraidd gan fy mod yn pregethu fel yr argymhellodd Paul. Pam na elwir fi yn un o olynwyr Paul?[24]

A'r hyn a wnaeth Zwingli oedd dilyn llwybr annibynnol ar Martin Luther. Y mae'n wir dweud fod dinasoedd y Swistir wedi derbyn cryn lawer o ddylanwad Luther ar ôl ei brotest yn 1517, ac ni allai Zürich ddianc rhag y dylanwad hwnnw. Ond ni fynnai Zwingli gydnabod hynny o gwbl a thorrodd lwybr mor annibynnol ag y medrai. Yn wir bu cryn wrthdaro rhwng y ddau Ddiwygiwr rhwng 1525 a 1527, trwy lyfrynnau a phamffledi, a phellhau a wnaeth y ddau er gofid amryw o'r tywysogion fel Philip o Hesse oedd yn Brotestant ei hun. Gwelai Philip y Pabyddion yn adennill tir a gollwyd, a sylweddolai fod y rhwyg rhwng Luther a Zwingli yn gwanhau'r Diwygiad.[25] Hyn oedd y cymhelliad i alw Cynulliad Marburg yn 1529 gyda'r bwriad penodol o sicrhau, os medrid, gyfaddawd rhwng y Lutheriaid a'r Zwingliaid wyneb yn wyneb â'r cynnydd o du'r Eglwys Babyddol

Rufeinig. Bu'r Cynulliad yn llwyddiannus ar bron bob mater ond y Cymun. Cytunwyd ar 14 allan o 15 o bynciau oedd ar yr agenda, ond methwyd cael cytundeb llwyr ar fater y Cymun. Y canlyniad trist oedd i Ddiwygiad y Swistir ddatblygu ar wahân.[26] Creodd Zwingli hefyd ym mis Mai 1525 lys gwladol i ofalu am briodasau yn Zürich, y Khergericht.[27] Eisteddai dau weinidog a phedwar lleygwr i weinyddu'r llys newydd, a daeth mwy a mwy o faterion ger bron y llys hwn fel yr âi'r blynyddoedd heibio. Bu dylanwad y llys hwn yn fawr ar ddinasoedd fel Basel a Genefa. Mabwysiadodd Oecolampadius esiampl Zwingli yn Basel, ac fel y gwelwn, yr enghraifft orau o'r drefn hon yw Consistori John Calfin yn Genefa. Datblygwyd y math arbennig hwn o 'theocratiaeth' hefyd o fewn y cymunedau Piwritanaidd yng ngwledydd Prydain ac yn Lloegr Newydd.[28]

Dyna fraslun o gyfraniad arloeswyr y Diwygiad Protestannaidd ac wrth gyflwyno'r trydydd arwr yn yr oriel gwelwn pa mor wahanol oedd Calfin i Luther a Zwingli mewn amryw o gyfeiriadau. Yr oedd Zwingli yn credu mewn nerth braich. Cyfunodd ef fyd y milwr a byd y diwygiwr.[29] Yr oedd Luther yn medru bod yn beryglus o ran ei ddatganiadau a'i ragfarnau, ond yr oedd Calfin yn swil ac yn caru'r encilion ac yn dosturiol wrth y caethiwus.[30] Ysgolhaig gwangalon oedd y disgrifiad a roddodd Calfin ohono ef ei hun. Ni fyddai yn gysurus o gwbl o amgylch y bwrdd cinio ar aelwyd Luther. Mor denau â rhaca, cyfrifid Calfin fel un oedd yn 'llwgu' yn aml. Ar y gorau ni fyddai yn bwyta mwy nag un pryd bach o fwyd y dydd er mwyn cadw ei feddwl yn glir ac i amddiffyn ei gorff egwan rhag yr holl ddoluriau a'i blinai.Tra byddai Luther yn chwerthin yn ddilywodaeth wrth yfed ei beint o gwrw, ciliai Calfin o'r fath awyrgylch er mwyn darllen ac ysgrifennu ar gyfer pregeth, darlith ac ysgrif. Pan oedd Zwingli yn ymffrostio yn ei gampau, soniai Calfin am ei gyfrifoldebau. Meddai Luther a Chalfin ar lygaid nodedig.[31] Dawnsiai llygaid Luther tra llosgai llygaid Calfin. Gŵr â thân yn ei bersonoliaeth oedd Luther, ond yr oedd Calfin yn oeraidd o ran personoliaeth. Ond yr oedd y ddau ohonynt yn medru bod yn wyllt o ran tymer, a lluniodd y ddau lenyddiaeth Gristnogol sy'n dal yn berthnasol. Ysgrifennai Luther ei lyfrau heb eu hadolygu yn fanwl tra byddai Calfin yn treulio misoedd a blynyddoedd yn ail lunio ei gyfrolau.

Ni fyddai Calfin yn dymuno cael gwrogaeth a'i gyfrif yn un o'r mawrion. Enciliai i'r cysgodion hyd y medrai. Yn y darluniau a welwn ohono meddai ar wyneb syber, heb wên o gwbl, a chap du ar ei ben a'i lygaid yn treiddio i fêr ein hesgyrn. Y mae yn edrych arnom o ddifrif gan fod cymaint i'w gyflawni a bywyd mor fyr.

Er cymaint a gyflawnodd Martin Luther, y mae'n gwestiwn a fyddai'r Diwygiad wedi gwreiddio fel y gwnaeth heb gyfraniadau unigryw Zwingli a Calfin. Bu Luther yn bwysig i Calfin fel y bu Zwingli, er ei fod ef wedi marw cyn i Calfin groesi'r ffin o Babyddiaeth i Brotestaniaeth. Ond ni ddylid ar unrhyw adeg anghofio pwysigrwydd Zwingli ym mywyd Calfin. Heb waith pwysig, cwbl arloesol Zwingli yn ystod y blynyddoedd cynnar, hynny yw o 1519 i 1530, yn y Swistir, y mae'n fwy na thebyg na fyddai Calfin wedi cael cymaint o ddylanwad ar gyfandir Ewrop. Fel y dywedodd Dr. W. Gareth Evans:

> Teg yw dweud bod llwyddiannau Zwingli a Calfin ynghlwm yn ei gilydd i raddau helaeth gan fod Zwingli yn ddolen gyswllt mor hanfodol rhwng Luther a Calfin. Yr oedd Zwingli yn ddolen a alluogodd Calfin i ledaenu'r diwygiad gan roi dimensiwn rhyngwladol iddo - dimensiwn sydd yn rhan annatod o'r byd modern a chymdeithas yr ugeinfed ganrif.[32]

Y mae ei ddylanwad i'w ganfod ymhob cylch o fywyd. Gwelir ei enw ym mhob cylch o ysgolheictod Cristnogol ac yn y byd gwleidyddol oherwydd ei ddylanwad ar yr hyn a adnabyddir fel democratiaeth ryddfrydol.[33]

Nid dyn hawdd i'w astudio mohono. Cydnabu un o ddiwinyddion pennaf yr ugeinfed ganrif, Karl Barth, hyn, a chyflwynodd ef i'r byd yr hyn a elwir yn Galfiniaeth newydd.[34] Gwnaeth Karl Barth gymwynas fawr â Calfin. Oherwydd ei ddealltwriaeth o raslonrwydd Duw ymwadodd â'r dehongliad Calfinaidd o etholedigaeth. Dywed yr Athro Harri Williams:

> Y mae ei ymdriniaeth o'r Athrawiaeth hon yn cadarnhau'r ymdeimlad fod diwinyddiaeth, a'r Eglwys Gristnogol yn

gyffredinol, wedi tyfu mewn dealltwriaeth ac adnabyddiaeth o ras Duw er dyddiau Luther a Calfin, ac, os caf ychwanegu, er dyddiau John Elias.[35]

Mewn llythyr at gyfaill iddo mynegodd Karl Barth y dasg enfawr sy'n wynebu pob un sy'n ymgodymu ag athrawiaeth a diwinyddiaeth Calfin:

I could gladly and profitably set myself down and spend all the rest of my life with Calvin.[36]

Dyma rybudd gwerth ei ddarllen oddi wrth un a roddodd ysgogiad mawr i'r eglwys yn yr ugeinfed ganrif, ac erbyn heddiw cafodd Calfin ysgolheigion sydd yn barod iawn i danlinellu pa mor ddylanwadol ydoedd yn y byd modern.

1 Norman Davies, *Europe: A History* (Efrog Newydd, 1996), 383-468.
2 *ibid.*, 360-1.
3 Raymond B. Blakney (gol.), *Meister Eckart* (Efrog Newydd, 1941).
4 David L. Edwards, *Christianity: The First Two Thousand Years* (Llundain, 1997), 263.
5 *ibid.*, 255-6, 273, 276.
6 Davies, *Europe*, 453-3.
7 J. C. Cooper (gol), *Cassell Dictionary of Christianity* (Llundain, 1996), 161.
8 Alister McGrath, *Christianity's Dangerous Idea: The Protestant Revolution: a history from the sixteenth century to the twenty-first* (Llundain, 2007), 18-28.
9 R. B. Dobson, *The Peasants' Revolt of 1381* (Llundain, 1983).
10 Davies, *Europe:*, 445; S. H. Steinbert, *Five Hundred Years of Printing* (Llundain, 1955), 23 a 177-8.
11 R. H. Bainton, *Erasmus of Christendom* (Efrog Newydd, 1969); J. Huizing, *Erasmus of Rotterdam* (Efrog Newydd, 1952).
12 Roland H. Bainton, *Here I stand: A Life of Martin Luther* (Peabody, 2009), 112-115.
13 *ibid.*, 111.
14 David C. Steinmetz, 'Luther and the Late Medieval Augustinians: Another Look', *Concordia Theological Monthly 44* (1973), 245-260.
15 Bainton, *Here I stand:*, 62-66, 71, 107.
16 *ibid.*, am Philip Melancthon, 91-111, 327-33 am Justus Jonas, 198-200, 309-10, 330.
17 Basil Hall, 'The Reformation City', *Bulletin of the John Rylands Library* 54 (1971-1972), 103-148.
18 Jean Rilliet, *Zwingli: Third Man of the Reformation* (Philadelphia, 1964).
19 Robert C. Walton, 'Zwingli: Founding Father of the Reformed Churches', yn

Richard L. De Holen, (gol.), *Leaders of the Reformation* (Selingsgrove, 1984), 69-98.

20 McGrath, *Christianity's Dangerous Idea:*, 56-7.

21 W. Gareth Evans, *Zwingli a Calfin a'r Diwygiad Protestannaidd yn y Swistir* (Aberystwyth, 1994), 13.

22 McGrath, *Christianity's Dangerous Idea,* 57.

23 W. T. Pennar Davies, 'Huldrych Zwingli (1483-1531)', yn D. Ben Rees (gol.), *Deuddeg Diwygiwr Protestannaidd* (Lerpwl a Llanddewi Brefi, 1988), 163.

24 Evans, *Zwingli a Calfin*, 12.

25 *ibid.*, 14.

26 Pennar Davies, 'Huldrych Zwingli', yn Rees (gol.), *Deuddeg Diwygiwr*, 168.

27 *ibid.*, 167.

28 *ibid.*

30 Eifion Evans, 'John Calfin (1509-1564)' yn Rees (gol.), *Deuddeg Diwygiwr*, 51. Wrth grediniwr mewn carchar, dywedodd Calfin: 'Y mae tosturi yn fy nal fel feis wrth eich gweld yn nychu cyhyd!'

31 Michael Reeves, *The Unquenchable Flame: Introducing the Reformation* (Nottingham, 2009), 87.

32 Evans, *Zwingli a Calfin*, 5.

33 Peter Wilcox, 'A toast to this most maligned of theologians', *The Times*, Gorffennaf, 4, 2009.

34 Harri Williams, 'Diwinyddiaeth Paul Tillich', *Y Traethodydd*, Gorffennaf 1959 (CXIV Rhif 492) 97-104. Yn yr ysgrif hon y ceir ymdriniaeth â'r Galfiniaeth Newydd, 101-104.

35 Harri Williams, *Y Crist Cyfoes* (Caernarfon, 1967), 60.

36 Karl Barth, *Revolutionary Theology in the Making* (Richmond, 1964), 101.

PENNOD 2

Blynyddoedd Cynnar Calfin (1509-1527)

Ar y degfed o Orffennaf yn y flwyddyn 1509, yn nhre fechan Noyon yn nhalaith Picardy, ryw drigain milltir i'r gogledd o Baris ac yng nghysgod Eglwys Gadeiriol y Notre Dame y ganwyd i Gérard Calvin a Jeanne Lefranc fab.[1] Yr oedd Noyon yn dref hynafol a'i sefydliadau eglwysig yn bwysig i economi a bywyd ei thrigolion – sef ei Heglwys Gadeiriol, ei Glwysgordy a'i Llyfrgell.[2]

Yr oedd yr Eglwys Gatholig yn hynod o bwysig i'r teulu. Deuai ei dad Gérard, o deulu o ddosbarth gweithfaol, pobl a fu'n llafurio mewn iard longau ym mhentref glan y môr Ponte-l'Evêque.[3] Symudodd i Noyon, ryw dair milltir i ffwrdd, i ddechrau gyrfa newydd yn y dref honno a'i Heglwys Gadeiriol hardd. Daeth Gérard Calvin yn gyfreithiwr llwyddiannus a hefyd i arolygu materion ariannol yr Eglwys. Cododd amheuaeth amdano pan gyhuddwyd ef gan rai o'r offeiriaid o gyflawni gweithred wael yn achos tir dau offeiriad gyda'r canlyniad iddo gael ei ddiarddel o'r Eglwys ar 13 Tachwedd 1528.[4] Yr oedd hynny yn un o'r achosion mwyaf torcalonnus yn Noyon, ac yn wir bu farw ar 31 Mai, 1531 ac yntau y tu allan i gymundeb yr Eglwys. Ond llwyddodd ei fab hynaf Charles i gael maddeuant oddi wrth yr Eglwys, felly medrai'r teulu drefnu angladd Cristnogol ac fel y gellid ei osod mewn bedd a hwnnw mewn tir a gysegrwyd.

Yr oedd John Calfin yn un o saith o blant, pump o fechgyn a dwy o ferched.[5] Bu farw dau o'r bechgyn, Antoine a François, ym mlodau eu dyddiau. Charles, fel y nodwyd, oedd yr hynaf, John yn ail a daeth Antoine wedyn, a bu ef yn ffrind da i'r Diwygiwr yn ei oes fer. Ni wyddom lawer am ei fam, Jeanne Lefranc, merch i dafarnwr lleol, ond fe ddywed yr hyn a gofnodwyd gryn lawer amdani. Cyfrifid hi yn Noyon yn wraig nodedig o hardd o ran pryd a gwedd ac yn byw i'r eglwys. Yr oedd hi'n llawer mwy o ddifrif nag oedd ei gŵr, er ei fod ef yn cael bywoliaeth o'r sefydliad eglwysig. Magwyd Calfin fel ei frodyr a'i chwiorydd mewn awyrgylch grefyddol. Cofiai ef amdani fel mam ddefosiynol, yn cymuno yn ddyddiol gyda delw o'r Forwyn Fair yn gyfrwng ei gweddïau, ac iddi gludo y mab John, ar bererindod pan oedd yn blentyn bychan i Ourscamp, pentref agos i Noyon, i gusanu crair o'r Santes Anne.[6] Nid oes arwyddocâd mawr yn y gusan na'r crair ar wahân i'r ffaith ein bod yn cael ein hatgoffa mai i'r un Santes y gwnaeth Martin Luther addewid i fynd yn fynach pan ddaliwyd ef mewn storm enbyd o fellt a tharanau.

Ond y storm fwyaf a ddaeth i fywyd Calfin oedd yn 1515 pan fu farw ei fam, ac yntau ond yn chwe blwydd oed. Bu colli ei fam yn brofiad dirdynnol iddo, ac yn ddiweddarach yn ei oes, dywedodd fod yr Eglwys wedi dod yn fam yng ngwir ystyr y gair iddo. Bu yn ffodus hefyd o gyfeillgarwch â meibion teulu de Hangest a chafodd ei dderbyn yn y cartref moethus hwnnw. Ailbriododd ei dad gyda gwraig weddw, a ganwyd dwy ferch, hanner chwiorydd i Calfin.[7] Rhoddodd ei fryd yn y blynyddoedd cynnar hyn ar yrfa fel offeiriad Pabyddol. Pan oedd yn ddeuddeng mlwydd oed, llwyddodd ei dad i sicrhau caplaniaeth iddo. Tra oedd cyfran o'r swm am y gaplaniaeth i'w defnyddio i ddalu cyflog offeiriad i weinyddu'r plwyf, yr oedd y gweddill ar gael i gyfarfod â gofynion ariannol addysgu John Calfin. Dyma'r cefndir i fywyd cynnar y gŵr a ddaeth yn Ddiwygiwr pwysig yn hanes yr Eglwys Gristnogol.

Yn Awst 1523 aeth Calvin gyda thri o fechgyn teulu de Montmors i goleg ym Mharis o'r enw Collège de la Marche. Nodweddid y coleg gan ysbryd y Dadeni Dysg a hiwmanistiaeth. Athro enwocaf y coleg oedd Mathurin Cordier, arloesydd ym myd addysg.[8] Offeiriad nodedig ydoedd a gredai mewn diwygio systemau addysg a chrefydd. Credai hefyd ei bod hi'n bwysig i roddi Crist Iesu ynghanol bywyd y coleg yn hytrach na seremonïau. Dyheai am weld y myfyrwyr yn dod i ddeall hanfodion gramadeg ond ar yr un pryd yn magu agwedd ddefosiynol a chariad at Grist, ei fywyd a'i efengyl. Er mai ychydig fisoedd a dreuliodd Calfin yn yr ysgol hon, bu Cordier yn ddylanwad pwysig arno. Ond erbyn diwedd 1523 cyfarwyddwyd John Calfin i ymaelodi fel disgybl yn Collège de Montaigu. Treuliodd bedair blynedd yn y sefydliad addysgol hwn i baratoi ar gyfer gwasanaethu'r Eglwysi yn unol â dyheadau ei dad.[9]

Y mae'r mwyafrif o gofianwyr y Diwygiwr wedi dilyn tystiolaeth Desiderius Erasmus yn bennaf i ddisgrifio Collège de Montaigu mewn termau digon anffafriol. Pwysleisir bod yr adeiladau yn cysgodi heintiau, y bwyd yn sobor o wael, a bod yr awyrgylch yn ddidostur o greulon. Gellid deall peth o'r feirniadaeth gan fod yr adeiladau wedi bod yn gartref i'r ysgol er 1314. Ond rhaid cofio cyfraniad Jean Standonck i fywyd yr ysgol.[10] Iddo ef yr oedd hi'n bwysig adfer uniongrededd y ffydd ar ei gorau, er paratoi bechgyn i gyflawni gwaith y Deyrnas trwy gyfrwng yr Eglwys, a phenderfynodd wneud y coleg yn fangre i ddysg ar ei gorau, ac i hyfforddi pobl ifainc a fyddai'n dilyn esiampl yr Apostolion. Cafodd lwyddiant eithriadol.[11]

Trefnwyd y gymuned yn ddwy ysgol, un ar gyfer y tlawd a'r llall ar gyfer y cyfoethog.[12] Ymhlith y llyfrau y disgwylid iddynt eu darllen yr oedd rheidrwydd i astudio'r clasur, *Imitatio Christi*, o waith Kempis.[13] Y nodwedd bwysicaf o ysbrydolrwydd y sefydliad oedd y pwyslais canolog ar Dduw a Christ, a disgwylid iddynt fyfyrio yn yr Ysgrythurau ac yn arbennig epistolau Paul. Ymysg y meistri ysbrydol, yr oedd lle amlwg i gyfrolau Awstin Sant a myfyrdodau Bernard.

Y rhain oedd y canllawiau ar gyfer y disgyblion, er mwyn iddynt ddod i brofi'r hyn a elwid yn grefydd y galon. Gwahoddid hwy yn y gyfrol *Imitatio Christi* i gyfarfod ag Iesu Grist yn eu calonnau ac i'w ddathlu ar lwybr yr ymarferion defosiynol - myfyrio yn yr Ysgrythurau, cyffesu, poenydio'r cnawd, arholi'r gydwybod, cofleidio Crist. Esiampl Iesu oedd yr esiampl. Gan ei fod ef yn faterol yn dlawd, dylent hwythau ddilyn ei esiampl ar lwybrau bywyd.

O ran addysg ceid dwy adran, sef Gramadeg a'r Celfyddydau ar un llaw a Diwinyddiaeth ar y llaw arall, a hynny o dan gyfarwyddyd prifysgol enwog y Sorbonne. Am bum mlynedd, disgwylid i'r myfyrwyr feistroli rhesymeg, metaffiseg, ethig, gwyddoniaeth a rhetoreg. Y testunau a ddefnyddid oedd gwaith rhai o athronwyr gwlad Groeg fel Aristotlys, yna meddylwyr mawr y Ffydd fel Thomas Acwin, Duns Scotus a William o Ockham. Am bum mlynedd hefyd, disgwylid i'r rhai a berthynai i'r Adran Ddiwinyddol astudio'r Ysgrythurau Sanctaidd a gwaith ysgrifenedig Peter Lombard, yn arbennig ei gyfrol *Libri Quattuor Sententiarum*. Dyna oedd ar gael pan gyrhaeddodd John Calfin y coleg. Nid oedd ysbryd a theithi meddwl Standonck yn bresennol fel y buasai yn y cyfnod o 1490 i 1503, ac yn ôl pob tystiolaeth siomedig iawn oedd agwedd a chyfraniad ei olynwyr Noël Bédier a Pierre Tempête. Nid oeddent hwy yn yr un byd ag ef. Yr unig beth a oedd yn gyffredin rhyngddynt oedd y pwyslais ar ddisgyblaeth. Dechreuodd y myfyrwyr flino ar deyrnasiad Bédier a phenderfynodd ymddiswyddo, ac fe'i dilynwyd gan Pierre Tempête. Bu ef yno o 1514 i 1528 a gweithredodd yr un rhaglen â Bédier. Yr oedd yn gwbl anghyfrifol ar adegau yn ei berthynas â'r myfyrwyr, ac ef yn bennaf a gofiai Calfin wrth y llyw.[14]

Beth fu dylanwad Pierre Templête ar ddatblygiad crefyddol John Calfin? Nid yw'n hawdd rhoddi ateb gan nad oes gennym dystiolaeth o gwbl o enau na llawysgrifen Calfin. Ond y mae llu o gwestiynau heb atebion iddynt. Y casgliad y mae'n rhaid dod iddo yw iddo gadw at y llwybr traddodiadol er bod syniadau Luther ac Erasmus yn sicr wedi dod i'w fyd. Sylwodd ar y sefyllfa grefyddol anodd ym Mharis rhwng y Catholigion a'r Protestaniaid ac ni allai beidio â chlywed fod un o athronwyr pwysicaf y coleg, John Major o'r Alban, wedi bod wrthi'n beirniadu athrawiaethau Martin Luther yn y Dosbarthiadau Diwinyddiaeth ac yn ei gymharu â John Hus a hereticiaid eraill yng ngolwg yr Eglwys Babyddol.[15] Er nad oedd Bédier bellach yn brifathro, eto yr oedd yn darlithio yn y coleg, ac yn y flwyddyn 1526 bu ef yn croesi cleddyfau ag Erasmus, yr ysgolhaig o bolymath.

Clywodd Calfin am y gormesu ar bobl Brotestanniaidd eu bryd, ac yn ystod y blynyddoedd 1526-8 llosgwyd nifer ohonynt wrth y stanc. Ym Metz, llosgwyd mynach Awgwstinaidd o'r enw Jean Chastellain a phregethwr lleyg Jean Leclerc.[16] Yn ninas Paris gwelwyd yr awdurdodau yn distewi protestiadau tri gŵr, yn gyntaf Guillaume Joubert, mab cyfreithiwr y brenin yn La Rochelle, yna Jacques Pavannes, offeiriad ifanc o Meaux, a mynach Awgwstinaidd arall, Jean Guibert, bob un ohonynt yn ferthyron i'r ffydd.[17] Llosgwyd hwy yn ulw am wrthod cydnabod delwau'r seintiau, am feirniadu'r offeren am iddi gael ei gweinyddu yn yr iaith Ladin ac nid yn iaith frodorol y bobl, ac am wrthod cyffesu wrth offeiriad a gweddïo dros y meirw. Bu pob un ohonynt farw gyda dewrder anghyffredin a chyda ffydd gref yn yr Eiriolwr, Iesu Grist. Y mae'n sicr fod clywed am yr amgylchiadau hyn wedi gwneud argraff ddwys a pheri i'r myfyriwr ifanc o Noyon feddwl o ddifrif am eglwys a oedd yn erlid anghydffurfwyr o offeiriaid i farwolaeth yn hytrach nag ymresymu â hwy mewn goddefgarwch a chyd-ddealltwriaeth. Heuwyd hadau'r gwrth-ryfela yn ei hanes yn dawel ond yn effeithiol yn ei gyfnod cynnar fel disgybl cydwybodol ym Mharis.

1 Sillefid cyfenw y teulu yn Ffrangeg, *Cauvin*, François Wendel, *Calvin* (Llundain, 1963), 16.
2 *ibid.*
3 Selderhuis, *John Calvin,* 7.
4 *ibid.*, 8.
5 Theodore Beza, *The Life of John Calvin* (Darlington, 1997, cyhoeddwyd yr argraffiad cyntaf yn Genefa yn 1564), 15-16.
6 Selderhuis, *John Calvin,* 11.
7 *ibid.*
8 *ibid.,* 16. Bu yn dysgu hefyd yn Nevers, Bordeaux, Neufchâtel, Lausanne, ac yn olaf oll yn Genefa, lle y daeth i gysylltiad drachefn gyda'i ddisgybl galluog; yn Genefa y bu farw ar 7 Medi 1564 yn 85 mlwydd oed.
9 Alexandre Ganoczy, *The Young Calvin*, (Philadelphia, 1987), 57-8.
10 A. Renaudet, 'Jean Standonck, un reformateur catholique avant le réforme', *Bulletin d'Historie du Protestantisme Français* (Paris, 1908), 5-81; A. Hyma, *Renaissance to Reformation*, (Grand Rapids, 1981), 337-354.
11 *ibid.*, A. Hyma, 340.
12 Ganoczy, *The Young Calvin,* 58.
13 *ibid.*
14 *ibid.*
15 Wendel, *Calvin,* 6.
16 Ganoczy, *The Young Calvin,* 63.
17 *ibid.*

PENNOD 3

Calfin yn Orléans a Bourges (1528-1531)

Arhosodd Calfin, y mae'n debyg, yng ngholeg enwog Paris hyd
ddiwedd 1527 neu efallai dechrau 1528. Yr oedd ar fin ennill ei
radd o MA ac felly wedi cwblhau ei astudiaethau athronyddol.[1]
Yr oedd ei dad wedi bod yn dadlau yn Noyon gyda'r awdurdodau
eglwysig, noddwyr ei fab. A dyma'r adeg i'w dad benderfynu na
ddylai John astudio diwinyddiaeth bellach er mwyn paratoi ar
gyfer bywyd offeiriadol, ond astudio'r gyfraith er mwyn dilyn
llwybr llawer mwy proffidiol.[2] Symudodd i Brifysgol Orléans gan
fod y coleg yno yn arbenigo yn ei faes newydd. Ond daeth hefyd
o dan gyfaredd un o fechgyn Noyon, ei gyfaill Pierre Robert, ond
a adnabyddid fel Olivétan. Dyma oedd ei lysenw ('olew ganol
nos') am ei fod yn gweithio hyd oriau mân y bore. Bu'r ddau yn
ffrindiau yn ystod cyfnod Paris a daethant ynghyd eto ym
Mhrifysgol Orléans am rai misoedd. Y mae'n rhaid ei fod ef wedi
astudio Groeg a Hebraeg gan iddo'n ddiweddarach gyfieithu'r
Beibl i'r Ffrangeg. Ysgrifennodd Calfin ragair mewn Lladin i'r
Beibl hwn a gyhoeddwyd yn 1535, lle y disgrifiai Olivétan fel
'perthynas' iddo, ac fel 'cyfaill mynwesol ers cryn amser'.[3] Ond yn
y rhagair hwn ni soniai Calfin mai Olivétan a'i cyflwynodd i
lenyddiaeth efengylaidd y Diwygiad Protestannaidd. Ar ôl iddo
adael Orléans, gadawodd Olivétan Ffrainc ac ymuno yn
rhengoedd y Lutheriaid,

Ond gwyddom i Calfin dderbyn gorchymyn ei dad ac ymuno yn
Adran y Gyfraith yn Orléans, a dod yn ddisgybl i Athro tra
enwog, Pierre de l'Estoile, a elwid yn 'gyfreithiwr gorau ei
gyfnod'.[4] Oddi wrtho ef y dysgodd lawer am hereticiaid. Rhoddai
Pierre ei wersi ym mynachlog Bonne Nouvelle. Gwnaed Calfin yn
broctor, gŵr pwysig mewn gorymdeithiau. Credai l'Estoile yn

nhraddodiadau'r Eglwys ac yr oedd yn gwbl uniongred ei syniadaeth. Nid oedd amynedd ganddo o gwbl â hereticiaid (dylid eu cosbi'n drwm), nac â phobl y Diwygiad Protestannaidd. Pan feirniadwyd ei athro gan ŵr arall galluog yn y Gyfraith o'r Eidal, Andreas Alciati, amddiffynnodd Calfin de l'Estoile. Rhagair oedd yr amddiffyniad i'r llyfr a elwid *Antapologia* a luniwyd gan gyfaill Calfin, Nicolas Duchemin, gyda'r bwriad o brofi fod ffeithiau'r Eidalwr yn anghywir. Dyma deyrnged y disgybl i'w athro: 'Y mae'n meddu ar feddwl miniog, yn weithgar, ac yn wybodus yn y gyfraith. Nid oes cwestiwn nad yw yn meddu ar bwysigrwydd arbennig yn ei faes gydag un neu ddau arall.'[5] I Calfin, Pierre de l'Estoile oedd tywysog cyfreithwyr holl wlad Ffrainc.[6]

Er hynny nid oedd Orléans yn rhydd o'r symudiadau Protestannaidd, ac o'r newyddion am ddewrder y merthyron. Daeth y newydd ar 3 Gorffennaf 1528 fod Denis de Rieux a feirniadodd yr offeren wedi cael ei losgi yn ulw ar sgwâr tref ei gartref, Meaux.[7] Siaradai'r bobl yn helaeth am greulondeb y dienyddwyr ac am ddewrder y merthyr da ei air. Ni ellid atal syniadaeth Lutheraidd rhag crwydro i Ffrainc, ac yn arbennig i Paris lle y ceid cyfieithydd o safon Louis de Berquin ac argraff-ydd dewr fel Simon Dubois i hybu diwinyddiaeth Diwygiwr yr Almaen fel Luther a Melancthon.[8] Er holl allu de Berquin a'i berthynas dda fel hiwmanydd gydag ysgolheigion ei gyfnod, ni allodd ddianc rhag y stanc ac fe'i llosgwyd yntau ar 17 Ebrill 1529.[9] Collodd y Brenin François y cyntaf ei amynedd gyda'r Lutheriaid yn arbennig yn Picardy, y dalaith y ganwyd Calfin ynddi, ac yn wir gyda holl wlad Normandi a elwid ar lafar gwlad yn 'Almaen Fach'. Dyma'r cyfnod pan gyhoeddwyd dau o gatecismau Luther, sef *Y Catecism Bychan* ac *Ysgrifau Marburg* yn Ffrainc.[10] Ym Mhrifysgol Orléans yr oedd yr awyrgylch yn llawer llai anghysurus nag ydoedd ym Mharis. Cyfrifai Calfin ei hun yn ffodus ei fod ef yn cael cyfle i gyfarfod â'r ysgolhaig gwybodus yn iaith a diwylliant y Groegiaid, Melchior Wolmar, ac i fod ymhlith myfyrwyr galluog fel François Daniel, François de Connan a Nicolas Duchemin.[11] Gyda hwy medrai Calfin drafod nid yn unig ei bwnc ond y sefyllfa grefyddol yn Ffrainc.

Almaenwr oedd Wolmar a anwyd yn Wuertemberg yn 1496. Daeth o dan ddylanwad safbwynt Luther, sefyllfa a oedd yn peri trafferth iddo ym Mharis. Penderfynodd chwilio am le mwy diogel a symud i Orléans i agor hostel ar gyfer myfyrwyr. Dadleuai haneswyr o safbwynt y Babaeth mai Wolmar a gyflwynodd i Calfin ei heresïau, ond y mae haneswyr eraill fel François Wendel yn amau hynny, ond yn cytuno fod Wolmar wedi bod yn garedig tuag at Calfin a'i gyflwyno i'r llenyddiaeth Helenistaidd a byd ysgolheictod yr hiwmanistiaid.[12] Sgwrsiai Melchior gyda Calfin am yr Almaen a'r Diwygiad, darllenai Roeg y Testament Newydd gydag ef, ac esbonio safbwynt Luther a'r hiwmanistiaid. Mor bwysig â Wolmar oedd ei gyfeillion fel myfyrwyr, fel François Daniel, a oedd yn byw gyda'i frodyr a'i chwiorydd yn Orléans ac yn aml yn gwahodd ei gyfaill John Calfin i'r cartref; ac yna Nicolas Duchemin, a oedd ychydig yn hŷn na'r lleill, ac a fu'n cyd-fyw gyda'r myfyrwyr o Noyon. Y llythyron cynharaf sydd gennym yn llawysgrifen Calfin yw'r llythyron a luniodd at Daniel. Ond cofier na ddilynodd yr un ohonynt lwybrau John Calfin fel Diwygiwr. Pobl deyrngar ar y naw oedd y pedwar am gyfnod, ond ymddihatrodd Calfin yn dawel bach o hualau'r Eglwys Babyddol.

Y mae'n debyg iddo aros yn Orléans hyd wanwyn 1529 pan gyrhaeddodd Andreas neu Andrea Alciati Brifysgol Bourges.[13] Gŵr athrylithgar oedd hwn. Ystyriai Erasmus ef yn feddyliwr o'r radd flaenaf, yn medru esbonio tueddiadau'r bywyd cymdeithasol yn gelfydd. Deffrowyd diddordeb Calfin yn ei symudiad, a phenderfynodd, ar ôl gwyliau'r haf, fynd i Brifysgol Bourges i ddilyn cyrsiau Alciati. Dilynodd ei ddau ffrind, François Daniel a Duchemin, ei lwybrau er mwyn eu diwyllio'u hunain yn nosbarthiadau Alciati. Lletyai Calfin yn Meillan, yr ardal nesaf i Bourges, a daeth ei ffrindiau ato i'r un cylch. Er hyn i gyd fel y cofiwn ni chollodd y myfyrwyr eu gwrogaeth i'w hathro cynharaf, Pierre de l'Estoile, a feirniedid yn gyson yn narlithiau Alciati.[14] Soniai am syniadau l'Estoile gan ychwanegu, 'fel hyn yr wyf i yn credu'. Ond cefnogi l'Estoile, fel y cofiwn, a wnaeth Calfin yn y ddadl rhwng y ddau ysgolhaig yn 1531. Beirniadodd ef Alciati am ffyrnigrwydd ei ymosodiadau, ond ar y llaw arall talodd deyrnged o barch iddo.[15]

Deallwn hefyd fod Calfin ei hun wedi dechrau pregethu yn ystod ei gyfnod yn Bourges, a hynny mewn ardal o'r enw Lignières. Caniateid i bobl heb eu hordeinio bregethu, yn wir nid ordeinid llawer o'r gwŷr crefyddol fel mynachod. Ond y mae'n wir dweud mai fel un o selogion yr Eglwys Babyddol yr esgynnai Calfin i bulpud yr eglwys wledig y tu allan i dref Bourges, ac yn sicr camgymeriad dybryd fyddai rhoi'r argraff fod ei bregethau yn 'wrth-Babyddol'. Ni fyddai wedi cael gwahoddiad yn y lle cyntaf pe credid am funud ei fod ef yn simsanu ar y materion hyn. Yn ystod ei gyfnod yn y prifysgolion yr oedd John Calfin yn fodel i'w gyd-fyfyrwyr o ran y ffydd, ac eto y mae'n amlwg fod yna amheuon yn eu mynegi eu hunain iddo, ac yntau yn dod yn gyfarwydd gyda ffordd arall o edrych ar yr Efengyl. Rhaid cydnabod fod nifer o ffactorau wedi ei arwain i lwybr 'tröedigaeth' fel y geilw ef y profiad. Yn wir yn y rhagymadrodd i'w Esboniad ar y Salmau, sonia ef am ei 'dröedigaeth'.[16]

Sonia yn ychwanegol am iddo wrando ar ei dad a dilyn cwrs prifysgol yn y gyfraith: 'Er imi fy ngorfodi fy hunan i fod yn ddiwyd ynddo er mwyn ufuddhau i'm tad, ymyrrodd Duw i'm troi fi i gyfeiriad arall trwy ei ragluniaeth ddirgel. Ac yn y lle cyntaf, oherwydd fy mod yn ystyfnig o glwm wrth ofergoelion Pabyddiaeth, nes ei bod hi'n anodd iawn i'm denu o'i phydew erchyll, trwy dröedigaeth sydyn darostyngodd Duw fy nghalon i dderbyn hyfforddiant, un o'i oedran oedd wedi caledu yn ddirfawr yn y pethau hyn.'[17]

Tyfodd yn ddistaw yn y ffydd newydd nid heb ofn na heb sylweddoli'r cam tyngedfennol o droi ei gefn ar eglwys a fu'n llywodraethu am ganrifoedd a chefnogi mudiad oedd yn sobr o amhoblogaidd yng ngolwg llywiawdwyr ac arweinwyr y gymdeithas. Ei ofn pennaf oedd sism, ac yr oedd hyn yn gwbl ddealladwy yn achos Pabydd rhonc fel ef. O gam i gam, trwy lenyddiaeth hiwmanistaidd a chyfraniad Erasmus a Luther ac eraill, daeth i lwyr gredu nad sism mo'r Diwygiad ond ymgais y Duw byw i ddefnyddio cyfryngau i gywiro beiau pechadurus o eiddo'r Eglwys Babyddol a oedd yn llesteirio ei chenhadaeth fydeang.

Ac ynghanol y gwewyr ysbrydol cafodd y brofedigaeth chwerw o golli ei dad Gerard Cauvin a hynny ar 26 Mai 1531.[18] Er ei brofedigaeth yr oedd hyn yn rhyddhad hefyd. Tipyn o deyrn oedd ei dad yn llywodraethu bywyd Calfin, fel y gwelsom.

Bellach yr oedd yn rhydd o'r hualau hyn. Daeth dros ei brofedigaeth trwy weithgarwch diarbed a hynny ar ei gyfrol gyntaf, cyfrol oedd yn nodweddiadol o ŵr a fu'n fawr ei ddiddordeb yng ngwaith cewri'r Dadeni Dysg. Y gwaith a gymerodd ei amser am naw mis oedd gwaith Seneca, *De Clementia* (Ar Dosturi), a chyhoeddwyd ei ymdrech yn 1532.[19] Athronydd paganaidd Rhufeinig ydoedd Seneca, cyfoeswr yr Apostol Paul, a'r gwaith wedi ei gyflwyno fel apêl at yr ymherodr Nero i ddangos tosturi at Gristnogion yn bennaf a losgid wrth y stanc neu eu llarpio gan lewod yn y stadiwm yn Rhufain. Bu'r cyfieithiad a'r argraffiad yn fodd i Calfin ddefnyddio ei ddoniau fel beirniad llenyddol gyda sêl ysgolheigaidd. Cyhoeddodd Erasmus waith Seneca, a daeth ei ail argraffiad allan yn 1529. Nid oedd yn hapus o gwbl gyda'i ymdrech a gosododd sialens i'w ddarllenwyr i fentro ar dasg gyffelyb. Dyna gymhelliad Calfin, ac yn ei ragair, aeth mor bell â dweud iddo weld llawer o bethau yn *De Clementia* na welodd Erasmus, yr ysgolhaig. Cythruddwyd cefnogwyr Erasmus gan hunan-ymffrost bachgennaidd y myfyriwr o Baris. Yr oedd y gwaith yn gwbl aeddfed er mai dim ond 23 mlwydd oed oedd John Calfin. Gwelodd eraill reswm arall y tu ôl i'r gwaith hwn, sef apêl anuniongyrchol at frenin Ffrainc i ddangos tipyn o dosturi tuag at Brotestaniaid y wlad. Gall hynny fod yn gymhelliad ychwanegol ond rhaid peidio gorliwio'r darlun gan na chafodd *De Clementia* ryw argraff fawr ym myd llyfrau'r cyfnod.[20] Ond yr oedd Calfin yn sylweddoli fod Duw ar waith yn ei fywyd, a bod ei dröedigaeth yn ganlyniad y syniadau Lutheraidd a ddaeth i'w fyd fel myfyriwr, a hefyd ymdrech meddylwyr o'i genedl ei hun, fel Jacques Lefèvre d'Etaples. Gŵr diddorol oedd d'Etaples ac i'w gymharu dyweder â'r gwron Luther. Nis galwyd ef o gwbl yn heretig ac felly ni fu'n rhaid i'w edmygwyr a'i ganlynwyr wneud dewis rhwng y Diwygiad â'r

Eglwys Babyddol, yn sicr nid ar y cychwyn. Bu'n rhaid i John Calfin yntau o'r diwedd wneud y dewis ond fe ddigwyddodd hynny ar ôl iddo symud yn ôl i brifddinas Ffrainc, sef Paris.

1 Wendel, *Calvin,* 21.
2 Ganoczy, *The Young Calvin,* 63.
3 *ibid*, 65.
4 W. Walker, *John Calvin: The Organizer of Reformed Protestantism 1509-1564* (Llundain, 1910), 53.
5 Ganoczy, *The Young Calvin*, 18.
6 Beza, *The Life*, 18.
7 *ibid.,* 67.
8 W. G. Moore, *La réforme allemande et la literature française: Recherches sut la notoriété de Luther en France.* (Strasbourg, 1930), 102.
9 *ibid.*, 127.
10 *ibid.*
11 Ganoczy, *The Young Calvin,* 67.
12 Wendel, *Calvin,* 23. Mewn troednodyn dywed François Wendel na ddaeth Calfin o dan ddylanwad crefyddol Melchior Wolmar. Pe bai hynny wedi digwydd mi fyddai'n sicr wedi crybwyll hynny gan iddo gyflwyno fel teyrnged *ei esboniad ar yr Ail Epistol at y Corinthiaid* iddo. Y cwbl a ddywed yw iddo dderbyn gwersi yn yr iaith Roeg. Maentumia Wendel mai Florimond de Raemond, hanesydd Eglwys Rufain a chyfoeswr â Calfin, a'n camarweiniodd yn ei gyfrol a gyhoeddwyd yn Rouen yn 1623.
13 Ceir ei hanes yn T. P. E. Viard, *André Alciat, 1492-1550* (Paris, 1926).
14 Ganoczy, *The Young Calvin,*, 69.
15 *ibid.*, 70.
16 *ibid.*
17 *ibid.*
18 Beza, *The Life*, 21.
19 Ford Lewis Battles ac André Malan Hugo, *Calvin's Commentary on Seneca's De Clementia*, (cyflwyniad, cyfieithiad a nodiadau gan Battles a Hugo), (Leiden, 1969).
20 E. Harris Harbison, *The Christian Scholar in the age of the Reformation* (Grand Rapids, 1956), 143.

PENNOD 4

Yn ôl i Paris ym 1533 ac yna ar ffo

Fe wyddom fod John Calfin yn y brifddinas ar 1 Hydref gan iddo anfon llythyr at ei ffrind Daniel yn adrodd hanes digwyddiadau diwylliannol Paris.[1] Ond y mae'r ddogfen yn datgelu hefyd fod yr awdurdodau wedi gwahardd cyfrol Brenhines Navarre, *Le Miroir de l'âme pécheresse,* rhag cael ei derbyn yn llyfrgelloedd y Brifysgol a'r colegau, a chawn am y tro cyntaf yn sgil hyn elfen o feirniadaeth ganddo, ar rai o 'ddiwinyddion ffeithiol' y Sorbonne fel y'u geilw.[2] Aeth y Frenhines Marguerite at ei brawd, y Brenin, i ofyn iddo ymyrryd yn y mater. Gwahoddodd ef Brifysgol Sorbonne i'w hegluro ei hunan. Rhoddwyd y dasg i Nicolas Cop, a benodwyd ychydig amser cyn hynny yn Rheithor y Brifysgol, i ymchwilio i'r holl fater. Galwodd y pedair adran a dweud y drefn wrthynt am feiddio ymosod fel hyn ar y Frenhines gan fygwth atgasedd y Brenin at y Brifysgol.[3]

Beth mae'r llythyr yn ei ddweud wrthym am y myfyrwyr? Dweud a wna fod John Calfin yn barod i'w uniaethu ei hun gyda'r Frenhines a Nicolas Cop a'r cefnogwyr, ond nid yw'n amlygu unrhyw arlliw o ddysgeidiaeth Luther, er ei fod yn ddigon cyfarwydd erbyn hyn â'i safbwynt. Ond er dweud hynny, rhaid pwysleisio hefyd fod Protestaniaeth Calfin yn dod yn fwy amlwg erbyn 1533, ac yn arbennig pan gyflwynodd Nicholas Cop, Rheithor Prifysgol Paris, araith sylweddol yn ymosod heb flewyn ar dafod ar athrawiaethau Pabyddol Prifysgol y Sorbonne, ac amddiffyn syniadaeth Martin Luther.[4] Traddodwyd yr araith hon ar 1 Tachwedd 1533 ar ddechrau blwyddyn academaidd newydd. Nid oedd Cop yn ddiwinydd o gwbl, ond defnyddiodd y cyfle euraid hwn i wneud sylwadau ar gyfrol Erasmus, *Paraclesis,* cyfrol a oedd yn bwysig i'r gŵr a enwyd eisoes,

Lefèvre, ond yn fwyaf arbennig ar gyfrol Luther *Kirchenpostillen*, a gyfieithwyd i Ladin gan Martin Bucer ym 1530.[5] Yr wyth Gwynfyd yn Efengyl Mathew oedd thema'r bregeth. Gwnaeth Calfin gopi o'r bregeth yn ei law ei hun, a goroesodd darn o'i ymdrech. Ac ar sail y darn hwnnw y maentumiodd rhai haneswyr fod y bregeth wedi ei hysgrifennu gan Calfin ar gyfer Cop.[6] Ond dangosodd haneswyr eraill nad oedd hynny'n wir.[7] Yn wir ar sail astudiaeth K Müller, ysgolhaig o Brifysgol Tübingen, gellir gwrthbrofi'r ddamcaniaeth yn gyfan gwbl.[8] Ar ddiwedd ei ymchwil, dywed Müller mai'r ateb terfynol yw mai Cop oedd awdur ei bregeth a neb arall. Yn wir, mewn pregethau o eiddo Calfin ar y Gwynfydau, fe rydd ddehongliad tra gwahanol i'r un a rydd Cop. Y cwbl a allwn ddweud yw: fel ffrind i'r Rheithor yr oedd gan John Calfin ddiddordeb mawr yn ei bregeth ac fe'i copïodd er mwyn ei thrysori, o leiaf mewn rhan. Ond y mae'r bregeth yn taflu goleuni ar y syniadau a oedd yn cael eu trafod yn Paris yn 1533 gan un o Ddiwygwyr mawr y dyfodol.

Yn yr ymdriniaeth o eiddo Nicholas Cop ceir golwg ar Athroniaeth Gristnogol yn cael ei chyflwyno yn gelfydd. Yr argyhoeddiad y tu ôl iddi oedd bod 'pechodau yn cael eu maddau gan Ras Duw yn unig' ac mai Crist yw'r unig 'Eiriolwr gerbron y Tad'. Rhydd le hefyd i Fair fam yr Iesu fel un i'w chlodfori a'i chofleidio fel un 'llawn o ras'.

Gwelwn syniadau Luther yn cael eu datblygu, weithiau yn iaith Luther ei hun, dro arall yng ngeiriau Cop. Ond pwysleisir na ddylai'r Cristion wasanaethu Crist oherwydd ofn neu'r hunan ond o gariad pur yn unig.

Yr oedd Calfin yn un o ffrindiau pennaf Cop. Heb amheuaeth, gwnaeth y bregeth hon argraff fawr arno. Credwn gyda haneswyr fel Ganoczy fod 1 Tachwedd 1533 wedi bod yn ddiwrnod bythgofiadwy yn ninas Paris. Dywed Ganoczy: 'Mewn ffaith, credwn fod ymdriniaeth Cop wedi chwarae rôl arbennig yn natblygiad crefyddol Calfin: heb iddo fod yn awdur iddi, ond yn ddiamau wedi dylanwadu arno. Ar yr adeg honno yr oedd Cop yn ffactor bwysig a Calfin yn un a'i dderbyniai, ond wrth dderbyn yr oedd yn ymateb.'[9]

Dylanwadwyd ar Calfin yn drwm gan Cop, ac yn arbennig pan

dderbyniodd awdurdodau'r Brifysgol gŵyn fod Cop wedi cyfeiliorni, ac ar ôl galw cyfarfod, penderfynodd Adran y Gyfraith a'r Adran Ddiwinyddiaeth ei gondemnio fel heretig. Yr oedd pawb mewn perygl oedd yn ffrindiau i Nicholas Cop. Siarsiwyd Calfin i adael Paris, a gwnaeth hynny'n ddisyfyd gan adael ei ohebiaeth a'i nodiadau ar ôl yn ystafell ei lety.[10] Deallai'n dda ystyr erledigaeth, ac yn y diwedd cafodd letygarwch yn Saintonge, rhan o ddinas Angoulême, gan Louis du Tillet, Rheithor Claix, a ffrind da iddo o ddyddiau Montaigu.[11] Gan fod Calfin yn hoff o farchogaeth ceffylau, y mae'n debyg mai felly ar gefn ceffyl y dihangodd o afael y rhai a geisiai ei rwydo.

Yr oedd ei astudiaethau o'r Beibl wedi rhoddi dimensiwn gwahanol iawn iddo, ond daliai i goleddu agwedd y Pabydd. Sonnir amdano yn edrych ar ei lyfrau ym Mharis ac yn dweud: 'Rwyf yn rhoddi'r gorau i'r gwyddorau ac am roi fy hun yn gyfan gwbl i ddiwinyddiaeth ac i Dduw.'[12] Dyna benderfyniad a liwiodd weddill ei fywyd. Aeth ati i astudio Diwinyddiaeth o ddifrif. 'Gwyddoniaeth Duw yw'r feistres, yr wyddor, y mae'r lleill i gyd yn weision iddi.'[13]

Ymunodd ym Mharis gyda'r cymdeithasau cudd, y seiadau megis, lle'r esboniai'r Ysgrythurau yn glir a chyda brwdfrydedd. Digwyddodd hyn ar lan chwith yr afon Seine, ac yn ddiweddarach llysenwid yr ardal yn 'Genefa fach' gan haneswyr o Gatholigion. Gwelid Calfin hefyd yn aml yn cerdded ar hyd strydoedd Paris yn gwmni i Nicholas Cop. Gwelwyd hwy gan nifer o'r offeiriaid, yn arbennig rhai o Urdd y Ffransisiaid, a fu'n gyfrwng i anfon llythyr yn protestio am bregeth yr athro. Ond cafodd ddinas noddfa a chyfle i astudio, darllen ac ysgrifennu, a meddwl am gyflwr yr Eglwys, mater na allai bellach ei ddiystyru. Darllenai'r Beibl yn argraffiad y Fwlgat a hefyd myfyriai yng ngwaith y Tadau Eglwysig. Yr oedd gan du Tillet lyfrgell ardderchog, a gwaith diweddaraf y diwygwyr; ac yn ystod y pedwar mis, fwy neu lai, y bu yno cafodd gyfle i osod seiliau i'w astudiaeth bwysig.

Yn ôl adroddiad Beza o'i fywyd, gadawodd Calfin ei ddinas noddfa yn Ebrill 1534 i ymweld â chartref Le Févre d'Etaples yn Nérac, lle y mwynheid bendithion lu trwy garedigrwydd

Brenhines Navarre.[14] Ar gefn ei geffyl, aeth yn ôl i fro ei febyd i gasglu'r arian a oedd yn ddyledus iddo; bu ei frawd Charles mewn enbydrwydd ar gyhuddiad o heresi, ac ni chafodd John Calfin groeso o gwbl ond yn hytrach ymddiswyddodd o'r gaplaniaeth.[15] Rhaid cydnabod fod rhai o'i gofianwyr yn amau iddo deithio'r holl ffordd, tua 700 cilomedr, i Noyon; ac iddynt hwy yr hyn sy'n bwysig yw ei fod ef wedi ymryddhau o'i gyfrifoldeb i'r Eglwys Babyddol ac wedi arddangos ei fod ef bellach yng ngwersyll y Diwygwyr Protestannaidd.[16]

Os bu yn Noyon ni wyddom faint o amser yr arhosodd yno na beth a gyflawnodd yn y dref lle y'i ganwyd. Ond y mae un peth yn sicr: dyma'r tro olaf y bu yn Noyon. Ysgrifennodd lythyr i Martin Bucer fel Arglwydd Esgob dinas Strasbourg, un a gyfrifai yn ŵr pwysig, ar 4 Medi 1534 ac un, maes o law, a ddaeth yn gyfaill pur iddo.[17]

Yn y flwyddyn hon, 1534, y paratôdd y gyfrol *Psychopannychia*, a bu'n crwydro gryn lawer gan sylweddoli bod ei fywyd mewn perygl beunydd beunos. Os ymwelodd â Noyon fe aeth i Paris lle y llosgwyd un arall o'r dewrion, y pregethwr Camus de la Croix a hynny ar 18 Mehefin 1534 ar ôl tystio'n eofn i'w ffydd yng Nghrist Iesu.[18] Hoffwn wybod gydag eraill o fywgraffwyr Calfin fel Ganoczy pa argraff a adawodd yr hanes trist hwnnw ar feddwl sensitif yr hiwmanydd galluog.[19] Yn hydref y flwyddyn honno, gadawodd Paris am Orléans lle y cwblhaodd ei gyfrol. Oddi yno, i gartref ei ffrind dibynadwy, du Tillet. A phan glywodd y ddau am ragor o erlid ar 17 a 18 Hydref o law'r Senedd a'r Sorbonne, a'r brenin yn simsanu, nid oedd gobaith ond dianc. Penderfynodd y ddau, John Calfin a du Tillet, adael Ffrainc am ddinas Basel, dinas lle'r oedd rhyddid ar gyfer diwylliant hiwmanistaidd a dinas i ffoaduriaid o ddiwygwyr fel ei ffrind da Nicholas Cop. Yno yr arhosodd ef. Nid oedd angen poeni am y gost. Yr oedd du Tillet yn ŵr cyfoethog, a derbyniodd ei ffrind elusen a gofal o'i ddwylo.[20]

Ar ôl aml i brofiad dirdynnol a ddisgrifir yn fanwl yng nghofiant Beza, cyrhaeddodd y ddau Basel ym mis Ionawr 1535. Ac yno y clywodd Calfin y newydd trist fod ei ffrind caredig a fu'n amddiffynnydd iddo, Etienne de la Forge, wedi ei losgi'n fyw yn ninas Paris ar 16 o Chwefror 1535, merthyr sy'n haeddu cofnod ym mhererindod y diwygiwr ifanc.[21]

Ond yr oedd ganddo gopïau o *Psychopannychia* (Hirnos enaid) i'w dosbarthu i gylch newydd yn Basel.Credai'r Ail Fedyddwyr y syrthiai'r enaid dynol i drwmgwsg ar ddydd marwolaeth hyd ddydd y farn, mewn perffaith anwybod hyd awr yr atgyfodiad, a gwrthbrofi'r athrawiaeth hynod honno gydag adnodau o'r ysgrythurau sanctaidd oedd diben traethawd diwinyddol cyntaf John Calfin.[22]

1 W. G. Moore, *La réforme allemande et la literature français: Recherches sur la notoriété de Luther en France* (Strasbourg, 1930), 185. Dyma'r ddogfen a'r llythyr gwreiddiol cynharaf yn ysgrifen Calfin sydd ar gof a chadw.

2 *ibid.*, 186.

3 Ganoczy, *The Young Calvin*, 79.

4 A. Lang. Die Bekehrung Johannes Calvin', *Studien Zür Geschichte der Theologie und der Kirche*, Cyf II, (Leipzig, 1897), 46 a 49.

5 *ibid.*

6 J. Rott, 'Documents strasbourgeois concernant Calvin', I. *Un manuscrit autographe: le harangue du recteur Nicholas Cop; II. Calvin prébendier de la Cathédrale de Strasbourg* yn *Revue d'Historie et de Philosophie religieuses*, 44 (1964), rhif 4, 291.

7 *ibid.*, Ganoczy, *The Young Calvin*, 80.

8 K. Müller, 'Calvins Bekehrung', *Nachrichten von der* (Königlichen) *Gesellschaft der Siwwenschaften zu Göttingen* (Berlin, 1905), 236.

9 Ganoczy, *The Young Calvin*, 82.

10 *ibid.*, 330.

11 *Beza, The Life*, 141.

12 Ganoczy, *The Young Calvin*, 83.

13 *ibid.*

14 Beza, *The Life,* 24; Wendel, *Calvin*, 23-4, 119-20.

15 Wendel, Calvin, 24.

16 Ganoczy, 87.

17 Martin Bucer, gw. yn Saesneg, Hastings Eells, *Martin Bucer* (Gwasg Prifysgol Iâl, 1931); Wilhelm Pauck, *Melancthon a Bucer*, Cyfrol 19 yn Llyfrgell y Clasuron Cristnogol, (Llundain, 1969); ac yn Gymraeg ysgrif W. Eifion Powell, 'Martin Bucer (1491-1551)' yn Rees (gol), *Deuddeg Diwygiwr,* 15-28.

18 Ganoczy, *The Young Calvin*, 90-1.

19 *ibid.*, 91.

20 *ibid.*

21 *ibid.*

22 Soniodd Calfin am yr Ail Fedyddwyr fel 'gwallgofiaid ffyrnig', a oedd yn gwrthwynebu hanfodion amlwg ym mywyd yr Eglwys fel bedydd babanod. I Galfin yr oedd y rhain yn wir ffanatigiaid, yn barod iawn i ddilyn penrhyddid afreolus. Nid oedd ganddynt unrhyw barch at lywodraeth gyfreithlon. I

Galfin pobl oedd yr Ail Fedyddwyr a bwysleisiai yn afresymol effeithiau aileni'r saint nes eu bod yn 'anodd credu y gallai'r meddwl dynol fynd mor bell i'r fath wallgofrwydd oni bai eu bod hwy eu hunain yn bloeddio'u dogmâu mor groch a diegwyddor.' John Calvin, *The Institutes of the Christian Religion*, (cyf.) H. Beveridge (dwy gyfrol, Llundain, 1953), Cyf 1, 84, 336, 519; Cyf 2, 529, 638, 641 a 652.

Yn ninas Basel, 1535-1536

Gwyddai Calfin bellach nad oedd gobaith o gwbl ganddo i aros ym Mharis nac yn unman arall o fewn ei wlad enedigol Ffrainc. Bu'n rhaid iddo guddio am rai misoedd a gwelodd y sefyllfa yn dirywio i gefnogwyr Protestaniaeth. Cyhoeddodd y Protestaniaid bosteri a'u gosod ar hyd a lled gwlad Ffrainc ym mis Hydref 1534 yn beirniadu'r offeren fel symbol o eilunaddoliaeth yn wyneb gwirionedd canolog yr efengyl, sef marwolaeth Gwaredwr y Byd ar Galfaria fryn. Ni allai'r awdurdodau gwladol na Phabyddol ddioddef y fath ymosodiad ar galon y grefydd, a dioddefodd aml i Brotestant brwdfrydig garchar a'r stanc am brotest y posteri.

Yr oedd Calfin ei hun mewn cryn drafferth. Holodd ei hun lawer gwaith. A fedrai un a ogwyddai tuag at Brotestaniaeth o ran syniadaeth ddal i fynychu'r offeren ar y Sul? Yr oedd Calfin wedi cael ei drwytho o'i fabandod yn y pwysigrwydd o fynychu'r eglwys gyda'i rieni adeg yr offeren. Yr oedd yr offeren yn gwbl ganolog yn ei fywyd ar yr un llaw ac eto ar y llaw arall fe wyddai na allai gymeradwyo erledigaeth na threfn Eglwys ei fagwraeth.

Gwyddai ei fod am dderbyn breintiau dinas Basel, dinas oedd wedi torri pob cysylltiad â Rhufain yn 1529, ac erbyn i Calfin gyrraedd yno gyda'i ffrind Louis du Tillet yn 1535 yr oedd hi'n ganolfan i lu o bobl oedd wedi eu darbwyllo nad Eglwys Rufain oedd y wir Eglwys.[1] I Calfin yr oedd gan ddinas Basel nifer o fanteision ymarferol.

Yn Basel y trigai Nicholas Cop bellach a medrai fwynhau drachefn ei gyfeillgarwch. Yr oedd y ddinas yn ddigon agos i Ffrainc – bonws arall. Ac yn drydydd, fel un oedd yn ymddiddori mewn ysgrifennu ceid nifer o argraffwyr medrus o fewn y ddinas. Yn ychwanegol edrychid ar Basel fel canolfan dysg, yn arbennig ym myd ieithoedd. Un o'r arbenigwyr ar yr iaith Roeg oedd Simon Grynaeus. Yr oedd ef bellach yn hyfforddi myfyrwyr i ddarllen a mwynhau'r Testament Newydd yn yr iaith Roeg.[2] Ysgolhaig tebyg iddo oedd Sebastian Münster, ond ei fod ef yn hyddysg yn yr Hebraeg. Ac ar ôl cyrraedd y ddinas manteisiodd Calfin ar y cyfle i fynychu darlithiau Münster.[3]

Breuddwyd Calfin oedd cael llonydd gyda'i lyfrau a mwynhau'r llyfrgelloedd a chwmni pobl y Diwygiad fel Heinrich Bullinger, Leo Jud a Pierre Viret, pobl y bu ef yn gydweithwyr â hwy weddill ei oes. Mabwysiadodd enw newydd, sef Martinus Lucianus, er mwyn bod yn ddiogel rhag y sbïwyr oedd at wasanaeth yr awdurdodau. Ni chafodd Calfin, fel y gwelir, fod yn rhydd o gyfrifoldeb ym mywyd tref Basel, ond braf ar ôl yr holl drafferthion a llond gwlad o drybini oedd cyrraedd i'r dref honno yng ngwlad y Swistir.

O ran ansawdd deallusol trigolion y ddinas, yr oedd un gŵr yn cael ei gydnabod yn ymgorfforiad o ddoethineb a goleuni'r byd newydd. Y gŵr hwnnw oedd yr ysgolhaig o'r Iseldiroedd, Desiderius Erasmus. Bu ef yn crwydro gryn lawer, yn Rhydychen a Chaergrawnt, yna yn Ffrainc a'r Swistir a'r Eidal.[4] Credai mewn ysgolheictod, hynny yw dylid hyd y gellid chwilio'r ffynonellau gwreiddiol yn hytrach na dibynnu ar esboniadaeth ail-law. Rhaid i ddiwinyddiaeth gael ei seilio ar ddealltwriaeth ieithyddol a hanesyddol o'r ysgrythurau. Dylid parchu'r ysgrythur ac nid ei defnyddio yn arf propaganda ar gyfer safbwynt arbennig. Y mae ysgolheictod Cristnogol yn alwedigaeth, ac o fewn y cwmpawd hwn ceir haneswyr, ieithyddion, diwinyddion ac esbonwyr.[5] Credai Erasmus hefyd y dylai'r ysgolhaig Cristnogol sylweddoli cyfrifoldeb ei alwad.[6] Golygai hyn fod ysgolheictod i fod yn berthnasol i'n bywyd presennol. Hyn oedd yr ysgogiad y tu ôl i'w waith gorchestol, sef cyfieithiad o'r Testament Newydd.[7] Ond braf oedd bod Erasmus ar gael yn y ddinas i ysgogi Calfin i ddechrau ar waith mawr ei fywyd. Dychwelodd Erasmus yno ym mis Mehefin 1535 a bu farw yno, ychydig dros flwyddyn ar ôl hynny, ar 12 Gorffennaf 1536.

Lletyodd Calfin gyda gwraig garedig ei hysbryd o'r enw Catherine Klein, ac yn rhagluniaethol trigai Erasmus yno a chafodd y gŵr ifanc ei gwmni a'i gyfarwyddyd. Bu'n cymdeithasu hefyd gyda gweinidogion diwylliedig oedd yn y ddinas o'r Almaen, yn arbennig ei hen ffrind Pierre Robert Olivétan.

Yr oedd Basel yn grefyddol wedi derbyn cyfarwyddyd mynach o hiwmanydd a goleddai safbwynt Zwingli, sef John Oecolampadius.[8] O 1523 hyd ei farwolaeth yn 1531 bu Oecolampadius yn weithgar yn awgrymu diwygiadau i fywyd crefyddol y ddinas. Un o'r diwygiadau pennaf oedd ynglŷn â strwythur disgyblu Cristnogion a oedd yn gwyro o lwybr y ffydd, a bod hyn i'w sefydlu yn annibynnol ar yr awdurdodau sifil. Y blaenoriaid a ddylai fod yng ngofal y ddisgyblaeth hon a hawl ganddynt i weithredu'r gosb. Syrthiodd mantell Oecolampadius ar ysgwyddau Oswald Myconius, athro wedi ymddeol a ffrind cywir i Zwingli.[9] Yr oedd Zwingli yn ddiwygiwr llawer mwy radicalaidd na Luther, ac yn sicr, paratôdd ef y ffordd ar gyfer cyfraniad Calfin i fywyd yr Eglwys. Zwingli yw'r ddolen gyswllt rhwng y ddau brif ddiwygiwr a gyfrannodd gymaint i'n byd modern. Myconius yw cofiannydd cyntaf Zwingli, ac yn 1534 lluniodd Gyffes Ffydd i'r Eglwys yn ninas Basel.[10] Daeth Calfin i wybod am Myconius, ond gwerthfawrogodd yn arbennig gyfeillgarwch a chymdeithas pump o Brotestaniaid a drigai yn Basel. Dyma'r pump: Simon Grynaeus, Wolfgang Capito, Heinrich Bullinger, Pierre Viret a Guillaume Farel.[11]

Bu'r Athro Groeg Simon Grynaeus, yn garedig i Calfin. Cyfarfu yn fuan gyda John Calfin; yn wir cyflwynodd ef ei Esboniad ar yr Epistol at y Rhufeiniaid iddo. Tyfodd cyfeillgarwch cywir rhyngddynt, a bu'r Almaenwr yn gymorth i Calfin yn y grefft o esboniadaeth Feiblaidd. Fel Grynaeus yr oedd Wolfang Capito yn meddwl y byd o Erasmus; yn wir cyfieithodd ei gyfrol, *De sarcienda ecclesiae concordia*.[12] Ac y mae ar gael lythyr a luniodd Capito yn 1535 i Calfin ar fater anfarwoldeb yr enaid. Cefnogwr diwinyddiaeth Zwingli ydoedd yn hytrach na Luther.

Yr oedd Henrich Bullinger, olynydd Zwingli fel arweinydd eglwys Zürich, yn adnabyddus i arweinwyr Protestaniaeth yn ninas Basel. Cafodd ef siwrnai ddiwinyddol ddiddorol, o waith Erasmus i waith Luther, ac oddi yno i sawru gwaith ysgrifenedig

Melanchthon cyn cyrraedd Zwingli! Bugail eneidiau ydoedd, yn un o wŷr traed Protestaniaeth, a fu'n ofalus o'r cleifion a'r dirmygedig. Cyfarfu Calfin ag ef yn 1535 yn Basel.

Gwyddai Calfin yn dda am Viret a Farel, dau a fu'n fyfyrwyr diwinyddol ym Mhrifysgol Paris, a chyfrifid y ddau fel pobl o ddifrif yn Basel. Balch oedd Calfin i adnewyddu cyfeillgarwch gyda'r ddau. Yr oedd eraill o alltudion Ffrengig yn cydoesi gyda Calfin yn y ddinas, fel Pierre Caroli a ddaeth yn ddiweddarach yn wrthwynebus iddo, mynach Awstinaidd o'r enw Elie Couraud, a Claude de Feray a ddaeth yn gefnogwyr i Calfin yn ninas Genefa a hefyd yn Strasbourg.

Gellir gweld fod dylanwad Zwingli yn bwerus yn Basel, a bu'n rhaid i Calfin ddod i delerau gyda'i safbwynt, neu o leiaf wneud ymdrech i ddeall 67 erthygl a gyhoeddodd y diwygiwr yn Zürich yn y flwyddyn 1523.[13] Gellir crynhoi safbwynt Zwingli dan chwe phennawd:

1. Cyfiawnhad trwy ffydd. Yn hyn cytunai â Luther mai Duw yn unig sy'n gwybod pwy yw'r gwir gredinwyr.[14]
2. Arbenigrwydd y Beibl. Hwn oedd yr awdurdod terfynol ar bob agwedd o fywyd yr unigolyn sy'n grediniwr. Ni allai Zwingli gytuno o gwbl gyda'r hierarchaeth Babyddol, o'r Pab i'r cardinaliaid, sef tywysogion yr eglwys, i'r archesgobion a'r esgobion. Iesu Grist yw pen yr eglwys ac nid oes angen unrhyw Bab i gymryd ei le priodol.
3. Sacramentau sy'n sail bywyd eglwys, ac i Zwingli, ceid dau, sef Y Cymun Bendigaid a'r Bedydd trwy arwydd y Groes ar dalcen y baban.[15]
4. Canolfannau addoli. Dylai'r rhain fod mor syml ag y gellid, ac yn nhyb Zwingli gwastraff adnoddau oedd gosod ffenestri lliw, delwau, cerfluniau ac addurniadau a oedd yn y pen draw yn arwain i eilunaddoliaeth.
5. Y bregeth yn goron ar addoliad. I Zwingli trwy'r bregeth y gall y gennad argyhoeddi'r gwrandawyr o bechod, ac o gyfiawnder, ac o farn. Cofier y dylai'r bregeth fod yn syml, ac yn argyhoeddiadol. Nid darlith oedd ei angen.
6. Ni allai oddef yr offeren Babyddol. Dadleuai dros wasanaeth

cymun syml. I Zwingli, symbolau'n unig yw'r bara a'r gwin a estynnir o law'r gweinidog i'w bobl a hwythau'n disgwyl amdanynt yn ddiolchgar yn eu seddau. Seremoni eneiniedig ydyw'r cymun i argyhoeddi'r Cristion fod Gwaredwr y byd wedi marw ar Groes Calfaria dros fyd a phobl anghenus fel ef. Credai Zwingli fod Crist bob amser yng nghalon y disgybl. A dyma'r ddiwinyddiaeth a oedd yn cael croeso yn Basel.

A gwybod hyn, teg yw gofyn y cwestiwn: A oedd Calfin ei hun wedi cael ei gyffwrdd gan ddiwinyddiaeth Zwingli yn ei gyfnod byr yn Basel.[16] A'r ateb ydyw, Nag oedd, Y mae'n wir iddo ddarllen ei gyfrol *Esboniad ar Grefydd Wir a Ffals*, ond ni ddaeth yn ddilynwr. Ymserchodd fwy yng ngwaith Luther fel arloeswr y Diwygiad, ac fel cyfle i'w gymharu â'r meistr, trodd at ffrind Luther, Melanchthon, a oedd hefyd yn help i ddeall Zwingli a Bucer.

Ac felly yn Ionawr 1535 o dan yr enw ffug Martinus Luciandus cyrhaeddodd Calfin Basel. Dinas oedd hon lle'r oedd Almaeneg yn iaith y trigolion, a diolchai yn aml am gwmni'r alltudion Ffrengig a wnaeth ei alltudiaeth yn llai trafferthus nag y medrai fod. Ond ei ddymuniad pennaf oedd cyfle i astudio Gair Duw, a chyfle i fyfyrio ar ei bererindod fel gŵr ar ffo. Uchelgais mawr arall oedd ganddo oedd cwblhau ei astudiaeth o ddyfnion bethau Duw ar gyfer ei Gyd-Gristnogion, ac erbyn Medi'r flwyddyn honno yr oedd ef yn barod i gyflwyno ei lawysgrif i'r cyhoeddwr. Bu'r argraffwyr yn ddigon hwyrfrydig ac ni welodd y gyfrol olau dydd hyd fis Mawrth 1536. Ond cafodd hamdden hefyd i lunio 'Rhagarweiniad' i gyfieithiad y Beibl i'r Ffrangeg gan Olivétan, rhagarweiniad a gyfeiriwyd at 'holl ymerawdwyr, brenhinoedd, tywysogion, a dynion sy'n ddarostyngedig i lywodraeth Crist.'[17] Beirniadodd y lleisiau croch a oedd yn awgrymu ei bod hi'n beryglus i osod cyfieithiad o'r Ysgrythurau yn nwylo'r ffyddloniaid cyffredin, di-ddiwylliant. Onid y bobl gyffredin a ddylai fod yn destun ymdrech arbennig gan yr ysgolheigion ? Hwn oedd cymhelliad pendant ei fywyd, ac ysgogiad iddo lunio ei gampwaith yn Basel, *Institutio Christianae Religionis*. Yr oedd hi'n amlwg fod Calfin wedi darganfod ei ddawn ym mlynyddoedd cynnar ei fywyd, a ffrwyth ei wybodaeth o bedair iaith, Hebraeg, Groeg, Lladin a Ffrangeg, wedi ei gynorthwyo i lunio amddiffyniad gwych o'r Ffydd Ddiwygiedig Gristnogol.[18] Gwaith ysgolhaig sy'n meddu ar gydwybod gymdeithasol a chyfrifoldeb am bawb o blant dynion yw'r *Institutes*.[19]

Cafwyd yr argraffiad cyntaf fel llyfr bach hwylus i'r boced a hwnnw yn cynnwys chwech o benodau. Yn y gyfrol hon ymdrinnir â chyfraith Duw sef y Deg Gorchymyn, Ffydd yng ngoleuni Credo'r Apostolion, Gweddi ar sail y patrwm a osododd Iesu i'w ddisgyblion, y Sacramentau, sef Bedydd a Swper yr Arglwydd, yna'r hyn a elwir yn Sacramentau yn yr Eglwys Babyddol, sef penyd, urddau, conffirmasiwn, yr eneiniad olaf a phriodas - a rhyddid y bywyd Cristnogol mewn gwlad ac eglwys. Treuliodd weddill ei oes yn cyhoeddi argraffiadau eraill o'r *Institutio* gan geisio gwella'r arddull a'r cynnwys hyd nes i'r argraffiad olaf gael ei gyhoeddi yn 1559. Ychwanegwyd yn sylweddol erbyn hynny at yr argraffiad cyntaf a ymddangosodd yn 1536.[20] Ystrydeb yw dweud fod Calfin wedi trin pob agwedd o'r gwirionedd Gristnogol yn gwbl feistrolgar erbyn 1559, ac wedi ymhelaethu ac ymateb i feirniadaeth o blith deallusion yr Eglwys Babyddol ac o blith Protestaniaid yn ogystal. Adlewyrcha'r *Institutio* allu John Calfin i ymgodymu â diwinyddion eraill fel Awstin Sant, Duns Scotus, Martin Luther a Martin Bucer, ei wybodaeth o'r Ysgrythurau, a'i feddwl craff, clir fel y grisial.

Er bod enw John Calfin ar y llyfr, a'i gyhoeddi yn Basel, ni wyddai bron neb o'r trigolion pwy oedd yr awdur. Felly y dymunai Calfin i bethau fod am ychydig gan ei fod yn awyddus i ddod i wybod sefyllfa'r Diwygiad Protestannaidd mewn dinasoedd rhydd imperialaidd yn y Swistir fel Bern a Genefa. Daeth i wybod am y trafferthion o fewn yr Eglwys yn Genefa, yn arbennig y trafodaethau diwinyddol a drefnwyd gan Farel rhwng Pabyddion ac efengylwyr, dinistrio delwau gan ddilynwyr Farel, a'r penderfyniad i beidio â chynnal yr offeren a hynny ar ôl pleidlais Cyngor y Ddau Gant ar 10 Awst 1535. Nid oedd yn hapus o gwbl gyda safbwynt yr Ail Fedyddwyr, ac yn arbennig eu pwyslais anghywir, yn ôl Calfin, ar frwdfrydedd cyfriniol.[21] Daliai i gaboli ei gyfrol *Psychopannychia*, a chyflwynodd ragor i'r ail argraffiad lle y mae'n ceisio dadansoddi mewn mwy o fanylder beryglon brwdfrydedd crefyddol.

Ar ôl un o gyfnodau mwyaf toreithiog ei fywyd, yn astudio Hebraeg, llunio cyflwyniad i'r Beibl, yr *Institutio*, ailolygu *Psychopannychia*, a chywiro'r proflenni, gadawodd Basel am Ferrara yn yr Eidal tua Mawrth 1536 yng nghwmni Louis du Tillet.[22] Cafodd groeso yn llys brenhinol Ferrara a chyfarfu â Duges Ferrara, Renée o Ffrainc, merch Louis XII, a hefyd â'i meddyg Johannes Sinapius a bu yn gohebu yn gyson ag ef.[23] Byr fu ei arhosiad. Gadawodd ar 14 Ebrill, Gwener y Groglith, am i alltud o Ffrainc ymddwyn yn Brotestannaidd mewn gwasanaeth crefyddol. Pan gyhuddwyd ef gan yr awdurdodau soniodd fod pobl debyg iddo yn llys y dywysoges, ond nid oedd dewis gan Calfin na du Tillet ond ymadael ar frys a dychwelyd i Basel ac yna ymlaen i Paris neu Strasbourg. Yr oedd hi'n rhy beryglus i ddychwelyd i Baris, ond yng nghwmni ei frawd Antoine a'i chwaer Marie mentrodd ar 15 Gorffennaf am Strasbourg.[24] Ond gan fod anghydfod rhwng Ffrainc a'r byddinoedd imperialaidd nid oedd modd mentro ar y ffordd arferol, a bu'n rhaid mynd drwy ganol Ffrainc ac yna trwy Genefa. Ac yn Genefa daliwyd ef gan Farel i aros yn y ddinas helbulus. Newidiwyd yn gyfan gwbl lwybr y Diwygiwr, ac o hyn allan ni allodd ddianc rhag gafael dinas Genefa a'i phobl er iddo geisio droeon a dyheu fwy nag unwaith am fod ar dir Ffrainc unwaith yn rhagor. Ond alltud fu Calfin weddill ei ddyddiau, weithiau yn alltud unig trist, ond dro arall yn alltud a oedd yn gweld y ddinas ar ei newydd wedd, yn debycach i Ddinas Duw nag i Ddinas hunllefus 'y gwŷr drwg'.[25]

1 Selderhuis, *John Calvin*, 44.

2 *ibid*.

3 *ibid*.

4 Am Erasmus a'i gyfraniad, gweler P. S. Allen, *The Age of Erasmus*, (Rhydychen, 1914); Desiderius Erasmus, *Christian Humanism and the Reformation: Selected Writings of Erasmus with the Life of Erasmus* by Beatus Rhenaus, (gol.) (Efrog Newydd, 1975); E. Harris Harbison, *The Christian Scholar in the Age of the Reformation* (Grand Rapids, 1956), yn arbennig y drydedd bennod ar 'Religious Thought of Erasmus'.

5 Harbison, *Christian Scholar*, 86.

6 *ibid.*, 98-99.

7 Argraffwyd Testament Newydd Erasmus gan argraffdy John Froben yn Basel ym mis Mawrth 1516. Gw., Harbison, op cit, 103, a hefyd A. Brown, 'The Date of Erasmus', Edition of the New Testament, *Transactions of the Cambridge Bibliographical Society 8*, 4 (1984), 351-58. Gwnaeth Martin Luther ddefnydd o argraffiad 1519 o Destament Newydd Erasmus ar gyfer ei gyfieithiad ef o'r Ysgrythurau hyn i'r Almaeneg yn 1522, a defnyddiodd William Tyndale, Theodore Beza ac aml un arall waith y dyneiddiwr. Roedd rheswm am hyn, sef ymgais Erasmus i gyfieithu'r Testament Newydd i'r Lladin oedd y cyntaf ers dyddiau Jerome fel y dywed J. B. Payne (t. 190): 'His philological method broke new ground and anticipated in several respects modern New Testament criticism': gw. J. B. Payne, 'Desiderius Erasmus (c. 1466-1536)', yn *Historical Handbook of Major Biblical Interpreters* (gol. Donald K. McKim), (Caer-lŷr, 1998), 184-190.

8 Am Oecolampadius, gweler B.A. Gerrish, *The Old Protestantism and the New: Essays of the Reformation Heritage*, (Caeredin, 1982), 40-3, 297.

9 Ar ôl marwolaeth Zwingli ysgrifennwyd cofiant iddo gan ei gyfaill Oswald Myconius, *De D. H. Zwingli… vita et obitu* (1536).

10 K. R. Hagenbach, *Oswald Myconius*, (Elberfeld, 1859).

11 Ganoczy, *The Young Calvin*, 92.

12 *ibid.*

13 Evans, *Zwingli a Calfin*, 11.

14 *ibid.*, 12.

15 *ibid.* Tybia Dr W. T. Pennar Davies fod Zwingli wedi derbyn awgrym Bullinger 'fod bedydd y Testament Newydd yn cyfateb i enwaediad yn yr Hen a'i fod yn briodol wrth gyflwyno plant i'r Arglwydd'. Gw. Pennar Davies, 'Huldrych Zwingli' yn Rees (gol.), *Deuddeg Diwygiwr*, 166.

16 G. R. Elton, *Europe from Renaissance to Reformation* (Llundain, 2001, argraffwyd yn wreiddiol yn 1963 o dan y teitl, *Reformation Europe, 1517-1559*), 184.

17 Ganoczy, *The Young Calvin,* 93.

18 *ibid.*, 334.

19 Dyma farn gymedrol Roland Bainton ar y gyfrol: 'His *Institutes of the Christian Religion* was for centuries to serve a large section of the Protestant world as the *Sentences* of Peter Lombard had served the Catholic. Even the *Summa* of Thomas Aquinas does not bear comparison, because it is too lengthy and intricate', Gw. Roland Bainton, *The Reformation of the Sixteenth Century*, (Llundain, 1960), 112.

20 Ysgolhaig a gyflawnodd waith arbennig ar y *Bannau* yw Ford Lewis Battles. Gw. Ford Lewis Battles, *An Analysis of the Religion of John Calvin* (Hartford, Conn: 1966). Cafwyd argraffiad diwygiedig ganddo ef a John Robert Walchenbach (Pittsburg, 1970), ac argraffiadau eraill yn 1972 a 1976. Ailargraffwyd gan Baker Book House, Grand Rapids, yn 1980. Cofier bod cyfieithiad Ford Lewis Battles o'r *Bannau* yn hynod o dderbyniol. Gw. John Thomas McNeill (gol.), *Institutes of the Christian Religion*, 2 *Gyfrol*, cyfieithiwyd gan Ford Lewis Battles, (Philadelphia, 1960). Yr un flwyddyn cyhoeddodd SCM (Llundain) fersiwn ar gyfer Prydain. Cynhyrchodd Battles

hefyd gyfieithiad Saesneg o'r *Bannau* gwreiddiol, 1536, a gyhoeddwyd yn 1975 gan Wasg John Knox, Atlanta, yr Unol Daleithiau.

21 Gw. Glanmor Williams, yn *Grym Tafodau Tân: Ysgrifau Hanesyddol ar Grefydd a Diwylliant*, (Llandysul, 1984) 41-62; Robert White (gol.), *Sermons on the Beatitudes* by John Calvin (Caeredin, 2006), 60-1.

22 Ganoczy, *The Young Calvin*, 104.

23 *ibid.*, 105.

24 Walker, *John Calvin*, 163-167.

25 Hoff ymadrodd Calfin am ei wrthwynebwyr, ac fe geir hyn yn gyson yn ei bregethau. Egyr ei bregeth ar Mathew: 11-12 a Luc 6: 22-26. Gw. White, *Sermons*, 65-66.

John Calfin yng Ngenefa, 1536-1538

Yr oedd dinas Genefa mewn gwewyr mawr rhwng ymadawiad yr Esgob Pierre de la Baume yn 1526 a dyfodiad John Calfin ddeng mlynedd yn ddiweddarach. Gŵr cyfrwys oedd Pierre de la Baume a chafodd gryn lwyddiant yn gweithredu cynllun o chwarae un garfan yn erbyn y llall.[1] Ond daeth diwedd ar ei ddichell a'i driciau a bu'n ddraenen yn ystlys yr awdurdodau ar ôl iddo orfod ymadael.

Erbyn 1530, yr oedd Genefa yn ddinas gyfoethog, yn sefyll ar y ffin rhwng Ffrainc a'r Swistir, ac yn meddu ar ryw ddeng mil o drigolion, y mwyafrif yn siarad Ffrangeg, o dan reolaeth tri chyngor etholedig a phedwar prif ustus, y Syndics fel y'u gelwid.[2] Bern oedd y ddinas a gadwai olwg ar Genefa. Anfonodd arwein-wyr Bern y diwygiwr tanbaid Guillaume Farel i'r ddinas yn Hydref 1532. Nid oedd pall ar ei weithredoedd treisiol, yn enw Protestaniaeth, fel cymryd eglwysi drosodd a dryllio'r delwau. Caniatawyd iddo wneud hyn gan yr ustusiaid a'r offeiriaid, a byth er 1530 yr oedd llu o gefnogwyr ganddo. Hwy oedd y milwyr a'r treiswyr a ddinistriodd lu o drysorau yn ddifeddwl. Ychydig cyn i Calfin gyrraedd yr oedd Farel wedi perswadio'r awdur-dodau i atal yr offeren.[3] Yr oedd y Diwygiad Protestannaidd yn cael dyfnder daear yn y ddinas er bod Calfin ei hun yn ddigon siomedig. Ar ei wely angau wyth mlynedd ar hugain yn ddiweddarach dywedodd am ei brofiad ar ôl cyrraedd y ddinas ar ei ffordd i Strasbourg: 'Pan ddeuthum i'r eglwys hon ychydig oedd yn digwydd. Pregethid a dyna'r cyfan. Chwilient am ddelwau i'w dinistrio a'u llosgi, ond nid oedd y nesaf peth i ddim o ddiwygiad. Yr oedd popeth mewn anrhefn.'[4]

Yn ôl ei gofiannydd, Beza, nid oedd y Diwygiwr ifanc yn

meddwl am eiliad am aros yn Genefa.[5] Yr oedd mewn brys mawr a heb feddwl hyd yn oed ymweld â Farel. Clywodd ef am bresenoldeb awdur yr *Institutio* trwy gleber Louis du Tillet.[6] Yr oedd ei ffrind Du Tillet mor falch o'i weld nes iddo ledaenu'r newydd ymhlith pregethwyr y ddinas. Yna mynnodd Farel, a oedd yn llosgi gyda sêl dros ledaeniad yr efengyl, fynd i chwilio amdano ac i'w rwydo i aros. Sylweddolodd nad oedd Calfin am foment yn dymuno aros. Yn wir, safodd ef ei dir a gwrthod ildio. Ond gŵr ar dân dros syniadau Luther oedd yn dadlau, a chyhuddodd Farel ef o fradychu ei Waredwr ac o anghofio'r dasg a osododd Duw iddo i'w chyflawni. Ond fe wrandawodd ar yr amod ei fod ef yn aros yn Genefa fel darllenydd yr Ysgrythurau Sanctaidd, tasg lesol iddo. Nid oedd yn dymuno bod yn bregethwr na bugail, ond dyn y llyfrau. Ac ar ôl taith fer i Basel ar ddechrau Medi 1536 i setlo rhai materion, dechreuodd Calfin ar y dasg o ddarllen epistolau Paul yn y Testament Newydd, ac o gynnal sesiynau agored yn Eglwys Gadeiriol hardd Sant-Pierre a leolid yn yr hen ddinas. Tyrrodd y lleygwyr yno i wrando ac i ddysgu ganddo. A buan y sylweddolodd Farel a'r gweinidogion eraill fod gan Calfin adnoddau anghyffredin. Medrai lefaru yn huawdl. Yr oedd yn drefnydd da. Meddai ar farn gytbwys mewn materion anodd. Ni adawodd Calfin i'r mudiad newydd fod yn ddigyfeiriad.

Deallodd Calfin mai Farel oedd arweinydd crefyddol Genefa ac mai ei briod waith ef oedd bod yn ddirprwy cydwybodol iddo. Ond gwelodd Calfin wendidau'r arweinydd a'i fod yn ei sêl yn tueddu i gefnogi'r ochr negyddol i'r Diwygiad yn hytrach na'r ochr gadarnhaol. Er 1526, pan gafwyd gwared â'r Esgob, yr ochr negyddol oedd wedi cael y llaw drechaf. Dilëwyd yr hen arferion oedd wedi llesteirio ysbrydolrwydd yr Eglwys Babyddol fel addoli'r seintiau, dathlu'r offeren ac ymprydio. Ond teimlai Calfin nad oedd hyn yn ddigon gan nad oedd yr Eglwys wedi cael ei phuro fel y dylai. Nid oedd trigolion Genefa wedi croesawu'r gwir Ddiwygiad Protestannaidd, ac roedd y trwch mawr ohonynt yn ddigon bodlon i lynu gyda rhai o'r hen arferion Pabyddol er gwaethaf cenhadaeth Farel.

Y gwir plaen oedd bod Calfin yn credu nad oedd y Diwygiad wedi cyrraedd y ddinas, a gwelodd yn gliriach o lawer na neb arall yr angen i hyrwyddo'r Diwygiad Protestannaidd yn ei rym. Golygai hynny astudio a dehongli'r Beibl. Rhaid i'r Eglwys fod yn llawer cadarnach o ran ei safbwynt ar ddisgyblaeth. Disgwyliai ef i'r bobl wrando yn astud ar bregethiad y Gair a gweld ffrwyth y gwrando hwnnw mewn ffydd a buchedd. Disgwyliai i'r awdurdodau bydol ac eglwysig gydweithio er daioni yn y Diwygiad hwn.

Yn wahanol i Farel yr oedd gan Calfin ddiddordeb mawr mewn gwleidyddiaeth, a deallodd yn fuan nad oedd modd i'r Diwygiad Crefyddol lwyddo heb gefnogaeth wleidyddol yr arweinwyr. Yr unig ateb oedd cael clust y cynghorau a'r arweinwyr. Grŵp bach elitaidd oedd yn rheoli'r ddinas, sef pedwar o Syndics, a cheid etholiad yn flynyddol gan y Cyngor Cyffredinol o blith holl ddinasyddion gwrywaidd Genefa. Rhaid oedd ennill y rhain a derbyn eu cefnogaeth os oeddid am lwyddo i newid y *status quo*. Ond i lwyddo rhaid oedd cael cefnogaeth y mwyafrif o'r Cyngor Bach o bump ar hugain o ddynion a etholid gan y Cyngor Dau Gant, sef y grŵp ail bwysicaf.[7] Yn ystod tymor Calfin yn y ddinas ceid aelodau'r Cyngor Bach yn aml yn anghytuno â'i gilydd, a'r pryd hynny yr oedd bodolaeth a chyfraniad y Cyngor Dau Gant yn gwbl anhepgorol. Ond i lwyddo ni ellid heb ddeall a dylanwadu ar y bobl a enwyd. Ac fel yn y mwyafrif o ddinasoedd y byd, anfynych iawn y ceid unfrydedd ar unrhyw fater. Rhwygwyd y cyfnod gan ddadlau gwleidyddol a llawer ohono yn dibynnu ar y grwpiau a geid yn Genefa. Amhosibl oedd cyfannu dau o'r grwpiau hyn, sef cefnogwyr brenin Ffrainc a chefnogwyr Dug Savoy. Fel Ffrancwr a ymhyfrydai yn ei wreiddiau, naturiol oedd i Calfin roddi ei serch i'r rhai oedd am gysylltiad agos â Ffrainc. Ond nid oedd pawb yn Genefa yn gefnogol iddynt. Edrychid arnynt fel gelynion yn byw ar gardod a phobl nad oedd yn gwir berthyn i'r ddinas. A chofier bod carfan arall a oedd yn pledio am gynghrair agos â dinas Bern.

Ond ar y dechrau gwelwyd Calfin yn raddol ennill y dydd. Bu cryn lwyddiant i Calfin ymhlith aelodau'r Cyngor Bach. Yr oeddent yn barod i gefnogi Farel a Calfin yn arbennig yn eu pwyslais ar gyhoeddiad y Gair. Penderfynodd y Cyngor Bach fod holl drigolion Genefa i arwyddo Cyffes Ffydd o eiddo Farel a

Calfin. Ac felly yn 1537 rhoddodd y ddau eu cynllun gerbron i ddiwygio'r Eglwys, a gelwid y ddogfen, *21 Erthygl ar Drefniadaeth yr Eglwys ac addoli yn Genefa*.[8]

Ni dderbyniwyd y cyfan o'r awgrymiadau. Bu'n rhaid cymrodeddu. Credai Farel a Calfin y dylid gweinyddu'r cymun bob wythnos, ond i'r arweinwyr unwaith bob tri mis oedd y cynllun gorau. Ond dylai pawb a fedrai ei dderbyn. I'r Diwygwyr nid oedd lle i heresïau na chwaith i ymddygiad di-chwaeth. Cytunai'r Cyngor Bach ar hyn ond dadleuent y dylent hwy hefyd gael llais mewn penderfynu pa fath o gosb y dylid ei gweinyddu ar y troseddwyr.[9] I Calfin, fel i Farel, testun llawenydd oedd canlyniadau eu cynllun diwygiadol. Buan y ciliodd y llawenydd pan ofynnwyd i drigolion Genefa arwyddo Cyffes Ffydd. Amlygodd yr hen elfen ei phen o wrthod cynllun a ddaeth oddi wrth ddiwygwyr estron, a'r rheiny yn Ffrancwyr.[10] Gwrthododd carfan o'r trigolion arwyddo, a thrwy hynny, ymledodd storïau digon dwl trwy strydoedd y ddinas. Cyhuddwyd y ddau o fod yn fwy pleidiol i'r Ffrancwyr nag i bobl o wlad y Swistir. Ni allai Farel na Calfin ildio i ragfarn o'r fath. Dadleuent yn awr yn 1538 y dylid atal y Cymun i'r bobl a oedd wedi gwrthod arwyddo'r Gyffes Ffydd.[11] Ond nid pobl heb asgwrn cefn oedd yn byw yn Genefa. Clywid rhai o'r werin bobl yn ddigon haerllug i herio Farel a Calfin ar y strydoedd. Hawdd iawn oedd cythruddo'r grŵp a elwid yn *Articulants*.[12] Yr oedd y rhain yn wrthwynebus i bob rheolaeth grefyddol. Nid oedd gan y rhain fwy o barch i glerigwyr Protestannaidd na'r offeiriaid Pabyddol. Gwrthwynebent y ddau wersyll. Daeth yr *Articulants* i'r frwydr, a gorfodwyd y Cyngor Bach i weithredu. Penderfynodd y Cyngor Bach ar ddau beth:

a. nad oedd hawl gan y Diwygwyr ar eu liwt eu hunain i rwystro unrhyw un rhag derbyn y cymun o law'r gweinidog.

b. dylai Eglwys Genefa fabwysiadu agweddau ar wasanaethau a gynhelid yn Eglwys Bern.

Cythruddwyd Farel a Calfin. Gwrthododd y ddau, er siom i'r elfen Brotestannaidd, ddathlu'r cymun ar Sul pwysicaf y flwyddyn, sef Sul y Pasg.[13] Methodd y ddau yn fawr ar ôl dechrau mor dda.

Cyhuddwyd Farel, Viret a Calfin gan Pierre Caroli, a oedd ei hun yn alltud yn y Swistir ac yn fugail i eglwys Lausanne, o wasgar heresi Ariaidd.[14] Atebodd Calfin ef trwy gyfeirio at y Catecism a luniwyd ar gyfer Genefa, yn arbennig gyda golwg ar y cyhuddiad eu bod yn amharchu'r Drindod. Ac ar ôl diflastod cynhaliwyd synod yn Lausanne ar 14 Mai 1538.[15] Llywyddwyd dros y trafodaethau gan wŷr eglwysig a gwladol yn enw dinas Bern, a daethpwyd i'r casgliad fod Calfin a'i gefnogwyr yn ddieuog. Symudwyd Caroli o'i swydd fel gweinidog. Ni adawodd Farel lonydd iddo ond beirniadodd ei fywyd personol i'r cyhoedd fel y bu'n amhosibl iddo fyw yn un o'r tiriogaethau oedd o dan reolaeth dinas Bern. Bu'r Synod yn boen enaid i Calfin.

Yr un pryd ag y bu'n rhaid iddo ddygymod â chyhuddiadau di-sail Caroli, poenid ef gan yr Ail Fedyddwyr. Cyrhaeddodd dau ohonynt o'r Iseldiroedd ar 9 Mawrth ac aros yno hyd 19 Mawrth 1538. Trefnwyd Dadl Ddiwinyddol gan y bugeiliaid lleol er mwyn datgelu yn gyhoeddus gyfeiliornad yr ymwelwyr. Bu Farel a Calfin yn llwyddiannus fel apolegwyr cyn i'r ddadl ddigwydd, gan i'r ddau gael eu hesgymuno o'r ddinas gan y Cyngor Bach.[16] Diolch fod hynny wedi digwydd gan fod Gweinidogion Genefa wedi cael traed oer ar fater y Ddadl Gyhoeddus gan ofni mai canlyniad y cyfan fyddai ysigo ffydd y credinwyr. Ar ôl ennill y dydd yn achos Caroli a chael gwared â'r Ail Fedyddwyr, nid oedd gofidiau'r Diwygwyr drosodd. Clywodd Calfin y newydd trist fod ei frawd Charles wedi marw yn ddisymwth ar 1 Hydref 1537.[17] Offeiriad ym mhentref Roapy ydoedd, ond cafodd ei gyhuddo o heresi a'i ddiarddel. Ar ei wely angau gwrthododd yr offeren olaf yn arwydd ei fod yntau wedi dod o dan ddylanwad ei frawd. Claddwyd ef yn rhandir y fynwent a neilltuid ar gyfer anghydffurfwyr a dihirod.[18] Newydd diflas arall oedd deall fod Louis du Tillet am ymadael â Genefa. Offeiriad calon-dyner ydoedd ef, ac am bum mlynedd bu'n ffyddlon dros ben i John Calfin, yn hael iddo o ran arian ac yn gydymaith iddo ar ei deithiau. Gwyddom hefyd am ei allu fel diwinydd a'i fod yntau yn dymuno diwygio'r Eglwys. Ond yn Genefa nid oes un gronyn o dystiolaeth iddo arddangos ei ddymuniad o blaid y diwygiad; yn wir cadwodd ei hun ar wahân i Farel a Calfin. Y mae'n debyg fod yr offeiriad wedi rhyfeddu fod Calfin, ar ôl ychydig fisoedd fel darlithydd a dehonglwr yr Ysgrythurau, heb brofiad bugeiliol na hyfforddiant, wedi gweithredu mor eofn ar lwybr y bregeth, gweinyddu'r sacramentau, a chysuro eneidiau. Teimlai Du Tillet yn anghysurus o weld ei ffrind na chafodd ei ordeinio'n gweinyddu wrth Fwrdd y Cymun, yn dysgu gyda awdurdod, ac yn arwain eglwys Genefa gyda hyder Esgob.[19] Er ei gydymdeimlad amlwg rhaid cofio fod Du Tillet yn arddel yr olyniaeth apostolaidd a chyfansoddiad hierarchaidd yr Eglwys ac yn methu deall sut y medrai ei ffrind fod mor bowld â gweithredu'r alwedigaeth bwysig hon heb gymeradwyaeth yr Eglwys Babyddol. Gŵr y traddodiad ydoedd ef o'i gorun i'w sawdl, yn gwrthwynebu i'r diwedd radicaliaeth chwyldroadol. Ac awgryma rhai fod Du Tillet mewn llawn cydymdeimlad gyda Caroli yn hytrach na Calfin ac yn ddigon parod bellach i ymadael o gwmni un a fu'n rhan o'i fyd.

Ymadawodd Du Tillet â Genefa, yn gyntaf i Strasbourg, ac yna i Ffrainc lle y bwriadai gymodi gydag awdurdodau'r Eglwys Babyddol. Ni fedrai wynebu Calfin cyn gadael. Gadawodd nodyn iddo. Cythruddodd hyn Calfin. Ysgrifennodd lythyr digon cas i'w ffrind.[20] Mynegodd hefyd ei ofid iddo golli ei gyfeillgarwch a'i amddifadu o sgwrsio braf. Y mae'n amlwg fod ymadawiad Louis du Tillet wedi dolurio Calfin yn fawr.

Ond ni ddigalonnodd. Goresgynnodd y siom a'r rhwystrau a ddaeth yn amlwg yn Genefa. Yr oedd Farel a Calfin, y mae'n amlwg, yn tarfu ar yr arweinwyr trwy roi'r argraff mai swyddogaeth y Cyngor oedd bod yn ddarostyngedig i'w dymuniadau hwy. Nid oedd y Cyngor yn barod i dderbyn hyn o gwbl. Yna yn 1538 etholwyd Syndics a oedd yn gwbl gefnogol i'r Diwygiad Protestannaidd ond yn amharod iawn i gael eu gorfodi i ddilyn Farel a Calfin.[21] Safbwynt y Cyngor oedd mai'r llwybr diogelaf oedd mabwysiadu rhai o arferion Eglwys Ddiwygiedig Bern. Ni allai Farel na Calfin dderbyn hynny, yn arbennig ddefnyddio bara heb lefain ar gyfer y Cymun a'r duedd i gynnal nifer o wyliau traddodiadol yr eglwys. Teimlent hefyd y dylid gweinyddu'r Cymun Bendigaid unwaith yr wythnos. Ond yr hyn a'u blinai fwyaf oedd bod awdurdod eglwysig yn ddarostyngedig i awdurdod gwleidyddol Genefa. Ni allent gymrodeddu ar hyn.[22]

Ar ôl Pasg 1538 gorchmynnodd y Cyngor Cyffredinol a'r Cyngor Bach iddynt ymadael â'r ddinas. Llefarodd Calfin y frawddeg hon ar ei ffordd allan o Genefa: 'Pe baem wedi gwasanaethu dynion, ni fyddem wedi derbyn gwobr sâl, ond gan ein bod yn gwasanaethu'r Meistr Mawr fe gawn wobr werth ei chael.'

Gallwn weld yn yr hanes wendid ar y ddau du a llawer iawn o anoddefgarwch. Gellir dadlau bod polisïau Farel a Calfin wedi bod yn rhai digon rhesymol fel Diwygwyr o ddifrif, a bod yr awdurdodau yn methu gweld eu cyfraniad pwysig. Ond hefyd hawdd yw cytuno ag agwedd dinas Bern fod Calfin wedi mynd yn rhy bell. A bod yn deg â Calfin byddai ef yn cytuno ar hyn. Cydnabu yn ddiweddarach wrth Farel eu bod trwy ddiffyg profiad a diffyg parch wedi cyfeiliorni a chyflawni llu o weithredoedd di-alw-amdanynt. Nid un i ofni cydnabod ei fai ydoedd. Sylweddolodd Calfin fod sgiliau gwleidyddol mor bwysig â dim i unrhyw arweinydd crefyddol a bod yn rhaid meistroli hynny yn y byd a'r bywyd hwn.[23] Erbyn 1538, nid oedd y mwyafrif helaeth o ddinasyddion Genefa eisiau dychwelyd at strwythur a thraddodiadau Eglwys Rufain ac yn hyn o beth bu Farel a Calfin yn rhyfeddol o lwyddiannus fel diwygwyr. Yr oedd rhai o'r Syndics a'r Cynghorau yn bobl gyffredin y strydoedd ac yn dymuno derbyn a chroesawu dyfnion bethau Duw trwy lygaid y Diwygwyr Protestannaidd, ond mewn ffordd lawer llai gormesol a mwy cymedrol na'r arweiniad unbenaethol a ddaeth yn aml o gyfeiriad Farel a Calfin. Yr oedd Calfin wedi dangos yn glir i bawb ei safbwynt fel Diwygiwr. Ei hiraeth mawr ef oedd gweld eglwys gref ar y ddaear a honno'n credu mewn disgyblaeth, gweddi, astudio'r Gair a gofal dros y gymdeithas gyfan. Ei fai pennaf yn y cyfnod cynnar oedd diffyg cyfathrebu o fewn fframwaith gwleidyddiaeth. Yr oedd angen cyfeiriad newydd ar ddinas Genefa ar ôl aml i ysgarmes yn nechrau'r unfed ganrif ar bymtheg, ond nid oedd gwleidyddion y ddinas yn barod i ildio'r awenau i awdurdod clerigol eglwysig newydd. Felly, ym mis

Ebrill 1538 collodd y ddinas ŵr Duw, ond dim ond, yn rhagluniaethol, dros dro. Cafodd dinas Strasbourg fwynhau ei gwmni am gyfnod byr arall.

1 W. Gareth Evans, *Zwingli a Calfin a'r Diwygiad Protestannaidd yn y Swistir* (Aberystwyth, 1994), 37.
2 *ibid.* Cofier rhybudd Keith Randell 'Although the people of Geneva spoke French, they no more regarded themselves as being French than English-speaking Welshmen think of themselves as being English.' Gw. Keith Randell, *John Calvin and the Later Reformation* (Llundain, 1990), 11.
3 Cred rhai haneswyr mai Farel ac nid Calfin a luniodd Cyffes Genefa (Geneva Confession) yn 1536. Gw. B. A. Gerrish, *The Old Protestantism and the New: Essays on the Reformation Heritage* (Caeredin, 1982), 123.
4 *ibid.*
5 Beza, *The Life*, 27.
7 Keith Randell, *John Calvin,* 18.
8 *ibid.*
9 *ibid.*
10 *ibid.*
11 *ibid.*
12 *ibid.*
13 *ibid.*
14 Alexandre Ganoczy, *The Young Calvin*, 114.
15 *ibid.*,116.
16 *ibid.*, 117.
17 *ibid.*, 118.
18 *ibid.*
19 *ibid.*, 119.
20 W. Baum, E. Cunitz ac E. Reuss (goln.), *Ioannis Calvini opera quae supersunt omnia, 59 cyfrol*, (Berlin a Brunswick, 1863-1900). Daw'r llythyr o gyfrol 10, t. 147 yn dilyn: Llythyr oddi wrth Calvin i Du Tillet.
21 Evans, *Zwingli a Calfin*, 42.
22 Baum, et al., *Ioannis* Calvini *opera*, cyfrol 21, 226-27.
23 *ibid.*, 10, 206.

PENNOD 7

Yn alltud yn Strasbourg 1538-41

Yn ninas Strasbourg yr oedd y Diwygiad wedi cael arweinydd medrus yn Martin Bucer (1491-1551), un a fu'n gefn i Martin Luther.[1] Symudodd rhieni Martin Bucer i Strasbourg, ac felly bu croeso twymgalon iddo yntau i'w sefydlu ei hun yn y ddinas.[2]

Arweinyddiaeth y Diwygiad Protestannaidd a estynnodd wahoddiad i Calfin ar ôl iddo gyrraedd dinas Basel.[3] Dymunent iddo weinidogaethu i'r ffoaduriaid o Ffrainc oedd yn Strasbourg. Wedi ei lleoli yn ymyl ffin dde-ddwyrain Ffrainc, derbyniodd y ddinas lawer o ffoaduriaid fel canlyniad i erledigaeth y Protestaniaid gan y Brenin François y Cyntaf.[4] Ar y cyntaf gwrthododd Calfin, gan gredu y dylai ef a Farel gyd-weinidogaethu gyda'i gilydd. Ond teimlai mwy nag un o arweinwyr efengylaidd dinasoedd y Swistir nad oedd Calfin a Farel yn gyfuniad derbyniol. Yr oedd y ddau yn tueddu i ymfflamychu yng nghwmni ei gilydd, yn rhy debyg o ran natur ac yn rhai hawdd eu cythruddo. Yn y cyfamser derbyniodd Farel alwad i weinidogaethu yn nhref Neuchâtel, gan adael John Calfin i lafurio ar ei ben ei hun.[5] Erbyn Medi 1538 gwnaeth Calfin y dewis. Yr oedd am gartrefu yn ninas Strasbourg, dinas atyniadol, fyrlymus.

Wedi'r cyfan yr oedd Strasbourg yn ganolfan fasnachol hynod o lwyddiannus ac yn groesffordd rhwng gogledd yr Almaen a'r Swistir ac yn hwylus i deithwyr oedd am groesi afon brysur y Rhein. Sonnid am y ddinas fel un heddychlon, a oedd yn groesawus i bobl ddieithr, ac yn oddefgar tuag at alltudion o bob gwlad. Ni allai John Calfin gael dinas noddfa fwy cydnaws na Strasbourg, a chroesawodd Bucer ef yn gywir a chynnes. Ni fu edifar gan Calfin, yn wir bu'n ffodus o gwmni Bucer a dysgodd lawer oddi wrtho ynglŷn â chredo etholedigaeth, ystyr a gwerth y Cymun Bendigaid, a litwrgi'r oedfaon ar Ddydd yr Arglwydd.[6]

Yn wir cynghorodd Bucer ef ar ddechrau ei drigfan yn y ddinas i beidio â dianc rhag gweithgareddau bugeiliol fel y gwnaeth yn Genefa. Fel gŵr dawnus, dysgedig, credai Bucer fod y diwygiwr o Genefa yn cyflawni pechod difrifol wrth droi ei gefn ar gyfrifoldeb y bugail i'w braidd.[7]

Teimlai Bucer fod cyfrifoldeb ar Calfin i ddatblygu ei ddoniau er gogoniant i Dduw ac er budd yr Eglwys. Mynnodd Bucer ei fod e'n deall ei safbwynt yn glir. Er i Du Tillet ysgrifennu ato yn amau ei alwad, daliodd Calfin yn ffyddlon i'r ymddiriedaeth a osodwyd arno gan awdurdodau'r ddinas a Bucer.[8] Erbyn dechrau Medi 1538 yr oedd ef wedi cyrraedd Strasbourg. Y tro hwn yr oedd ganddo swydd fugeiliol wrth ei fodd, yn siarad yr un iaith â'i braidd, ac yn coleddu Protestaniaeth fel athroniaeth a diwinyddiaeth Gristnogol.

Cafodd ei bregethau dderbyniad cywir gan ei gydgenedl yn Strasbourg. Teimlai Bucer a'i gyd-arweinwyr y dylai ef gael yr hawl i weinyddu'r Cymun. Ysgrifennodd Calfin ar hyn at Farel, gan ychwanegu fod Bucer a'r Diwygwyr eraill, yn cytuno y dylai'r Cymun fod yn rhan o litwrgi'r gynulleidfa gan fod gobaith o sefydlu eglwys yn y dyfodol agos. I Calfin y peth pwysicaf mewn eglwys oedd ei bod yn gymuned a gyfarfyddai o amgylch Bwrdd yr Arglwydd. A balch oedd fod Bucer am i'r praidd bach ddod yn 'eglwys fechan' lle y medrid rhannu bara'r bywyd.[9] Deallodd Calfin fod y Diwygiwr dylanwadol o Strasbourg yn medru dadansoddi natur a swyddogaeth yr Eglwys weledig, ac fel y deallodd hyn, mynnodd gyfle i drafod ymhellach oblygiadau ei safbwynt eglwysig.[10] Cofiodd am y Protestaniaid a adawodd yn ôl yn ninas Genefa, a phenderfynodd anfon atynt lythyrau bugeiliol. Clywodd hefyd fod Farel yn gwneud yr union beth yr oedd ef am ei gyflawni. Ceir elfen dyner yn y llythyrau bugeiliol, yn pwysleisio'r alwedigaeth, ac yn uniaethu'r eglwys yn Genefa gydag achos Crist Iesu. Ond nid oedd gobaith i'r Diwygwyr fod yn fuddugoliaethus. Caniatâi Duw iddynt lywodraethu am gyfnod er mwyn cosbi trigolion Genefa am eu diogi ysbrydol ac am iddynt fod yn anufudd i ofynion Gair Duw. Llofnododd ei lythyron, 'Eich brawd a'ch gwas yn yr Arglwydd, J Calvin.'[11] Bu'r deunaw mis cyntaf yn Strasbourg yn hynod o brysur. Darlithiai yn gyson ar Efengyl Ioan a'r Epistol at y Corinthiaid a'r Epistol at y Rhufeiniaid.

Elwodd yn fawr o gwmni Bucer, a dysgwyd ef ar y modd y gallai gysoni awdurdod yr eglwys ag awdurdod yr ustusiaid a'r cynghorwyr trwy beidio â'u cadw ar wahân. Y ffordd i oresgyn ei fethiant yn Genefa oedd cynnwys yr arweinwyr hyn yn llywodraeth yr Eglwys Ddiwygiedig.

Cafodd gyfle euraid i weld addysg o safon uchel ar waith a hynny yn academi John Sturm yn Strasbourg.[12] Yno y gwelodd bosibiliadau Academi ar gyfer oedolion, a bu'r sefydliad hwn yn symbyliad iddo maes o law i sefydlu Academi yn Genefa ugain mlynedd yn ddiweddarach.

Yn ei deyrngarwch a'i ffyddlondeb i'w braidd cafodd ei ysbrydoli i lunio un o'r llythyron enwog a gysylltir â'i enw, sef *Ateb i Sadoleto*, ei amddiffyniad cadarn o Brotestaniaeth rhag ei wrthwynebydd yn y Babyddiaeth.[13] Cefndir y llythyr oedd ymdrech y Cardinal Jacopo Sadoleto (1477-1547) i arwain dinas Genefa yn ôl i gorlan yr Eglwys Babyddol. Lluniwyd y llythyr ym Mawrth 1539 gan yr esgob i Gyngor Bach Genefa. Anfonasant hwy'r llythyr i'r awdurdodau yn Bern, ac fe'i trosglwyddwyd ganddynt hwy i Calfin gan ei wahodd i ymateb. Derbyniodd y gwahoddiad ac ym mis Medi 1539 gwasgarwyd copïau o'i atebiad o Strasbourg. Cafwyd amddiffyniad gwych ganddo ar ran y gweinidogion a oedd yn gorfod bod mewn alltudiaeth, a chrynodeb o wir ystyr eglwys, ac atebiad godidog yn erbyn beirniadaeth Pabyddiaeth o gymeriad natur y Diwygiad.[14]

Deng mlwydd ar hugain oed oedd Calfin pan luniodd ei *Ateb i Sadoleto*. Nid oedd amheuaeth o gwbl bellach ganddo ynglŷn â'i alwedigaeth. Cefnogwyd ef gan ddinas Strasbourg. Elwodd Calfin ar brofiadau ac anerchiadau Martin Bucer, Wolfang Capito, a John Sturm yr addysgydd, heb enwi ond y tri mwyaf brwd. Ond teimlai erbyn hyn ei fod ar yr un lefel â hwy, a manteisiodd ar bob cyfle i ymweld â'r mannau lle ceid trafodaethau pwysig, fel Worms a Ratisbon, ac i ddod i gyfathrach gyda'r diwinyddion efengylaidd fel Philip Melanchthon

(1497-1560). Nid myfyriwr ydoedd bellach, ond cydweithiwr gyda Bucer a Melanchthon. Yr oedd yr Almaenwyr Protestannaidd yn ei edmygu a'i barchu.[15]

Bu'r plwyf a'r gymuned o alltudion Ffrengig yn lle delfrydol iddo ddatblygu. Yn y gymuned hon cynhelid y cymundeb unwaith y mis, gweithredid disgyblaeth eglwysig yn annibynnol ar yr awdurdodau dinesig, cenid y salmau yn gyson a cheid addysg grefyddol o wythnos i wythnos. Trefnodd litwrgi yn yr iaith Ffrangeg ar gyfer y gynulleidfa leol.[16] Ac yn ychwanegol at hyn bu'n brysur gyda'i waith ysgrifenedig. Paratôdd ei esboniad cyntaf ar un o lyfrau'r Beibl, a chanolbwyntiodd ar yr Epistol at y Rhufeiniaid. I'r Diwygwyr fel Martin Luther dyma gyfrol na ellid ei hanwybyddu. Cyhoeddwyd yr esboniad yn 1540.[17]

Yr oedd ef yn esboniwr manwl a chredai mai pwrpas esboniad oedd egluro darn ysgrythurol yn fyr ac yn eglur. Canolbwyntiai yn yr esboniadau ar yr adnod neu nifer o adnodau a hynny yn gryno a dealladwy.[18] Teyrnged T. H. L. Parker iddo fel esboniwr yw bod ei 'hunanddisgyblaeth yn ddarostyngedig i'r testun'.[19] Ymddangosodd dwy gyfrol arall yn 1541 a fu yn gaffaeliad i'r iaith Ffrangeg. Un o'r rhain oedd cyfieithiad yn yr iaith Ffrangeg o'r *Institutes*.[20] Cyhoeddwyd fersiynau 1536 a 1539 o'r *Institutes* yn yr iaith Ladin. Ond erbyn hyn credai dosbarth canol, llawer ohonynt yn fasnachwyr a phobl fusnes na fedrai ddarllen Lladin, ei bod hi'n bwysig darllen y Beibl yn yr iaith frodorol a theimlai Calfin rwymedigaeth i ofalu amdanynt hwythau. Ysgolheigion a gweinidogion yn bennaf oedd cynulleidfa'r fersiwn Lladin o'i gyfrol ddiwinyddol, ond credai Calfin y dylai ef estyn cylch ei ddarllenwyr. Dyna'r cymhelliad y tu ôl i'r gyfrol Ffrangeg o'r *Institutes*.

Yr oedd y gyfrol arall ar bwnc pwysig yn ei olwg, sef Swper yr Arglwydd. Pwnc ydoedd a oedd yn peri anghytuno ymhlith arweinwyr y byd Protestannaidd.[21] O'r holl bynciau a drafodid gan y byd a'r eglwys dyma'r sacrament oedd yn peri anghytundeb. Ac yr oedd hyn (yn wir y mae) yn gwbl ddealladwy. Am dros fil o flynyddoedd y dathliad o'r Swper Olaf oedd prif gyfarfyddiad pobl Dduw. Yr oedd cymaint o'r Ffydd wedi ei grynhoi yn y weithred. Lluniodd Calfin draethawd byr ar Swper

Sanctaidd ein Harglwydd Iesu Grist, yn gyntaf yn y Ffrangeg ac yna ei gyfieithu i'r Lladin.

Yr oedd Calfin ar ei orau yn yr ymdriniaeth, fel cymodwr rhwng y gwahanol safbwyntiau Protestannaidd, a hefyd yn ei amddiffyniad o Swper yr Arglwydd yng nghyd-destun yr offeren a fu'n ganolog yn ei fywyd cynnar. Gobeithiai'n fawr fedru cymodi'r grwpiau oedd yn anghytuno. Ond yr oedd hi'n dasg amhosibl fel y gwelodd ef ei hun. Ac fel y gwelir yn ei hanes ef ei hun bu'r Cymun yn bwnc anodd. O leiaf llwyddodd i gynnal a gweinyddu'r Cymun yn ei eglwys bob mis. Ar y dechrau ceid bwrdd agored, ond ychydig cyn Pasg 1540 cyhoeddodd Calfin fod gormod o bobl yn derbyn y Cymun heb ddigon o baratoad ysbrydol. Ac o hyn ymlaen disgwyliai i bawb a fyddai am dderbyn y bara a'r gwin i ddibenion y Cymun Sanctaidd roddi gwybodaeth eu bod am dderbyn y sacrament iddo ef. Nid oedd ffoaduriaid Ffrengig yn gyfforddus gyda'r fath drefn, gan eu bod yn teimlo eu bod yn cael eu gosod o dan iau penyd unwaith yn rhagor.[22] Ateb Calfin oedd bod penyd i ddiflannu os ceid ymweliad bugeiliol yn ei le. I Calfin yr oedd yr arferiad o benyd yn gwbl dderbyniol. Gellid gwneud i ffwrdd ag ef os ceid gweithred arall yn ei le, fel sgwrs a fyddai'n arwain at y Cymun.[23] Ac felly disgwyliai Calfin i'r aelodau alw heibio iddo cyn oedfa Sul y Cymun. Gallai ei hyfforddi gan y gwyddai fod llawer ohonynt heb dderbyn cyfarwyddyd o gwbl. A dyna ddechreuad yr ymweliad â'r cartref cyn oedfa'r Cymun a cheir hyn o hyd mewn aml i Eglwys Ddiwygiedig cyn pob gweinyddiad o'r Cymun Sanctaidd. Mewn geiriau eraill nid oedd Calfin am ddileu yn gyfan gwbl y gyffesgell, ond ei symud hi i ystafell fyw cartrefi'r aelodau. Gorchwyl y bugail oedd ymweld â'r praidd er mwyn eu hyfforddi, eu cynghori a'u cysuro. Gellid hefyd sylwi ar eu tyfiant yn y ffydd, a phenderfynu a oeddent yn ddigon da i gael lle wrth y bwrdd.[24]

Mater o ddisgyblaeth oedd hyn. Dysgodd Calfin bwysigrwydd disgyblaeth oddi wrth Bucer. Sefydlodd gyfundrefn o grwpiau o dai a fyddai yng ngofal nifer o Gristnogion cydwybodol fel ymwelwyr.[25] Ef oedd yn gyfrifol am sefydlu swydd blaenor fel un a oedd i helpu pobl i fyw dros Dduw a chydag Ef. Trodd swydd diacon i fod yn gyfrifoldeb i gyflwyno trugaredd Crist ar waith. Bu hefyd yn benderfynol o ddiwygio'r man cyfarfod rhwng y ffyddloniaid a'r Anfeidrol Dduw. Gyda'r weithred o ddileu'r offeren gosodwyd pulpud yn lle'r allor a dysgodd deulu'r ffydd i ddeall Sacrament Swper yr Arglwydd nid fel cyflwyniad y gynulleidfa i Dduw ond yn hytrach fel rhodd oddi wrth Dduw i'r gynulleidfa. Gyda'r athrawiaeth am Swper yr Arglwydd yr oedd Calfin yn barod i gyfrannu yn greadigol. Am rai blynyddoedd ceisiodd Martin Bucer gyfuno syniadau Zwingli a Luther, ac yn 1536 gwnaeth gytundeb gyda chyfeillion Wittenberg ar y mater.[26] Yr oedd Bucer o blaid dilyn Luther ond gydag ychydig o syniadaeth Zwingli. Paratôdd Bucer lawlyfr ar gyfer bugeiliaid Protestannaidd o dan y teitl y 'Von der wahren Seelsorge' (Ynglŷn â Gofal Gwir am Eneidiau).[27] Er na allai Calfin ddarllen Almaeneg, gwyddai am gynnwys y llawlyfr trwy ei berthynas gyda Bucer.

Credai Bucer hefyd fod yr Ail Fedyddwyr yn gwbl gyfeiliornus wrth wahardd bedydd plant ond yn gywir yn eu pwyslais ar ddisgyblaeth bersonol a sancteiddhad y credinwyr. Bu'r gwelediad yna o eiddo Bucer yn gryn gymorth i Calfin weddill ei oes.

Un da oedd Bucer am syniadau a chryfhaodd y dystiolaeth Brotestannaidd ar fater Caniadaeth y Cysegr.[28] Cefnogodd aelodau eglwysig yn yr oedfaon ar y Sul i foliannu Duw ar gân a hynny yn yr iaith frodorol, Ffrangeg neu Almaeneg neu Eidaleg yn hytrach na gwrando ar Gôr yr Eglwys yn canu yn y Lladin.[29] Y gwir yw mai yng nghwmni Bucer y dysgodd Calfin am hanfodion Protestaniaeth ymarferol at ddefnydd y gymuned Gristnogol leol. Nid gormodiaeth yw dweud fod bron pob peth a ddaeth yn bwysig yn Genefa o dan oruchwyliaeth Calfin wedi dod i'w feddwl yn Strasbourg.[30]

Yn Strasbourg yr ail ddarganfu Calfin yr Eglwys.[31] Yr oedd wedi troi ei gefn ar eglwys ei fagwraeth cyn gadael Paris. Ond ni chafodd ateb i'w benbleth hyd nes cyrraedd Strasbourg. Yno y gwelodd yr Eglwys ar ei gorau. Nid rhyfedd iddo ddod i'w hadnabod fel mam yn ei gofal. Llawenydd mawr i Calfin oedd derbyn cyfrol o ganeuon ffydd yn 1539.[32] Ceid deunaw Salm a thri emyn o fewn cloriau'r gyfrol, a daeth y llyfr Salmau ac Emynau yn drysor iddo. Cenid hwy gydag arddeliad.

Arbrofodd Calfin gyda ffurf gwasanaeth Bedydd gan gredu y dylai'r babanod gael eu bedyddio yn ystod yr oedfa gyhoeddus yn hytrach nag ar wahân.[33] Credai y dylai'r tadau fod yn bresennol a'r tad a'r fam fedydd. A dylid dewis tad a mam bedydd o blith pobl y ffydd Brotestannaidd.[34]

Paratôdd hefyd wasanaeth i'w ddefnyddio ar gyfer Swper yr Arglwydd, a chytunodd gyda Bucer na ddylai neb ddod i Fwrdd yr Arglwydd heb ei fedyddio yn y lle cyntaf.

Bu'n ffodus iawn yn Strasbourg yn ei ffrindiau a gwelodd nifer o Ail Fedyddwyr yn troi cefn ar eu mudiad a choleddu eglwys lle y gweinidogaethai John Calfin. Ymhlith yr Ail Fedyddwyr hyn yr oedd teulu John Storder ac Idelette de Bure.[35] Bu pregethu Calfin yn fodd i fyw iddynt. O dan gyfaredd ei weinidogaeth gadawodd y teulu'r Ail Fedyddwyr ag ymuno â'r gymuned Ffrengig.[36] Cafodd Calfin ei wahodd i'w cartref a daeth yn un o'r teulu. Mewn ymweliad o'r Pla Du â dinas Strasbourg bu farw John Storder yn drychinebus o sydyn a gadael Idelette yn weddw gyda dau blentyn i'w gwarchod.[37] Rhoddodd Calfin, fel y gellid disgwyl, gefnogaeth i'r teulu, ymwelai'n gyson ar ôl trefnu'r arwyl a chadwai olwg ar y plant a'u buddiannau. Sylweddolodd rhai o'i ffrindiau ei fod ef yn fwy bodlon ei fyd, a chynghorwyd ef i feddwl o ddifrif am ei ddyfodol yng nghwmni Idelette. Yr oedd hi'n agos ato o ran oedran, yn wraig garedig ei hysbryd, yn dduwiol ei bryd, ac yn hynod o ddeallus. O fewn ychydig fisoedd priododd y ddau yn 1541 ac ar ôl chwe mis gyda'i gilydd yn y bywyd priodasol, gwahoddwyd Calfin i Genefa.[38] Trefnodd i'r teulu bach symud o Strasbourg i Genefa a chael cartref newydd yn Rue des Chanoines.

Yr oedd Calfin yn hynod o falch o'r gwahoddiad. Bu Genefa yn ei feddwl yn ystod ei gyfnod yn Strasbourg. Llawenhaodd o ddeall fod yr amgylchiadau gwleidyddol yn prysur newid yn Genefa. Bellach, gwelwyd fod cefnogwyr brwdfrydig i John Calfin yn awr wedi llwyddo i gipio'r awenau, a'r ddau weinidog Protestannaidd a ddilynodd Calfin wedi rhoddi'r gorau iddi a throi eu cefnau ar Genefa. Yn y dyddiau o argyfwng, gwahoddwyd John Calfin yn ôl, y gŵr dysgedig a oedd wedi dysgu cymaint gan Bucer a'i gyd-ddiwygwyr.[39] O leiaf cyflwynodd Bucer iddo syniadau solet a fyddai'n dda eu gweithredu ynglŷn â threfniant yr eglwys.[40]

Nid oedd Bucer na neb arall am ei weld yn gadael Strasbourg, ond dymunwyd yn dda iddo a mynegwyd diolch am ei gwmni a'i gyfraniad. Ac ar 13 Fedi 1541 cyrhaeddodd Calfin yn ôl i'r ddinas y byddai ef yn gwbl allweddol iddi am y 23 mlynedd nesaf.

1   Llythyr oddi wrth Martin Bucer at Martin Luther, 23 Ionawr 1520. Gweler D. F. Wright (gol.) *Common Places of Martin Bucer* (Llyfrgell Courtenay o Glasuron y Diwygiad, Gwasg Sutton Courtenay, 1972,) 20 a 55.
2   W. Eifion Powell, 'Martin Bucer (1491-1551)', yn Rees (gol.) *Deuddeg Diwygiwr*, 15.
3   Thomas J. Davis, *John Calvin, Spiritual Leaders and Thinkers* (Philadelphia, 2005), 36.
4   *ibid.*
5   *ibid.*
6   Da y gwnaeth W. Eifion Powell bwysleisio hyn ar dudalen 17 o'r ysgrif 'Martin Bucer': 'Dylanwadodd Bucer ar syniadau John Calfin ar etholedigaeth, ar y cymun ac ar y litwrgi yn ystod y blynyddoedd y buont yn cydweithio yn Strasbourg.'
7   Ganoczy, *The Young Calvin*, 124.
8   Daeth John Sturm i Strasbourg yn 1538 i ddarlithio. Cydweithiodd gyda Bucer a Calfin ac eraill i sefydlu traddodiad addysgol a roddodd y ddinas ar y map. Bu'r Academi yn sylfaen i'r Brifysgol a agorwyd yno'n ddiweddarach. Baum, *Joannis Calvini opera*, Cyfrol 10, 242 a 244.
9   Powell, 'Martin Bucer', 22.
10 *ibid.*
11 Baum et al., *Joannis Calvini opera,* Cyfrol 10, 251-255: Calfin at ddinasyddion Genefa 1 Hydref 1538.
12 Powell, 'Martin Bucer', 27.
13 R. M. Douglas, *Jacopo Sadoleto, Humanist and Reformer* (Cambridge, Mass, 1959), 25.
14 *ibid., 27-35.*
15 Ond yr oedd un peth yn creu diflastod: diffyg gwybodaeth Calfin o'r iaith Almaeneg. Gan fod gan Calfin feddwl uchel iawn o Luther, teimlai rhai o weinidogion Zurich ei fod yn siarad heb sail yn aml. Gw. B. A. Gerrish, *The Old Protestantism and the New: Essays on the Reformation Heritage* (Caeredin, 1982), 40.
16 Selderhuis, *John Calvin*, 87.
17 *ibid.,* 98.
18 *ibid.*

19 T. H. L. Parker, *John Calvin* (Tring, 1987), 92.
20 Alister E. McGrath, *A Life of John Calvin: A Study in the Shaping of Western Culture* (Rhydychen, 1990), 102.
21 Davis, *John Calvin* 39.
22 Selderhuis, *John Calvin*, 98.
23 *ibid.*
24 *ibid.*
25 *ibid., 89.*
26 *ibid.*
27 *ibid.*
28 *ibid.*, 90.
29 *ibid.*
30 *ibid.*
31 *ibid., 89.*
32 *ibid., 90.*
33 *ibid., 91.*
34 *ibid.*
35 J. H. Alexander, *Ladies of the Reformation: Short Biographies of Distinguished Ladies of the Sixteenth Century* (Harpenden, 1978), 87.
36 *ibid., 88.*
37 *ibid., 89.*
38 *ibid., 98.*
39 Bu Martin Bucer yn gryn gymorth i Calfin. Gw. W. P. Stephens, *The Holy Spirit in the Theology of Martin Bucer*, (Caergrawnt, 1970), 270.
40 Wright (gol.), *Common Places*, 17-71.

Calfin yn trefnu'r eglwys yng Ngenefa 1541-8

Nid dyn i laesu dwylo oedd Calfin. Yn wir ar y diwrnod y cyrhaeddodd y ddinas, sef 13 Medi 1541, gofynnodd i Gyngor y Ddinas alw Comisiwn i ystyried sefyllfa'r eglwys. Cytunodd y Cyngor ac aeth ef ati'n ddiymdroi i baratoi dogfen a fyddai'n argymell cynllun arbennig. Dysgodd wers o'i ymddygiad unbenaethol yn 1538 er nad oedd ef wedi newid ei farn o gwbl am yr hyn y dylid ei gyflawni. Cwblhaodd ddrafft cyntaf y cynllun o fewn wythnos, ond mynegodd Cyngor y Ddinas eu barn bendant ar ddau fater: na chytunent gyda'r syniad o sefydlu gweinidog trwy arddodiad dwylo fel yn Strasbourg, ond gyda gweddi yn unig, ac y dylai'r Cymun gael ei weinyddu nid unwaith y mis ond bedair gwaith y flwyddyn. Poenai Cyngor y Ddinas am y modd i apwyntio gweinidogion, ac yn arbennig y bwriad i gylch y gweinidogion ysgwyddo cyfrifoldebau cyfreithiol. Cyflwynodd Calfin ei gynllun i ad-drefnu'r eglwys mewn dogfen o dan y teitl *Les Ordinnances ecclesiastiques* yn 1541: hwn oedd ei gyfraniad pwysig i drefn eglwysig. Y mae'n amlwg iddo gael ei ddylanwadu yn fawr gan Martin Bucer a'i lyfrau o'r flwyddyn 1538 ar 'Gwir Ofal Bugeiliol' a hefyd gan ei brofiad personol o ofalu ar ôl cynulleidfa o gredinwyr yn Strasbourg. Gan ddilyn Bucer, awgrymodd Calfin bedwar math o swyddogion eglwys. Yn gyntaf, Gweinidogion yr Efengyl. Eu gwaith hwy oedd pregethu ar y Sul, dysgu'r gynulleidfa, gweinyddu'r sacramentau a chyfarwyddo'r praidd i fyw yn dda a chyflawni daioni. Yr oeddent i gofio bod Cristnogaeth yn galw ar bobl i fabwysiadu ffordd unigryw o fyw yn y byd. Yn ail, Doctoriaid a fyddai'n dysgu'r disgyblion. Cyfrifoldeb y rhain oedd cyflwyno a dehongli athrawiaethau i'r bobl, ac felly ysgwyddo tipyn o fagad gofalon y gweinidog. Yn drydydd, Diaconiaid, ac awgrymodd y dylid cael deuddeg ohonynt. Hwy oedd i fugeilio'r aelodau oedd mewn salwch ac angen materol, i gadw'r tlodion oddi ar strydoedd Genefa ac i helpu'r anghenus. Enghraifft wych o'r wladwriaeth les oedd hyn, ond yn fwy na dim yr oedd yr angen yn fawr gan fod yr arferiad Catholig o gyflwyno elusen i'r tlodion wedi darfod yn y ddinas. Yn bedwerydd, Henuriaid Lleyg; awgrymodd fod deuddeg ohonynt i gyflawni'r gwaith o ddisgyblu, o gadw trefn, ac i fod yn llygaid barcud ym mhob rhan o Genefa. Disgwylid i'r deuddeg dinesydd cyfrifol o bob rhan o'r ddinas arolygu bywyd beunyddiol pob person trwy rybuddio a cheryddu lle y gwelid methiannau.[1] Yn ychwanegol yr oedd yr henuriaid lleyg hyn i hysbysu Cylch y Gweinidogion os oedd angen disgyblaeth lem. Dewisid yr aelodau lleyg hyn gan y Cyngor Bach o blith eu cyd-gynghorwyr yn Genefa.[2] Nid bwriad John Calfin oedd sefydlu eglwys i gystadlu â'r llywodraeth ddinesig, ond dylid ymgorffori'r awdurdodau seciwlar yn rhan o lywodraeth yr eglwys. Nid cyfraniad newydd sbon o eiddo Calfin oedd cyflwyno'r Henuriaid Lleyg. Yr oedd y diwygiwr Oecolampadius wedi gweithredu fel hyn yn ninas Basel, a Martin Bucer yn ninas Strasbourg.[3] Ond canlyniad hyn oedd cyflwyno i Galfiniaeth nodwedd a dreiddiodd i wledydd eraill, fel yr Alban a'r Iseldiroedd, sef cyfrifoldeb yr Eglwys am y gymdeithas o'i hamgylch. Wedi'r cyfan, disgwylid i'r henuriaid lleyg ymuno â'r gweinidogion a'r diaconiaid yn y llys eglwysig i drafod ac i arolygu rheolau a moesau.

O'r pedair swydd, y swydd allweddol oedd y blaenoriaid, sef yr hyn a elwid yr adeg honno yr henuriaid lleyg. 'Eu gwaith hwy', meddai'r ddogfen, 'yw cadw gofal am fywyd pob person', anferth o waith, a thasg nad oedd Cyngor y Ddinas yn gwbl gysurus i roddi sêl eu bendith arni, gan fod y gofyniadau yn tresbasu ar gyfrifoldebau cyfreithiol y llywodraeth ddinesig. Cytunodd y Cyngor yn unig pan benderfynwyd rhoddi'r hawl i'r Cyngor Bach ddewis yr henuriaid lleyg. Wedi'r cyfan hwy oedd yn y mwyafrif yn y Llys Eglwysig. Aelodau'r Llys Eglwysig (*Consistory*), a oedd yn hanfodol i'r cynllun, oedd y bugeiliaid a'r henuriaid. Mewn gwirionedd, yr oedd yn gymysgedd o ddisgyblaeth gymdeithasol ac uniongrededd diwinyddol. Disgwylid iddynt gyfarfod unwaith yr wythnos i ystyried yr achosion a ddeuai ger eu bron, yn ymwneud â heresïau, neu regi, absenoldeb o'r gwasanaethau, camymddygiad rhywiol ac ati. Ceir cyfrolau lawer o gofnodion o'r llys eglwysig, ac fe geir enghreifftiau trist ac ar dro destun gwên. Crynhowyd nifer fawr o'r achosion hyn gan Carew Hunt ac eraill.[4] Ond disgyblaeth oedd yn bwysig. Yr oedd canllawiau pendant ganddynt. Yr oedd presenoldeb mewn oedfa lle y ceid pregethu yn orfodol. Cosbid anfoesoldeb heb ddadl. Ni chaniateid i unrhyw berson ddatgan heresïau. Gofalai'r henuriaid am ymddygiad pobl o ran gwisg, storïau amrwd adroddid ar y stryd, ac adloniant preifat, hyd yn oed dawnsio. Credid bod dawnsio mewn lle cyhoeddus neu'n breifat yn berygl i foesoldeb yr unigolyn.[5]

Wedi derbyn y Cynllun, amlygodd y Llys Eglwysig ei awdurdod yn y ddinas. Ym mlwyddyn gyntaf ei fodolaeth, sef 1542, gwrandawyd ar 320 o achosion, ac o fewn wyth mlynedd yr oedd y nifer wedi cynyddu i 548 y flwyddyn. Yn y blynyddoedd cynnar y prif fater oedd methiant pobl i fynychu'r eglwys. Y mae'n amlwg fod nifer o unigolion wedi rhoddi tystiolaeth o absenoldeb eu cymdogion a'u cydnabod o'r gwasanaethau.

Dadleua llawer hanesydd fod hyn yn newydd yn hanes Protestaniaeth, sef cael llys eglwysig yn rhan amlwg o'r eglwys.[6] Gwyddom fod llys eglwysig yn bod yn Zürich, ond ni lwyddwyd i osod yr un amodau na rheolaeth foesol a chymdeithasol iddo ag a wnaethpwyd gan lys eglwysig Calfin yn Genefa.[7] Ni fedrai neb ddianc, pa mor bwysig bynnag ydoedd. Bwriedid i'r llys eglwysig fod yn rhan annatod o'r eglwysi Calfinaidd ar hyd a lled Ewrop. Sonia Hans J. Hillerbrand fod hyn yn amrywio'n fawr.[8]

Cyfraniad pwysig iawn Calfin oedd rhoddi lle amlwg i'r lleygwr. Yr oedd hyn mor wahanol i'r Eglwys Babyddol! Offeiriaid oedd yn llywodraethu yno ar lefel y plwyfi ac nid y lleygwyr. Yr oedd Calfin ei hun yn gwrthwynebu'r syniad o elitaeth yr offeiriadaeth a'r dirgelwch a'r holl barch a amlygid tuag atynt gan y bobl gyffredin. Iddo ef dynion oeddent ac yn llawn gwendidau. Nid oedd am eiliad am ganiatáu i hynny ddigwydd iddo ef na'i gyd-weinidogion. Llwyddodd i greu corff o dan y teitl Cwmni'r Bugeiliaid. Disgwylid i bob bugail ar gynulleidfa o Galfiniaid gyfarfod unwaith yr wythnos i ddarllen ac astudio'r Beibl, ac unwaith bob chwarter er mwyn yr hyn a alwodd yn *grabeau*, sef sesiwn hunan-feirniadol.[9] Disgwyliai ef i'w gydweithwyr fod yn onest tuag ato yntau'r pryd hwnnw a dweud heb flewyn ar dafod eu teimladau a'u cwynion heb gadw dim yn ôl. Canlyniad y *grabeau* oedd sobri'r gweinidog yn ddirfawr a'i atal rhag bod yn rhy hyderus a balch a rhagrithiol. Dyma dechneg a ddatblygwyd yn yr ugeinfed ganrif gan fudiadau i wella pobl sydd ag obsesiwn parthed alcohol a chyffuriau, sef cydnabod methiant a chydnabod gwendid. Canlyniad hyn i gyd oedd cryfhau gafael Calfiniaeth ar gref-yddwyr Genefa, yn arweinwyr ac aelodau.[10] Nid oedd y mudiad Lutheraidd o bell ffordd mor effeithiol ar fater disgyblaeth. Ond er mor bwysig oedd y llys eglwysig a Chwmni'r Bugeiliaid fel sefydliadau rhaid cydnabod mai John Calfin ei hun oedd yr ysgogydd. Yr oedd penderfyniad di-ildio Calfin yn ennill gwrogaeth ei ganlynwyr. Erbyn 1543 yr oedd cynulleidfaoedd crefyddol Genefa yn cydnabod gwerth ei safiad a'i ymdrechion. Ond nid oedd er hynny heb ei wrthwynebwyr. Gallwn danlinellu pwysigrwydd y ddogfen a luniodd Calfin ac a dderbyniwyd ar ôl llawer o drafod. Ond cynhwysai'r ddogfen gyfrifoldebau, ac am y tro cyntaf erioed, yr oedd fframwaith cyflawn ar gael ar gyfer trefniadaeth llywodraeth yr Eglwys Brotestannaidd. Daeth yn batrwm i bob cynulleidfa ddiwygiedig trwy'r byd Cristnogol. Ac er i wleidyddion Genefa lwyddo i newid llawer ar y cynlluniau, yn arbennig ar fater pwerau'r Cyngor, yr oedd cryn lawer o'r cyfrifoldebau yn dal i orwedd ar ysgwyddau'r gweinidogion. Credai Calfin fod swyddi'r proffwyd, apostol, ac efengylydd, oedd mor amlwg yn y Testament Newydd, wedi peidio â bod yn niwedd yr oes Apostolaidd. Swyddi dros dro oeddent. O'r swyddi oedd yn parhau, yr unig rai sy'n anrhydeddus ac yn angenrheidiol i'r eglwys ydyw'r bugail a'r blaenor. I adeiladu'r gynulleidfa yn ysbrydol, yr oedd ethol bugeiliaid a blaenoriaid yn bwysig o ran blaenoriaethau.[11] Y flaenoriaeth gyntaf oedd athrawiaeth bur ac iachus. Ond ym meddwl Calfin yr oedd cysylltiad agos rhwng y blaenoriaethau hyn fel mai prin y gellid eu gwahanu. Y mae'r termau sydd yn y Testament Newydd, sef esgob, blaenor, gweinidog, bugail ac weithiau athro, i gyd yn sôn am yr un swyddogaeth. Beth yw priod waith y bugail? I gynrychioli Mab Duw: defnyddiai Calfin yn aml y term lefftenant. Dadleuai Calfin y dylid cael un bugail ym mhob tref a dinas, er bod ambell i ddinas fel Genefa ag angen mwy nag un. Sut y dylid dewis Bugail? Y mae'n anghywir i neb chwennych y swydd o ran uchelgais, ond eto dylid paratoi'n ofalus ar gyfer yr uchel alwedigaeth. Dyna le Colegau Diwinyddol i baratoi'r bugeiliaid. Ar ôl addysg, arholi, dewis, cyflwyno, a chytuno, ar amodau'r alwad, y penderfyniad pwysig yng ngolwg Calfin oedd yr ordeinio. Sonia weithiau am ordeinio fel sacrament gan gredu fod gras yn cael ei gyflwyno trwy arwyddion allanol. Defnyddia iaith sy'n ein hatgoffa ni o'r Sacrament o Fedydd. Nid arwydd di-werth a disylw mo ordeinio ond arwydd ffyddlon o'r Gras a gyflwynir gan Dduw ei hun. Bu'n rhaid iddo deithio i Frankfurt i gadeirio comisiwn i drafod achos y bugail Valérand Poullain. Bu yn y ddinas am bythefnos. Teimlai Calfin fod yn rhaid gwarchod safonau'r weinidogaeth. Sylweddolodd fod y drafferth wedi codi yn yr Eglwys Ddiwygiedig yn Frankfurt a wasanaethai yr alltudion oherwydd cefndir yr aelodau, rhai ohonynt yn frwd o blaid Ffrainc a'i diwylliant ac eraill yn ymhyfrydu yng ngwerthoedd yr iaith Saesneg ac etifeddiaeth Lloegr. Canlyniad y comisiwn oedd i Poullain gadw ei enw da, ond nid oedd dewis ganddo er mwyn cadw undeb y gynulleidfa ond ymddiswyddo. Cytunodd Calfin i'r gynulleidfa o ffoaduriaid yn Frankfurt gael gwared â'u bugail, Valérand Poullain, er mwyn lles a thystiolaeth yr eglwys hon yn y ddinas.

Y mae'n amlwg ei fod ef yn barod i ganiatáu ychydig o raff wrth fabwysiadu y dull o alw gweinidog. Ond pam fod bugeiliaid mor bwysig i'r eglwys? Oni allai'r lleygwr ddarllen y Beibl a gweddïo ar Dduw heb gymorth bugail? A'r ateb syml yw gall yn hawdd. Ond yr oedd bugail i fod i agor a rhannu gair Duw fel 'tad yn rhannu'r bara yn dameidiau er mwyn bwydo ei blant.' Dylai'r bugeiliaid fod yn olau yn y Beibl, fel y medrent ddysgu yn helaeth Gair yr Anfeidrol i'r gynulleidfa.

A dyna pam fod pregethu yn bwysig. Nid oedd amynedd gan Calfin gyda'r esgobion Pabyddol oedd yn crwydro'r wlad yn eu dillad theatrig ond a oedd mewn gwirionedd yn ymwadu â'r alwedigaeth o bregethu. Cymerai Calfin y dasg o bregethu o ddifrif. Credai pan leferid newyddion da'r efengyl mai Duw ei hun oedd yn llefaru. Dyna pam fod yn rhaid iddo fod yn ofalus gyda'i neges, a dyna pam na fyddai ef yn esgyn i'r pulpud heb ofal arbennig, am ei fod ef yn credu fod y fangre honno yn gyfystyr â 'gorsedd Duw, ac o'r orsedd hon y dymuna'r Anfeidrol' lywio cwrs ein bywyd.[12]

Yr oedd presenoldeb y pulpud yn yr eglwys yn golygu fod y gynulleidfa a ddeuai ynghyd i addoli yn dod gerbron sedd y Barnwr Dwyfol, lle y gellid sibrwd ein methiant yn ein hedifeirwch a derbyn maddeuant llwyr a llawn.[13] Os nad oedd pregethwr yn fyfyriwr y Gair 'byddai'n well iddo dorri ei wddf wrth ddringo i'r pulpud.'[14] Yng ngolwg Duw nid oedd dim gweithred bwysicach ar wyneb y ddaear na phregethu'r efengyl am ei fod yn arwain pobl i'r bywyd tragwyddol. Nid oedd John Calfin yn ei ystyried ei hun yn wahanol i neb arall o gwmni'r pregethwyr. Sylweddolai ef fod Gair Duw yn newid bywydau pobl mewn dwy ffordd, yn gyntaf yn newid agwedd y rhai sy'n elyniaethus i Ddduw ac yn ail yn dysgu canlynwyr Duw i barchu eu Tad nefol yn wastadol.[15]

Uchelgais Calfin oedd bod yn llais Duw, ond yr oedd yn ddweud go fawr. Golygai fod yn rhaid iddo fod yn hynod o ofalus i beidio mynegi ei syniadau ef fel Gair Duw. Dyna pam y bu iddo drosglwyddo i arweinwyr y ddinas a'i thrigolion gyfarwyddiadau i fesur a phwyso'r cenhadon yn ôl y safonau a goleddid ganddo. Dylid edrych arnynt fel cynrychiolwyr y Bugail Dduw ei hun.

Rhennid y ddinas yn dri dosbarth eglwysig ag eglwys ym mhob un o'r dosbarthiadau, sef Sant Pierre, Sant Gervais a Sant Madeline.[16] Ar Ddydd yr Arglwydd cynhelid ym mhob un o'r tair eglwys dri gwasanaeth, y cyntaf ar godiad haul, yr ail wasanaeth am naw o'r gloch a'r trydydd am dri o'r gloch. Am hanner dydd cynhelid Gwasanaeth y Plant lle y dysgid y catecism.[17] Trwy gydol yr wythnos cynhelid gwasanaethau ychwanegol ym mhob un o'r tair eglwys ar ddydd Llun, dydd Mercher a dydd Gwener. Golygai hyn ddigon o waith i'r pregethwr oedd yn frwdfrydig ac yn awyddus i wasanaethu'r Arglwydd. Un felly oedd John Calfin ei hun. Cynyddodd cyfrifoldeb pregethu yn ystod ei dymor yn

Genefa. Yn wir erbyn Hydref 1559 penderfynodd Cyngor y Ddinas gael mwy o gyfleoedd a gwasanaethau, a chynhelid oedfaon pregethu nid am dri diwrnod o'r wythnos ond ar bob dydd o'r wythnos.[18] Anodd credu bod Calfin ei hun yn pregethu ddwywaith pob Sul, ac yna bob yn ail wythnos o ddydd Llun i ddydd Sul, gyda'r canlyniad fod angen deg pregeth newydd arno pob pythefnos.

Er gwaethaf yr holl gyfrifoldebau dymunai Calfin baratoi yn gydwybodol a chan amlaf byddai'n ymneilltuo ar ôl cinio i baratoi ei bregeth ar gyfer y diwrnod canlynol.[19] Ni feiddiai esgyn i'r pulpud heb baratoad teilwng er y teimlai'n ddigon aml nad oedd wedi bod yn ddigon diwyd yn paratoi nodiadau ar y testun.

Mabwysiadodd Calfin ddull hawdd ei ddilyn gan ddefnyddio brawddegau byr heb orlwytho ei arddull.[20] Perchid ef am hyn a chredai eraill ei fod yn rhoddi esiampl i bawb o'i gydbregethwyr yn y greff o bregethu. Ni chredai mewn pregethu dramatig, hwyliog, ond llwyddai i ddenu cynulleidfaoedd lluosog.[21] Credai mewn pregethu ar destun penodedig, ond credai hefyd y dylai aros yn yr un llyfr o'r dechrau i'r diwedd, adran ar ôl adran, yn ffyddlon i'r testun, gan egluro yn fanwl ystyr y geiriau yn yr ieithoedd y lluniwyd yr Ysgrythurau ynddynt, sef Groeg a Hebraeg.[22] Credai y dylid codi pont rhwng y gorffennol a'r presennol gan addasu'r neges o'r hen fyd i Genefa ei ddyddiau ef.[23]

Pregethai Calfin yn eglwys St Pierre ar Ddydd yr Arglwydd, ac yn y ddwy eglwys arall weddill yr wythnos.[24] Cymerai ei bregeth awr i'w thraddodi. Er bod y brawddegau yn fyr, yr oedd y bregeth yn hir ac felly bu hi yn hanes Calfiniaeth ym Mhrydain o fewn ein cyfnod ni. Cwynai Calfin ar brydiau fod yna unigolion yn y gynulleidfa oedd yn anghofio pam eu bod hwy yno. Daw'r Cristion i'r oedfa i wrando ar y genadwri'n bennaf, yn ôl Calfin, ond gwelai ef rai, yn arbennig adeg gwasanaeth Bedydd, oedd yn ddigon difater fel gwrandawyr. A gwaeth na hynny, penderfynai ambell un beidio â mynychu'r gwasanaeth, ond sefyllian o amgylch y drws er mwyn i'r bregeth orffen ac er mwyn i rieni'r baban wybod eu bod hwy yno.[25] Nid oedd y Bedydd na'r Bregeth yn apelio.

Gallai Calfin bregethu pan cynhyrfid ef, gydag angerdd mawr, gan gondemnio yn ddiarbed ymddygiad gwarthus ar ran y dinasyddion. Ond credai hefyd fod hyn i'w gyflawni gyda gofal rhag 'dolurio eneidiau' y plwyfolion.[26] Ni ddylid ar unrhyw gyfrif fychanu'r addolwyr na rhoddi'r argraff eu bod yn mwynhau cael eu ceryddu'n gyhoeddus. Dylai'r gennad ddangos tosturi a gofal am gynhaliaeth ei gynulleidfa.[27]

Dyletswydd y gennad oedd cludo Gair Duw i'r bobl, ond hefyd i eiriol gerbron Duw ar eu rhan. Rhaid iddynt garu Duw a charu'r bobl. Nid oes lle i oerni yn y berthynas rhwng y pregethwr a'i gynulleidfa. Braint yw pregethu'r Gair gan gofio fod gwahaniaeth dybryd rhwng pregeth a darlith. Er gwaethaf pob rhwystr, byddai Calfin bob amser yn annerch ei gynulleidfa fel credinwyr, fel pobl yr oedd ganddynt gysylltiad uniongyrchol â Duw. Ar y ddealltwriaeth honno, galwai hwy i fod yn genhadol eu hysbryd. Dylai'r eglwys dyfu mewn rhif, a gosodwyd cyfrifoldeb ar bob un o'r gynulleidfa i weithio mewn gair a gweithred er mwyn denu eraill i'r teulu ac i'r ffydd.

Amlygodd Calfin elfen gref o ddysg yn ei bregethau a soniai yn aml am yr eglwys fel 'Ysgol Duw'. Yr oedd y bregeth yn gyfrwng cwbl unigryw iddo, a'i heffaith i barhau ymhell ar ôl i'r oedfa ddirwyn i ben. Gallwn ddeall erbyn hyn pam fod y teulu Diwygiedig wedi rhoddi pwyslais mawr ar bregethu. . Gwaith pregethu yw adeiladu a goleuo, ac i wneud hyn rhaid iddo fod yn ymarferol. Tasg y bugail yw llywodraethu ar y gymuned a phregethu'r Gair. Y mae angen dau lais arno, yn ôl Calfin, 'un llais i alw'r defaid i'r gorlan a'r llais arall i yrru'r lladron a'r bleiddiaid ar ffo.'[28] Ond uwchlaw pob dim y mae rheidrwydd arno ddweud y gwir, nid yn ddauwynebog ac yn rhagrithiwr, a llywodraethu'n ofalus yn ei gartref a magu ei blant yn athrawiaeth ac ofn yr Arglwydd. Wedi'r cyfan ef yw 'wyneb yr Eglwys'.[29] Gall gweinidog annheilwng gyflawni niwed aruthrol i'r gynulleidfa. Ac am y rheswm hwn y mae'n rhaid iddo fod yn atebol, nid yn unig i Dduw, ond i lys eglwysig ac i'w gydweithwyr yn y gymuned Gristnogol. Dyma nodweddion y system Galfinaidd a weithredwyd gan John Calfin ar ôl dychwelyd i Genefa yn y cyfnod o 1541 i 1555.

1 Evans, *Zwingli a Calfin*, 49
2 *ibid.*
3 *ibid.*
4 Ceir manylion o'r Llys Eglwysig, gan H. Y. Reybuen, *John Calvin, His Life, Letters, and Work* (Llundain, 1914), 117-40; a R. Carew Hunt, *Calvin* (Llundain, 1933), 149 ac yn dilyn.
5 Ceir adroddiad o achosion yn gofyn disgyblaeth cyn i Calfin gymryd yr awenau yn Genefa gan John McNeil, *The History and Character of Calvinism* (Efrog Newydd, 1962), 135; a Carew Hunt, *Calvin,* 67.
6 Dadleuodd Menna Prestwich yn *International Calvinism 1548-1715* (Rhydychen,1985) mai'r peth newydd, cwbl chwyldroadol a gyflawnodd Calfin oedd gofalu fod y llys eglwysig yn rhan anhepgor o'r eglwys leol.
7 Evans, *Zwingli a Calfin*, 50.
8 Hans J. Hillerbrand,*The Division of Christendom: Christianity in the Sixteenth Century* (Louisville, 2007), 356.
10 *ibid., 46.*
11 Hillerbrand, *Division of Christendom*, 305.
12 James Hastings Nichols, *Corporate Worship in the Reformed Tradition* (Philadelphia, 1968), 29.
13 Heiko A. Oberman, 'Preaching and the Word in the Reformation', *Theology Today* (Ebrill, 1961), 17-18.
14 Selderhuis, *John Calvin*, 111.
15 *ibid.* Gweler hefyd *Calvin Theological Treatises*, cyfieithwyd gan J. K. S. Reid (Philadelphia, 1954), 32.
16 Selderhuis, *John Calvin*, 111-12.
17 *ibid., 112.*
18 *ibid.*
19 *ibid.*
20 *ibid., 113.*
21 *ibid.*
22 *ibid.*
23 *ibid., 112.*
24 *ibid., 113.*
25 *ibid.*
26 John H. Leith, 'Calvin's Doctrine of the Proclamation of the Word and its Significance for Today' yn *John Calvin and the Church: A Prism of Reform* (gol. Timothy George) (Louisville, 1990),206.
27 John C. Bowman, 'Calvin as Preacher', *Reformed Church Review* (1909), 253.
28 John H. Gerstner, 'Calvin's Two-Voice Theory of Preaching', in Richard C. Gamble (gol.), *Calvin's Ecclesiology: Sacraments and Deacons*, (Efrog Newydd, 1992), 205-16.
29 Dywed y Parchedig John Morgan Jones: 'A chydnebydd ei feirniad llymaf na welwyd erioed ddosbarth o ddynion teilyngach o'u hawliau na gweinidogion Genefa. Arferid y gofal manylaf wrth eu dewis.' Gw. J. Morgan Jones, Merthyr Tudful, *John Calvin: Ei fywyd a'i waith* (Dolgellau, 1909), 84

Gwrthwynebwyr John Calfin yng Ngenefa 1548-55

Teg ydyw dweud i Calfin gael nifer dda o wrthwynebwyr am ei fod ef ei hun yn gymeriad cadarn o ran argyhoeddiadau ac yn benderfynol o weld ei syniadau yn cael eu gweithredu. Derbyniodd Calfin wrthwynebiad gan lu o weinidogion fel y crybwyllwyd eisoes, ond erbyn 1546 cafodd ymwared gan i'r awdurdodau gael gwared o'r mwyafrif ohonynt. Ond daliai ambell un yn ystyfnig fel Philippe de Ecclesia. Llwyddodd ef i ddal ei dir am dair blynedd oherwydd bod digon o bobl yn y Cyngor yn barod i'w gefnogi ac yn falch o godi gwrychyn Calfin.

Un o'r helyntion diwinyddol cyntaf a greodd ddadl fawr oedd yr un yn 1551 rhwng Calfin a chyn-fynach o'r enw Jerome Hermes Bolsec. I Bolsec yr oedd yr hyn a sgrifennodd Calfin ar athrawiaeth etholedigaeth a rhagarfaeth neu ragordeiniad yn anghywir. Traethodd Calfin ar hyn yn yr *Institutio* (1536) ac yna mewn cyfrol fechan flwyddyn yn ddiweddarach, *Instruction et Confession de Foy dônt on use en l'eglise de Genève*, gwaith a gyfieithwyd yn 2003 i'r Gymraeg gan Euros Wyn Jones o dan y teitl *Ffydd i'n Dydd*.[1]

Dadleuodd Bolsec yn bennaf fel gŵr a fu'n astudio meddygaeth a diwinyddiaeth ac yn ei ffordd ei hun bellach fel Protestant a oedd wedi ymwadu a'i orffennol fel mynach. Ond ar fater rhagordeiniad credai fod Calfin yn haeddu ei gywiro. Mynegodd ei hun yn y seminar diwinyddol a'r dosbarth beiblaidd a gynhelid bob bore Gwener. Ac ar 16 Hydref 1551 rhoddodd ei achos gerbron gweinidog yn Genefa o'r enw Jean de Saint-André gan ddadlau: 'Nid yw'r Ysgrythur yn dweud ein bod wedi ein hachub oherwydd bod Duw wedi ein hethol, ond oherwydd ein bod wedi credu yn Iesu Grist.' Ychwanegodd hyn: 'Os ydych yn cydsynio ac yn dysgu bod Duw yn penderfynu cyn i'r person weithredu fod y person hwnnw yn mynd i fod yn bechadurus, ac na all elwa ar ras ac y bydd yn wrthodedig, y mae hyn yn gwneud i Dduw edrych yn eithaf gwael.' [2]

Yn wir, yng ngolwg Bolsec yr oedd Calfin ei hun wedi ymddieithrio o'r wir Ffydd. I Bolsec yr oedd Calfin yn euog o ddweud gerbron y bobl 'fod Duw yn awdur pechod.' Mynegodd ei hun i'r gynulleidfa ar adeg pryd nad oedd Calfin yno. Ond llithrodd Calfin i mewn hanner ffordd drwy'r feirniadaeth, a phan orffennodd Bolsec, safodd Calfin ar ei draed a rhoddodd amddiffyniad gwefreiddiol gan ddyfynnu yn helaeth o'r Tadau Eglwysig ac o'r Ysgrythurau.[3] Am fod Bolsec wedi ymosod nid yn unig ar y Diwygiwr, ond am iddo ddweud fod eglwys Genefa wedi cyflawni camgymeriad, fe gafodd ei gyhuddo o fod yn euog o heresi ac o dan drefn y ddinas rhaid oedd trafod ei achos gan ynadon y ddinas.[4]

Nid oedd yn achos hawdd i nifer o bobl nad oeddent yn meddu ar gefndir diwinyddol. Amddiffynnodd Calfin ei safbwynt, gan wadu ymosodiad gwaethaf Bolsec, fod Duw yn awdur pechod. Ond a oedd Bolsec wedi darllen yr hyn a luniodd Calfin? Gwelai Calfin fod Bolsec yn ceisio haeru fod etholedigaeth yn dibynnu ar yr hyn a wnâi pobl, gyda'u rhyddid i dderbyn neu i wrthod yr efengyl gan amddiffyn y syniad o gyfrifoldeb dynol. Ond yn ôl Calfin yr oedd y syniad hwn yn gwyrdroi'r fuddugoliaeth a gafodd Awstin Sant dros Pelagius. Yr oedd yn gwneud bodau dynol yn gyfrifol am eu hiachawdwriaeth eu hunain.[5]

Yn wyneb y ddadl teimlai'r ynadon y dylent gysylltu â'u cymrodyr yn ninasoedd Protestannaidd y Swistir. Daeth yr ymateb ond nid oedd yn foddhaol o bell ffordd. Nid oedd neb yn cefnogi Bolsec ond yr oedd rhai yn barod iawn i gytuno â Calfin. Fodd bynnag, glastwraidd oedd ymateb y dinasoedd a goleddai ddiwinyddiaeth Zwingli gan nad oeddent hwy yn gwbl fodlon ar y syniad o etholedigaeth. Yn y sefyllfa anfoddhaol hon, penderfynodd y llys yn Genefa dderbyn safbwynt Calfin gan ei fod wedi dadlau yn effeithiol a chyda theimlad. Wedi'r cyfan, yr oedd Bolsec wedi amharchu'r ddinas, ei gweinidogion a'i hathrawiaethau. Am iddo goleddu safbwynt diwinyddol cam-arweiniol, ac am wrthod tynnu'n ôl ei gyhuddiad yn erbyn Calfin a'i gyd-weinidogion, fe'i esgymunwyd i alltudiaeth o Genefa.[6]

Teithiodd Bolsec i Bern ac oddi yno daliodd i feirniadu Calfin hyd nes i ynadon y ddinas ofyn iddo adael yn 1555. A'r un flwyddyn penderfynwyd na ddylid trafod Etholedigaeth ymhellach. Mewn ysbaid trodd Bolsec yn ôl i'r ffydd Babyddol a gwnaeth ei orau i wrthwynebu Calfiniaeth trwy ei lyfrau a'i erthyglau.[7]

Ymateb Calfin i'r cyfan oedd siomedigaeth oherwydd achos Bolsec, a bod ymateb y Cyngor Bach ac ymateb yr ynadon wedi bod mor glaear. Ysgrifennodd yn fwy pendant fyth ar y mater, a theimlai fod dilynwyr Zwingli yn barod i faeddu ei enw da trwy fod mor ddifater. Ond ni ddigalonnodd.

Cafodd drafferth hefyd gan yr addysgydd, Sebastian Castellio. Dyma achos oedd yn llawer mwy cymhleth nag achos Bolsec. Castellio oedd Prifathro'r Coleg yn Genefa, a derbyniodd y swydd honno yn bennaf trwy gefnogaeth Calfin. Yr oedd Castellio yn ŵr yn meddu ar lawer o ddoniau, adnabyddid ef fel cyfieithydd, athro, dehonglwr o'r Ysgrythur ac ieithydd.[8] Gofidiai Calfin fod Castellio yn ŵr balch ac uchelgeisiol, tra i Castellio y drafferth fawr oedd agwedd drahaus Calfin yn Genefa. Ond cododd y ddadl gyntaf ar sail dehongliad Castellio o'r Beibl ac yn arbennig *Caniadau Solomon* a ddisgrifiwyd ganddo fel 'anllad ac anweddus'.[9] Erbyn 1554 yr oedd agwedd Castellio a'i ymosod-iadau cyson ar Calfin a Chwmni'r Bugeiliaid wedi cynyddu gymaint fel na ellid ei anwybyddu. Bu'n rhaid iddo adael, a gwnaeth Calfin gymwynas trwy ofalu ei fod ef yn cael swydd athro yn Lausanne. Methodd â chael swydd ac ymlwybrodd yn ôl i Genefa gan darfu ar Gwmni'r Bugeiliaid yn y Dosbarth Beiblaidd. Achwynodd Calfin am ei ymddygiad i aelodau'r Cyngor a bu'n rhaid i Castellio adael yr eildro yn ddiymdroi. Ffeindiodd waith fel darllenydd proflenni i argraffydd o'r enw Johannes Oporin yn ninas Basel. Ymddangosodd ei gyfieithiad o'r Beibl i'r Lladin yn 1551 a'i gyfieithiad i'r Ffrangeg yn 1555. Yr oedd colli Castellio o Genefa yn gryn golled i ysgolheictod ac erbyn 1553 yr oedd ef yn Athro Groeg ym Mhrifysgol Basel.

Ond yr helynt sydd yn adnabyddus i bobl ym mhob oes oedd yr achos sy'n ymwneud â gŵr o'r enw Michael Servetus (1511-1553). Ar 13 Awst 1553 fe ddaliwyd Michael Servetus gan yr awdurdodau ar achos heresi, ac yntau'r bore hwnnw wedi bod yn gwrando ar Galfin yn traethu'r gwirionedd o bulpud Eglwys Madeleine. Yr oedd y gŵr hwn yn ymwrthod â dau beth, yr arferiad o fedyddio plant ac athrawiaeth y Drindod.

Dyn anodd oedd Servetus, pigog a thrahaus, a bu'n ddraenen yn ystlys Calfin ar hyd y blynyddoedd.[10] Gohebai gyda'r Diwygiwr yn y flwyddyn 1546; yn wir anfonodd ato gopi o'r *Bannau* gyda sylwadau beiddgar a phigog ar dudalennau'r gyfrol. Anfonodd ef hefyd lythyron maleisus, a pharodd ofid cyson i Galfin.

Yr oedd ei ymddygiad yn codi gwrychyn awdurdodau a hefyd Protestaniaid a Chatholigion unigol.[11] Yr oedd Calfin wedi ei rybuddio i gadw draw o Genefa. Anwybyddodd y rhybudd. Fel Bolsec, yr oedd Servetus yn feddyg ac yn ŵr y Dadeni Dysg. Yr oedd yn arloeswr mewn meddygaeth a rhaid tanlinellu mai iddo ef y mae'r clod am ddarganfod cylchrediad y gwaed o amgylch y galon. Ysgrifennodd dair cyfrol yn ddienw, cyfrolau oedd yn arddangos ei allu a hefyd ei fod yn anuniongred mewn oes a ymffrostiai mewn uniongrededd. Yr oedd ymhell o flaen ei oes. Amlygodd ysbryd mileinig tuag at Galfin. Anfonodd ef 40 llythyr at y Diwygiwr mor bell yn ôl â 1546. Creadur unig oedd, yn methu gweld unrhyw berygl yn unman. Gwyddai y byddai mewn perygl einioes pe darganfyddai awdurdodau dinas fel Genefa, a gŵr o ddidwylledd a duwioldeb Calfin ei syniadau ysgrifenedig. Wedi'r cyfan, yr oedd Calfin yn sylweddoli'n dda'r perygl a oedd o'i flaen, a dyna pam y cafodd ei rybuddio i gadw draw.

Nid Bolsec oedd yma. Wedi'r cyfan, yr oedd Servetus yn gwadu hanfod y ffydd uniongred wrth wadu'r athrawiaeth am y Drindod. A phan gyrhaeddodd Genefa, trosglwyddodd Calfin ei safbwynt i ystyriaeth yr awdurdodau. Gwelodd yr ynadon eto fod yr achos yn un poenus ac yn gofyn am arweiniad. Gofynnodd Cyngor y Pump ar Hugain am farn awdurdodau dinasoedd

Basel, Bern, Schaffhaüsen a Zürich ar y mater. Daeth yr atebion yn ôl, yr unig gosb a haeddai oedd ei ddienyddio.

Rhaid cofio un ffaith syml am y Diwygwyr. Diwinyddion Pabyddol oedd pob un ohonynt ar un adeg. Hyfforddwyd hwy ym mynwes yr Eglwys Babyddol ac etifeddion agwedd ddi-ildio, awdurdodol yr Eglwys honno oedd eiddo pob un ohonynt gan gynnwys Calfin. Yn ychwanegol, teimlai llywiawdwyr Genefa y dylid dysgu gwers i'r gŵr balch, pigog, oedd yn barod i'w herio ar eu libart eu hunain, a hefyd i ddangos eu bod yn gwbl iach yn y ffydd.[12]

Yr oedd pawb yn yr oes honno yn credu y dylid cael gwared â heretig. Dadleuai hyd yn oed Brotestant mor dyner a charedig ei ysbryd â Melanchthon y dylid cael gwared â Servetus. Lluniodd lythyr ar y llinellau hynny i Calfin; ac mewn llythyr arall at Bullinger, dywedodd ei fod ef yn rhyfeddu fod pobl yn Ewrop yn gweld y ddedfryd a dderbyniodd Servetus yn un galed.[13]

Gellir gofyn y cwestiwn: Pam y bu i Servetus dderbyn y gosb eithaf? Y mae tri rheswm. Am ei fod yn un o'r ychydig yn ei gyfnod oedd yn feirniadol o Athrawiaeth y Drindod. Cyhoeddwyd yn 1531 gyfrol o'i eiddo yn ymosod ar athrawiaeth y Drindod o dan y teitl *De Trinitatis Erroribus*. Galwodd y Drindod yn Cerberus, y ci â thri phen, un o driciau'r Diafol.[14] Cythruddwyd Martin Bucer a'i orfodi i ddweud o'r pulpud y dylai'r awdur golli ei berfedd am feirniadu un o athrawiaethau pwysig y Ffydd.[15] Ond lle bynnag yr âi Servetus, codai wrthwynebiad ar sail ei syniadau.[16] Ond meddai ar chwilen yn ei ben ynglŷn â diwygio'r Eglwys gan gredu nad oedd Luther na Calfin wedi cyflawni'r gwaith fel ag y dylent. Os medrai Calfin yn ei sêl ddiwygiadol lunio cyfrol o dan y teitl *Institutio*, medrai ef fynd gam ymhellach a llunio cyfrol o dan y teitl *Restitutio*.[17] Gobeithiai y byddai Calfin yn barod i ddadlau yn gyhoeddus, ond cadwodd y Diwygiwr yn dawel gan ei anwybyddu nes ei yrru yn ddig. O'r diwedd cyrhaeddodd copi o *Restitutio* wedi'i argraffu yn Vienne i gartref Calfin. Dywed eraill iddo anfon copïau ychwanegol at y llyfrwerthwr, Robert Estienne, a gadwai siop lyfrau yn Genefa.[18]

Yr ail reswm pam y cafodd y gosb eithaf oedd ei agwedd ymosodol a'i ddiffyg parch at Calfin, y llysoedd a holl strwythur gwleidyddol a chrefyddol Genefa. Pan fu'n rhaid iddo ymddangos gerbron y Fainc Ynadon ni ddangosodd unrhyw barch i'r barnwr na chwaith i grefydd gyfundrefnol ei ddydd. Yr oedd ei ymddygiad tuag at John Calfin yn arddangos holl wendid a chymhlethdod ei bersonoliaeth. Ymddygai fel ynfytyn. I Brotestaniaid a Phabyddion ei ddydd, nid oedd amheuaeth ganddynt ei fod ef yn haeddu'r gosb eithaf. Rhoddwyd iddo bob cyfle i ymddiheuro, a bu Calfin yn garedig iawn ato gan gyflwyno llyfrau o'i lyfrgell er mwyn iddo'i amddiffyn ei hun. Cafodd bob chwarae teg pan oedd gerbron y llys. Dangoswyd gofal ac amynedd mawr tuag ato ond ofer fu'r cyfan. Mynnai ymddwyn yn afreolus, a bychanai bawb a phob un o'i amgylch.[19]

Yn drydydd fe ddioddefodd y gosb eithaf am fod yr holl eglwysi diwygiedig y cysylltwyd â hwy yn dadlau mai hynny oedd haeddiant Servetus. Yr oedd Catholigion a Lutheriaid fel y Calfiniaid yn cytuno â dienyddio un a alwyd yn arch-heretig.[20]

Llosgwyd Michael Servetus ar fryn Champel ar 27 Hydref 1553 fel 'rhybudd i bawb sydd yn cablu Duw.'[21] Cafodd ei gyhuddo o 'gabledd erchyll yn erbyn y Drindod ac yn erbyn Mab Duw.' Dadleuodd Calfin na ddylai ddioddef y gosb eithaf, a cheisiai ddefnyddio ei ddylanwad i'r perwyl hwnnw. Atgoffwyd ef fod y cyhuddedig wedi cael chwarae teg ac yn haeddu marw. Dadleuodd Calfin wedyn yn dosturiol o blaid torri ei ben ymaith yn hytrach na'i fod yn cael ei losgi. Gwrthodwyd gwrando arno'r eildro.

Dioddefodd Servetus farwolaeth boenus gan fod y gŵr yng ngofal y weithred hagr mor ddi-glem. Dychrynwyd y rhai oedd yn gwylio ac yn arbennig wrth glywed sgrechiadau Servetus. Cymerwyd hanner awr i'w ladd. Nid oedd Calfin yn bresennol er iddo ef a'i gyfaill Farel ymweld â Servetus yn ei gell ar ddiwrnod ei ddienyddio. Dywedir fod Farel wedi cael cymaint o ddychryn gyda holl sbloet y dienyddio nes iddo ymadael am ei gartref yn Neuchâtel heb fynd i ffarwelio yn ôl ei arfer gyda'i ffrind mynwesol John Calfin. Cyn iddo farw, dywedir fod Servetus wedi galw ar Iesu am drugaredd.[22] Cri'r dolefus yn troi at Dduw trugarog a graslon, meddai.[23] Ei gri olaf oedd 'O! Iesu Mab y Duw Tragwyddol'. Dyma'r unig dro a'r tro olaf i bobl yr Eglwys

Ddiwygiedig drefnu coelcerth o dân i geisio puro'r heretig o'i syniadaeth. Dyma weithred a anharddodd y Diwygiad Protestannaidd a'r Diwygiwr ei hun. Cyfraniad Calfiniaeth, fel y dywedodd D Erwyd Jenkins, yw 'taenu egwyddorion sydd yn sicrhau rhyddid cydwybod a barn, ac am wneud erledigaeth am ddaliadau crefyddol yn bechod anfaddeuol.'[24] Cytunaf ag ef ganrif yn ddiweddarach.

Derbyniodd Calfin am flynyddoedd wrthwynebiad cyson gan wleidyddion amlwg yn y ddinas. Bu aelodau o'r Cyngor yn ymosod arno ac yn ei wrthwynebu ar ôl iddo ddod yn ôl yr eildro i'w plith. Y gwrthwynebiad mwyaf echrydus iddo ef oedd oddi wrth garfan a elwid yn *Libertines* a wrthodai dderbyn awdurdod ac arweiniad Calfin ar faterion moesol.[25] Un o'r rhai mwyaf ymosodol ac anodd ei dawelu oedd Philibert Berthelier.[26] Meddai ar natur gas ac yn aml byddai ef a'i gefnogwyr yn ymyrryd â phregethau John Calfin trwy besychu a phesychu. Pan fynegodd Calfin ei siom am hyn, atebodd Berthelier gan ddweud, 'Gwell iti ddioddef y peswch, neu y tro nesaf fe adawn ein gwynt drwg allan.'[27]

Yr oedd Berthelier wedi cael ei esgymuno gan y *Consistory* fel na fedrai dderbyn y Cymun Sanctaidd. Unwaith bob chwarter y gweinyddid y Cymun, a phan ddaeth hi'n gyfle i dderbyn y bara a'r gwin ym mis Medi 1553 gofynnodd am gael y cyfle i dderbyn y Cymun. Cytunodd y Cyngor i'w gais.[28]

Ar y Sul arbennig hwnnw mynnodd Calfin fod y rhai a gafodd eu diarddel gan Gwmni'r Gweinidogion yn cael eu hatal rhag derbyn y Cymun. Dywedodd heb flewyn ar dafod fod y rhai na ddangosodd edifeirwch pur i Gwmni'r Gweinidogion i'w hanwybyddu ac na allai Cyngor y Ddinas roddi iddynt y fraint. Disgwyliai gael ei anfon o Genefa gan y Cyngor a'r prynhawn hwnnw traddododd bregeth ffarwel.

Ond ni fu'n rhaid i Calfin ildio ei bulpud. Yn hytrach penderfynwyd trafod y broblem yng ngoleuni'r ddogfen *Ordonnances* a luniwyd gan y Diwygiwr yn 1541. A'r canlyniad fu i'r Cyngor benderfynu cefnogi Calfin, a dyfarnu na ddylid caniatáu i unrhyw un a ddiarddelwyd osgoi dangos nodau edifeirwch gerbron Cwmni'r Gweinidogion.[29]

Bu hi'n ddiflastod am y ddwy flynedd nesaf gan fod y Cyngor yn ailgodi'r mater o hyd ac o hyd. Weithiau dadleuent fod hawl ganddynt i benderfynu pwy a ddylid ei ddiarddel o wasanaethu'r eglwys, dro arall dangosid mwy o gydymdeimlad ar y mater. Cafwyd etholiadau yn 1555 ac etholwyd nifer o gynghorwyr oedd o dan gyfaredd gweinidogaeth y Diwygiwr. Newidiodd y sefyllfa.[30]

Ond dengys achos Berthelier y gwrthwynebiad oedd i Calfin am flynyddoedd. Bu ymrafael cyson rhwng Calfin a'r Cyngor, ac yn wir rhwng Calfin a dinas Genefa. O safbwynt Calfin mater o gymryd o ddifrif egwyddorion a safonau moesol Gair Duw oedd hanfod y gwrthdaro. Rhoddodd ef labeli anffodus ar y rhai na allai ddioddef ei arweiniad crefyddol. Galwodd ef hwy ran amlaf yn bobl anfoesol.[31] Eto y mae'n amlwg fod gan arweinwyr y ddinas ddiddordeb mewn cynnal safonau moesol ac ymddygiad teilwng ar y strydoedd. Gwelent hwy Calfin fel arweinydd oedd am lywodraethu'r ddinas, a dyma'r ddelwedd oedd yn eu blino. Ef oedd yr unben crefyddol a ddymunai reoli gyda llaw gadarn. Yn anffodus credai llawer o'i gyfoeswyr yn y darlun hwn. Ond nid yw'r darlun hwn yn gywir o gwbl; yr hyn sy'n wir yw mai dyn dŵad oedd Calfin a'i fod yng ngolwg hen deuluoedd Genefa yn cynrychioli nifer fawr o ffoaduriaid oedd yn bygwth cymryd drosodd y ddinas. Perthynai Berthelier i hen deulu yn Genefa a weithiodd yn galed i ryddhau'r ddinas o afael Dug Savoy. Gwrthwynebai aml un Calfin yn Genefa am ei fod yn enedigol o Ffrainc. Oherwydd y ffrwd fawr o ffoaduriaid Ffrengig, trwy erledigaeth grefyddol, daeth hi'n amlwg fod y ddinas yn newid o ran arweinyddiaeth.[32] Cefnogwyr naturiol, brwdfrydig John Calfin oedd y gymuned o alltudion Ffrengig a theimlai 'hen deuluoedd Genefa' atgasedd mawr tuag ato gan fod y dieithriaid hyn yn cael mwy a mwy o sylw ar draul eu teuluoedd hwy. Gwelid felly yn achos Berthelier yn erbyn Calfin brotest boliticaidd yn erbyn dieithriaid yn cymryd yr awenau. Yr oedd yn Genefa, y mae'n amlwg, garfan o bobl oedd yn gwrthwynebu Calfin a'i gyd-Ffrancwyr.

Yn ychwanegol at Philibert Berthelier a'i gefnogwyr dioddefodd John Calfin hefyd ar law teulu adnabyddus arall yn

Genefa, sef teulu Favre. Nid oedd diwedd ar y cyhuddiadau a ddeuai gerbron Calfin am ymddygiad aelodau o deulu M. Favre. Cyhuddid hwy o chwarae dartiau yn lle mynychu'r Cymun ar Sul y Pasg.

Gŵr pigog ac anodd ei drin oedd mab-yng-nghyfraith M. Favre, sef Ami Perrin. Llywodraethid pob gweithred o'i eiddo gan uchelgais i fod yn brif ddyn Genefa.[33] Ar y cychwyn cefnogai Calfin, ond trodd yn ei erbyn mewn eiddigedd tuag ato ac ofn y medrai ef gipio awenau gwleidyddol y ddinas. Nid oedd hynny yn fater o ystyriaeth i Calfin ond camddeallai Perrin ei sêl dros gyfiawnder Duw yn y gymdeithas. Ymunodd Perrin gyda grŵp y *Libertines*. Etholwyd ef ym mis Chwefror 1549 yn Syndic ac erbyn 1533 daeth yn brif Syndic. Yn ychwanegol at hyn, pan gipiwyd yr awenau gan y *Libertines*, apwyntiwyd Perrin, er mawr gysur iddo, yn Gapten-Gadfridog.

Pan benderfynodd y Cyngor sefyll yn gadarn ar fater ysgymuno pobl oedd wedi cyfeiliorni, codwyd gwrychyn John Calfin. I Calfin yr oedd y penderfyniad hwn yn tanseilio'r cyfrifoldeb ysbrydol y bu ef yn gweithio amdano am flynyddoedd. Onid oedd bod yn aelod o'r Eglwys ac yn aelod o'r Ddinas yn ddwy ochr i'r un geiniog? Er hynny, i Perrin mater gwleidyddol ydoedd uwchlaw popeth arall.

Byth oddi ar 1552 bu Perrin yn dweud y drefn fod Berthelier wedi ei ysgymuno gan y Cyngor yn ddidaro. Anghofiai Perrin fod y drefn hon mewn bodolaeth er pan ddychwelodd Calfin o Strasbourg. Dadleuodd Perrin yn 1553 y dylai Berthelier, ar ôl ymddiheuro i'r llys eglwysig, gael yr hawl i dderbyn y Cymun Sanctaidd.[34] Bu dadlau brwd am ddeunaw mis nes blino ysbryd a chorff Calfin. Gofidiai gymaint am y gwrthwynebiad nes iddo gynnig ei ymddiswyddiad. Gwrthododd Perrin a'i gefnogwyr dderbyn y bygythiad hwnnw. Tacteg Perrin oedd blino Calfin, gwneud ei fyd yn ddiflas, a dysgu gwers iddo. Erbyn hyn nid Calfin yn unig oedd wedi blino ar y gweithredu plentynnaidd ond eraill o'r arweinwyr gwleidyddol.

Trodd y rhod pan gollodd plaid Perrin yn etholiadau Mai 1555 a phan afaelodd Perrin yn y baton oedd yn symbol o awdurdod y Syndic Cyntaf, a thrwy hynny gyflawni trosodd ddifrifol, gyfystyr â brad.[35] Ni allai aros bellach yn Genefa. Ffodd am ei einioes. Condemniwyd ef i farwolaeth yn ei absenoldeb. Bu diflaniad Perrin yn ollyngdod o'r mwyaf i'r Diwygiwr, ac, yn wir, daeth ef yn fwy pwysig fyth i fywyd y Ddinas. Gellir dweud fod methiant Perrin wedi lleihau yn gyfan gwbl y gwrthwynebiad gwleidyddol i John Calfin. Bu'n bennod anodd iawn iddo ef, ond dangosodd rym cymeriad a'i gwnaeth yn arwr y Protestaniaid.

1   John Calfin, *Ffydd i'n Dydd: Amlinelliad o'r Ffydd Gristnogol*. Addaswyd gan Euros Wyn Jones (Llangefni, 2003), 25-6.
2   Christopher Elwood, *Calvin for Armchair Theologians*, (Louisville, 2002), 130.
3   *ibid.*
4   *ibid.*
5   *ibid.*, 131.
6   *ibid.*
7   *ibid.*, 132. Lluniodd Bolsec gofiant i Calfin gan ei ddarlunio yn Unben, argraff sydd wedi goroesi i'n dyddiau ni.
8   Ronald S. Wallace, *Calvin, Geneva and the Reformation* (Caeredin, 1988), 70.
9   *ibid.*
10 Dywedir iddo wneud trefniant i gyfarfod Calfin yn ninas Paris er mwyn cael trafodaeth ddiwinyddol. Cadwodd Calfin y cyhoeddiad. *ibid.* 75.
11 G. R. Elton, *Europe*, 88.
12 John Morgan, Merthyr Tudful, *John Calvin*, 103. Dywedodd Alister McGrath fod y Cyngor am ddysgu gwers i Calfin yn yr achos hwn: 'The Consistory... was bypassed althogether by the Council in its efforts to marginalize Calvin from the affair.' Gw. Alister E. McGrath, *A Life of John Calvin: A Study in the Shaping of Western Culture* (Rhydychen, 1990), 116.
13 McGrath, *Christianity's Dangerous Idea*, 105.
14 John Morgan Jones, Merthyr Tudful, *John Calvin: Ei fywyd a'i waith* (Dolgellau, 1909), 100-101.
15 Ronald S. Wallace, *Calvin*, 74.
16 *ibid.*
17 *ibid.*
18 *ibid.*, 76; McGrath, *Christianity's Dangerous Idea*, 96.
19 *ibid.*, Wallace, *Calvin*, 77.
20 Cofiwn eiriau Roland Bainton: 'Among the Catholics the Cardinal Tournom was a humanist who would surely have burned Servetus had he not first fallen into the hands of Calvin, and among the Protestants Melanchthon the humanist dragged Luther along the road which ended in the death penalty for even peacable Anabaptists', Gw, Roland Bainton, *The Reformation of the Sixteenth Century* (Llundain, 1960), 212-13.
21 Wallace, *Calvin*, 73.
22 *ibid.*

23 *ibid.*, 74.

24 D. Erwyd Jenkins, *John Calvin* (Dinbych, 1909), 15.

25 Ysgrifennodd Calfin bamffled yn 1545 o dan y teitl, *Against the Fanatical and Raging Sects of the Libertines*. Mewn rhai o'u safbwyntiau yr oedd iddynt osgo digon gwrth-Gristnogol. Teimlent hwy fod y Dadeni Dysg wedi rhoddi gweledigaeth newydd o'r bywyd llawn a welid mewn paganiaeth cyn i'r Efengyl ei afradloni. Ar y tensiwn amlwg rhwng hiwmanistiaeth a'r Efengyl, gweler H. A. Enno van Gelder, *The Two Reformations of the Sixteenth Century* (The Hague, 1964), 37-67; J Bronowsky a Bruce Mazlish, *The Western Intellectual Tradition*, (Harmondsworth, 1963), 85-15, 551 ymlaen; Paul Hazard, *The European Mind, 1680-1715* (Llundain, 1964), 155.

26 Wallace, *Calvin*, 61.

27 *ibid.*, 62.

28 Davis, *John Calvin*, 55.

29 *ibid.*

30 *ibid.*

31 *ibid.*

32 William G. Naphy, *Calvin and the Consolidation of the Genevan Reformation* (Louisville, 2003), 144.

33 Dywed Keith Randell: 'Perrin was the only Genevan of the period who was in any sense a match for Calvin', Gw. Randell, *John Calvin*, 25.

34 Evans, *Zwingli a Calfin*, 47.

35 *ibid.*

Goruchafiaeth Calfin yng Ngenefa 1555-1564

Yn ystod naw mlynedd olaf ei oes cafodd Calfin lwyddiant i greu cymdeithas Gristnogol gwbl arbennig yn Genefa.[1] Nid oedd neb yn dianc rhag cosb am weithredu yn anghyfreithiol a gwyddid fod cosbi caled am gamweddau rhywiol. Mynnodd Calfin fod godinebu yn cael ei ystyried yn weithred a oedd yn haeddu'r gosb eithaf. Dadleuodd yn erbyn polisi'r Cyngor Bach am flynyddoedd o osod y godinebwr mewn carchar am ychydig ddyddiau. Yr unig gosb i greu ofn digonol yn y godinebwr oedd dienyddio'r dynion drwy dorri eu pennau ymaith a'r merched trwy foddi.[2] Ond i fod yn deg â John Calfin ni ddigwyddai hyn ond fel eithriad. Alltudiaeth oedd y gosb arferol, ond gallai godinebydd digywilydd oedd yn herio'r byd a'r betws gael ei ddienyddio. Ymfalchïai Calfin o weld dinasyddion Genefa yn ymddwyn yn weddaidd ar y strydoedd; wedi'u gwisgo yn syml ac yn siarad â'i gilydd heb gasineb, ond mewn parch. Ni chaniateid tafarndai swnllyd na phuteiniaid i aros am gwsmeriaid ar gorneli'r strydoedd.[3] Gofelid am ffoaduriaid oedd ag angen croeso. Fel Ffrancwr teimlai Calfin gryn ddiddordeb yn yr Huguenotiaid a ffodd i Genefa am loches. Dyna oedd yn wir hefyd am eraill fel yr Albanwr John Knox.[4] Talodd ef deyrnged uchel iawn i Genefa yn y cyfnod o dan sylw yn y bennod hon.[5] Dywedodd Knox am y ddinas: *'It is the most perfect school of Christ that ever was in the earth since the days of the Apostles.'*[6]

Ceisiai Calfin ei hun roddi esiampl i holl ddinasyddion y ddinas ac yn 1559 cafodd ei dderbyn yn gyflawn ddinesydd.[7] Gwelid ef lle bynnag yr oedd angen, yn ddwys ei drem ac yn gysurlon i'r profedigaethus ac yn cysuro'r tlawd a'r anghenus. Yr oedd urddas bob amser o'i amgylch ac am hynny ni allai oddef ymddygiad amharchus, ac i'r categori hwnnw, yn ei dyb ef, y perthynai canu swnllyd, dawnsio ar unrhyw adeg, dillad oedd yn tynnu sylw ac yn llawer rhy addurnol, a chyflawni gweithredoedd rhywiol y tu allan i briodas. Ar faterion felly ni fu mor llwyddiannus ag y dymunai. Er iddo wahardd puteiniaid i loetran ar y strydoedd i ddenu cwsmeriaid, ni lwyddodd i ddileu'r arferiad. Yn ystod y cyfnod hwn pan oedd ei ddylanwad yn treiddio i bob cwr o gymdeithas, alltudiwyd ei lysferch a'i chwaeryng-nghyfraith ar ôl iddynt gyfaddef yn gyhoeddus eu bod wedi godinebu.[8]

Siom arall oedd yr hyn a wnaeth Guillaume Farel yn 1558 pan benderfynodd briodi merch oedd flynyddoedd lawer yn iau nag ef.[9] Nid oedd gweithred felly yn plesio Calfin. Wedi'r cyfan yr oedd wedi llwyddo i wahardd yr arferiad lle'r oedd gwŷr gweddw yn ailbriodi â merched yn eu harddegau. Ffromodd Calfin pan ddeallodd am ymddygiad Farel. Iddo ef yr oedd hi'n ddiwedd y byd ac yn golygu bradychu eu cyfeillgarwch o chwarter canrif.

Yr oedd un weledigaeth fawr o eiddo Calfin heb ei gwireddu sef sefydlu Academi i ymgymryd â'r gwaith o ddiwyllio ac arfogi pobl i gyflawni gwaith y Deyrnas.[10] Yr oedd yr hiwmanistiaid a'r diwygwyr yn anghytuno ar lawer cwestiwn, ond yr oedd un peth y cytunent arno, sef yr angen i hyfforddi mor helaeth ag oedd bosibl unigolyn mewn dysg oedd wedi ei wreiddio yn y Clasuron. Cytunai Luther, Melanchthon, Bucer, Zwingli a Calfin ar y pwnc hwn, a chyfraniad pennaf Protestaniaeth fu creu corff o weinidogion wedi ei hyfforddi yn drwyadl mewn dysg.

Fel Luther credai Calfin mewn cateceisio, a bu hyn yn ddylanwad o fewn llawer o wledydd Ewrop yn y ddeunawfed a'r bedwaredd ganrif ar bymtheg gan gynnwys Cymru. O ran dylanwad arnom yng Nghymru rhaid nodi catecism Griffith Jones a *Hyfforddwr* Thomas Charles o'r Bala a gyhoeddwyd yn 1807.[11] Bu gwerthiant aruthrol ar gampwaith Thomas Charles a sylweddolwn mai'r teitl llawn yw *Hyfforddwr i'r Grefydd Gristnogol*, sef cyfieithiad o deitl clasur Calfin, *Institutio Christianae Religionis*.[12] Ond catecism cyntaf Calfin oedd yr un a luniodd ef ar ei ymweliad cyntaf â Genefa yn 1537, 'Cyfarwyddiadau yn y Ffydd'. Credai Calfin ei bod hi'n bwysig fod y plant yn ogystal â'r oedolion yn cael eu goleuo yn y ffydd Gristnogol. Yn ystod ei arhosiad yn Strasbourg cafodd fyw a chymysgu gyda phobl a oedd yn alluog fel athrawon. Pan ddaeth yn ôl i Genefa yn 1541 dyma oedd ei flaenoriaeth, addysg gyflawn i'r bobl a chateceisio'r ifanc fel y peth pwysicaf i gyd. Lluniodd Gatecism eto ar gyfer Genefa yn 1545. Ond bu'n rhaid iddo aros yn hwy o lawer ar gyfer ei Goleg. Nid cyn 1557 y gwelodd ei gyfle. Apwyntiwyd Pwyllgor ym mis Ionawr 1558 a phenderfynu ar leoliad. Cynllun uchelgeisiol ydoedd mewn dinas a digon o broblemau ganddi, yn arbennig anghenion y ffoaduriaid, ond daeth arian i Genefa yn sgil yr achos yn erbyn Ami Perrin a'i gefnogwyr mewn llys yn Basel.[13] Enillwyd yr achos yn erbyn Perrin a llwyddwyd i werthu ei ystâd a defnyddio'r arian at yr Academi. Gwrthwynebodd Perrin ymgyrchoedd Calfin yn erbyn dawnsio a gwisgo yn rhodresgar a bu ei brotestiadau yn llwyddiannus. Ond aeth dros ben llestri pan ddechreuodd wisgo dillad y milisia mewn lifrai rhodresgar. Nid cythruddo Calfin yn unig a wnaeth y tro hwnnw, ond creu gelyniaeth y cyhoedd Calfinaidd. Bu'n rhaid ymadael yn ddiymdroi.

Ond nid oedd digon o elw i'r Academi trwy achos Perrin. Rhaid oedd gwneud apêl gyhoeddus. Aeth Calfin ei hun o ddrws i ddrws i gasglu gan y tlawd a'r cyfoethog. Ni fyddai'r cynllun wedi llwyddo oni bai am ymroddiad y Diwygiwr a'i esiampl bersonol. Teimlai'r boblogaeth ei fod ef yn haeddu cefnogaeth, a chafodd le i ddiolch i hen deuluoedd Genefa yn ogystal ag i'r bobl ddŵad. Coleddai Calfin syniadau arbennig iawn am yr Academi. Rhaid oedd wrth:

a) Athrawon Dawnus. Credai y dylid cael pobl o safon uchel i addysgu, a cheir llythyron o'i eiddo i geisio perswadio athrawon dawnus i symud o Baris a phrifysgolion o'r fath i Genefa. Bu'n ffodus iawn fod anghydfod wedi'i fynegi ei hunan yn ninas Lausanne rhwng yr awdurdodau ac Adran yr Academi. Pen draw hyn oedd i Peter Viret a Jean Tagaut, athronydd o fri, a nifer o athrawon eraill adael Lausanne am Genefa.[14]

b) Adrannau Arbennig. Yng nghynllun Calfin ceid dwy adran yn yr Academi. Yr adran gyntaf oedd *Schola Privata* ar gyfer y plant lleiaf i'w meithrin i ddarllen Lladin a Groeg a hefyd astudio athroniaeth. Yr ail adran oedd *Schola Publica* lle ceid dewis rhagorol ar gyfer y myfyrwyr aeddfetach, yn arbennig Diwinyddiaeth, Hebraeg, Groeg, Barddoniaeth, Rhethreg, Ffiseg a Mathemateg.[15]

c) Amcanu yn uchelgeisiol. Nid coleg neu academi ar gyfer rhyw ddau ddwsin oedd bwriad y diwygiwr galluog ond creu coleg a fyddai'n denu myfyrwyr o bob rhan o Ewrop. Dyna a ddigwyddodd pan agorwyd yr Academi yn swyddogol yn 1559, er na lwyddwyd i orffen yr adeiladu am gryn amser wedyn. Ond daeth yr Academi yn ysgol a phrifysgol a oedd yn enwog drwy Ewrop am ei safon wych. Dôi'r myfyrwyr o bob rhan o Ewrop. Pan agorwyd yr Academi ymunodd 60 o fyfyrwyr. O fewn blwyddyn cynyddodd y nifer i 900.[16] Llwyddwyd i ddenu'r goreuon fel athrawon a pharatôdd Calfin yr amodau a'r rheolau ar gyfer y sylabws. Disgwylid i'r athrawon gytuno ar Gyffes Ffydd nad oedd yn cynnwys erthygl am etholedigaeth.

ch) Prifathro Eneiniedig. Gallai Calfin fod wedi penderfynu ei roddi ei hun yn brifathro cyntaf y sefydliad, ond ni chredai y dylai wneud hynny.[17] Ond sylweddolai nad oedd gobaith i'r Academi lwyddo heb benodiad Prifathro a feddai ar gymwysterau arbennig. Bu Calfin yn ffodus i gael Theodore Beza i dderbyn y swydd. Yr oedd ef yn cael ei gyfrif ym myd ysgolheictod fel un o'r ablaf. Hiwmanydd a sgrifennai farddoniaeth oedd ef, ymhlith doniau eraill. Trawodd nodyn cadarnhaol yn ei anerchiad yn y seremoni agoriadol ar 5 Mehefin 1559. Rhoddodd fraslun o hanes addysg yn y gorffennol gan gyfeirio at un o wŷr mawr yr Hen Gyfamod, Moses, ac fel y dysgodd arwr yr Iddewon ddoethineb gan yr Eifftiaid, gan longyfarch y Cyngor yn Genefa am eu gwaith godidog yn gwasgar gwybodaeth a fyddai'n rhydd o bob ofergoeliaeth.

Amcan pennaf Calfin oedd hyfforddi pobl i ddeall yn well Air

Duw. Yn Genefa yr oedd astudiaethau hiwmanistaidd i'w meithrin yn unol â'r Ysgrythur. Rhaid i'r pregethwr gael ei hyfforddi yn drwyadl fel y medrai ef o'r pulpud godi safon a chwaeth y gwrandawyr. Dylai'r Eglwys Gristnogol gael ysgolheigion o'r radd flaenaf a bod yn hyddysg yng ngwaith yr athronwyr. Onid oedd y cyfan yn deillio oddi wrth Dduw? Oni ddylid defnyddio pob agwedd o ddysg er mwyn gogoneddu'r Anfeidrol? Cynlluniai Calfin yn feunyddiol ar gyfer y ddinas. Yr oedd ef am i'r ddinas gael ei hysbrydoli a'i bywhau, dinas a oedd yn agored i ddau fyd, yn gyntaf i fyd mawr y Beibl a Christnogaeth a gwerthoedd tragwyddol, ac yn ail i fyd a oedd yn meddu ar ddiwylliant dynol ar ei orau o ddechreuad amser.[18] Yr oedd ef yn amcanu i Genefa fod yn ddinas y Duw byw, ond yn ddinas hefyd lle y ceid y gorau o'r diwylliant a welwyd yn Athen a Rhufain. Rhoddir sylw mawr i Calfin fel trefnydd da, esboniwr ac ysgolhaig, ond tueddir i anghofio ei gyfraniad i fyd addysg. Yn ôl ei farn ei hun, yr oedd yr Academi yn llwyddiant mawr yng nghyfnod olaf ei lafur. A dyma'r cyfnod pan fu'n rhaid iddo ddioddef wythnosau lawer o salwch. Dioddefodd o *quartan fever* o fis Hydref 1558 hyd wanwyn 1559. Methodd fwyta dim am wyth awr a deugain. Ynghanol ei salwch daliai i drefnu a sgrifennu a mynnu fod yr Academi ar dir diogel. A daeth iddo gysur pan ddechreuodd nifer o fugeiliaid fynd allan o dan gyfaredd Calfin i weinidogaethu mewn capeli ac eglwysi yn Ffrainc a gwledydd eraill. Erbyn 1559 yr oedd strwythur eglwysig cenedlaethol ar gael wedi'i drefnu ar gyfer y cynulleidfaoedd oedd wedi eu sefydlu ar hyd a lled Ffrainc. Yr oedd o leiaf fil, efallai ddwy fil, o gynulleidfaoedd erbyn 1562. Ganwyd Eglwys Bresbyteraidd Ddiwygiedig Ffrainc.[19]

Ond nid oedd dylanwad Calfin yn gyfyngedig i Ffrainc yn unig. Yr oedd ei ddiwinyddiaeth a'i safbwynt ar drefniant eglwysig yn ennill mwy a mwy o ganlynwyr mewn gwledydd eraill, yn arbennig yr Alban, Lloegr, Yr Iseldiroedd, Yr Almaen a Hwngari. Er hynny naturiol oedd iddo deimlo'n gysurus fod ei wlad enedigol yn dilyn ei arweiniad. Yn wir, erbyn 1561 yr oedd Calfin a'i gydweithwyr yn tawel obeithio y byddai'r teulu brenhinol yn mabwysiadu'r hyn a elwid yn Grefydd Ddiwygiedig. Daeth

Calfiniaid Ffrainc i'w galw yn Huguenotiaid. Yr oeddent hwy yn ennill dylanwad yn y wlad. Ond er pob dymuniad a dyhead i weld diben heddychol i'r gwahaniaethau crefyddol, methodd y cyfan gydag ymosodiad milwyr o Gatholigion ar addolwyr Protestannaidd ym Mawrth 1562. Diflannodd y gobaith am eciwmeniaeth pan gafwyd ymladd a rhyfela - y sgarmes gyntaf yn y Rhyfeloedd Crefyddol a fu'n rhemp am y pedwar degawd nesaf.

Erbyn hyn yr oedd y Diwygiwr mawr ei hun yn araf ddirywio yn gorfforol. Dioddefai gryn lawer o ran afiechydon y corff. Poenid ef gan gerrig yn yr arennau a roddai iddo boen ddirdynnol. Dioddefai hefyd o lid yr ysgyfaint ac o gowt, ag enwi ond tri pheth a'i poenai. Ond ni ddigalonnodd hyd yn oed o dan boen a blinder. Yn y blynyddoedd olaf câi ei gario i'r pulpud ac i'r neuadd ddarlithio. Ond ym mis Chwefror 1564 rhoddodd ei ddarlith olaf a'i bregeth olaf. Ceisiodd gynghori o'i wely ond amlwg oedd bod y gwron mewn cystudd.

Gwelodd ynadon Genefa ar 27 Ebrill, a chynghorodd hwy i fod yn ffyddlon mewn gwasanaeth i'r Diwygiad gan ofyn am eu maddeuant am iddo'n aml fod yn flin. Ac eto ni allai fod yn rhagrithiwr a pheidio â chydnabod iddo lwyddo mewn llawer agwedd o ddaioni. Galwodd ei gyd-weinidogion at ei gilydd y diwrnod canlynol. Siarsiasant hwy i adeiladu ar y llwybr i'w gyflawni gyda'i gilydd. Lluniodd lythyr at ei ffrind Guillaume Farel er gwaethaf y siom a gafodd yn ei briodas.[20]

Daliodd i anadlu am ychydig wythnosau ymhellach, a bu farw ar 27 Mai 1564. Bu farw fel sant, ym meddiant ei synhwyrau a'i feddwl hyd y diwedd. Bu farw heb lawer o betheuach y byd. Yr oedd ei holl eiddo ond yn werth 400 o bunnoedd pan fu farw.

Taenodd y newydd drwy Genefa. Yr oedd y ddinas mewn galar. Rhannodd ei eiddo trwy ei ewyllys ymysg ei neiaint a'i nithoedd, yr Academi, a'r Gronfa i helpu ffoaduriaid yn Genefa.[21] Bu farw heb blant er siom mawr iddo. Teimlai ambell un bod colli ei blant yn eu babandod yn arwydd o ddiffyg ffafr Duw iddo. Pan glywodd Calfin hyn atebodd: 'Yng ngwledydd Cred y mae gennyf ddeng mil o blant.'[22] Gwir y dywedodd. Yn wir gellir dweud bod yr amcangyfrif hwnnw yn brin o'r gwir, a bod ganddo filiynau o blant, ddoe a heddiw. Gorwedd ei gorff heb faen uwch ei ben yn nhir Genefa, fel Moses ei hun, mewn mangre, nad yw'n hysbys i neb. Dyna ei ddymuniad.

1   A. G. Dickens, *The Age of Humanism and Reformation: Europe in the Fourteenth, Fifteenth and Sixteenth Centuries* (Llundain, 1977), 168.
2   Keith Randell, *John Calvin,* 29.
3   *ibid.*
4   Ceir portread o Knox yn Gymraeg gan y Dr Noel Gibbard. Gw. Noel Gibbard, 'John Knox (1505-1572)' yn Rees (gol.) *Deuddeg Diwygiwr*, 73-85.
5   Ond meddyliai Calfin y byd o John Knox a chafodd yr Albanwr gyfle da i weinidogaethu yn Genefa i gymuned o Gristnogion o alltudion o Loegr. Ymhlith y gynulleidfa yn Genefa ceid Protestaniaid eithafol fel Christopher Goodman, hefyd y gwŷr a fu yn gyfrifol am ymddangosiad Beibl yn yr iaith Saesneg o Genefa a elwir bellach yn Feibl Genefa; a Phrotestant didwyll fel Antony Gilby. Ymhlith ei braidd y lluniodd Knox ei lyfryn enwog yn dadlau na ddylid caniatáu merch i lywodraethu ar orsedd unrhyw wlad. Teitl y pamffledyn yw *The First Blast of the Trumpet against the Monstrous Regiment of Women.* Gw. Philip Hughes, *A Popular History of the Reformation* (Llundain, 1957), 330.
6   Randall, *John Calvin*, 30.
7   'John Calvin (1509-64)', *Dictionary of the Christian Church*, (goln.: F. L. Cross ac E. A. Livingstone, (Peabody, 2007, pedwerydd argraffiad), 267.
8   Randall, *John Calvin,* 31.
9   *ibid.*, 32.
10 Evans, *Zwingli a Calfin*, 58.
11 Daeth catecism Griffith Jones, Llanddowror, yn fendith i'r Diwygiad Methodistaidd a'i gyhoeddi yn 1741 o dan y teitl, *Hyfforddiad i Wybodaeth Iachusol o Egwyddorion a Dyletswyddau Crefydd.* Bendith oedd yr union air a ddefnyddiodd Howell Harris am y catecism yn ôl ei ddyddiadur. Gw. Gomer Morgan Roberts (gol.), *Selected Trevecka Letters (1742-1747)* (Caernarfon, 1956), 138. Cydnebydd Thomas Charles ei ddyled i Galfiniaeth Griffith Jones a Catecism Byrraf Cymanfa Westminister. Gweler y cofnod ar *Yr Hyfforddwr* yn *Cydymaith i Lenyddiaeth Cymru*, (gol. Meic Stephens) (Caerdydd, 1997), 352.
12 *ibid.*
13 Wallace, *Calvin*, 98.
14 *ibid.*, 98-99.
15 *ibid.*, 99.
16 *ibid.*
17 John T. McNeil, *History and Character of Calvinism* (Efrog Newydd, 1954), 194.
18 Dilynai Awstin Sant ac eraill o'r Tadau Eglwysig yn ei bwyslais ar y ddau fyd, fel y sonia Walter Ullman, *The Individual and Society in the Middle Ages* (Baltimore, 1966), 8.
19 Gwir a ddywedwyd yng Ngeiriadur yr Eglwys Gristnogol fod ei ddylanwad ar

Brotestaniaeth Ffrainc yn aruthrol. Gw. John Calvin (1509-64) yn *Dictionary of the Christian Church*, 267.

20 Gweithredai Guillaume Farel fel gweinidog yn Neuchâtel er ei fod ef yn ei wythdegau, a lluniodd Calfin lythyr tyner iddo ar 2 Mai 1564: 'Boed i Dduw dy fendithio, fy mrawd teilwng ac annwyl. Gan mai ewyllys Duw yw y byddwch chi byw ar fy ôl, cadwch yn fyw y cof am ein cymdeithas yn ei waith, a fu yn broffidiol i eglwys Dduw, a'r ffrwyth sydd yn ein disgwyl yn y nefoedd. Nid wyf am eich blino chwi o fy achos i. Caf drafferth fawr i anadlu ac rwy'n disgwyl unrhyw foment anadlu fy anadl olaf. Mae'n ddigon i mi fyw a marw yng Nghrist, sydd yn ddigonol i bawb sy'n perthyn iddo mewn bywyd neu mewn marwolaeth. Cyflwynaf chwi i Dduw, chwi a'ch brodyr sydd gyda chwi.' Parhaf yn eiddo i chwi.'
O Genefa, 2 Mai 1564.
John Calfin.
Mentrodd Farel i'w weld ef a chawsant sgwrs ac ychydig o fwyd gyda'i gilydd cyn iddo droi yn ôl at ei braidd yn Neuchâtel. Gw. Beza, *The Life*, 115-16.

21 *ibid*. 'John Calvin's will', 102-112.

22 J. H. Alexander, *Ladies of the Reformation: Short Biographies of Distinguished Ladies of the Sixteenth Century* (Harpenden, 1978), 93.

Cloriannu John Calfin yr Arweinydd

Yn Hanes yr Eglwys Gristnogol y mae lle pwysig i John Calfin ac ni ellir ei anwybyddu fel arweinydd nac yn sicr fel diwinydd.[1] Wrth gloriannu Calfin y mae gennym ein problemau a'r broblem gyntaf yw ei bod hi bron yn amhosibl gwneud cyfiawnder ag ef fel un o arweinwyr eglwysig pennaf ei gyfnod.[2] Cafodd feirniadaeth negyddol ar hyd y canrifoedd yn bennaf am iddo gael ei hun ynghanol gwleidyddiaeth Genefa a'i fod wedi rhoddi argraff ei fod yn unben crefyddol. Hyd yn oed yn ein dyddiau ni, fe gaiff ei feirniadu gan lenorion digred. Er bod gan Aldous Huxley edmygedd ohono fel arweinydd a threfnydd eglwysig, soniodd hefyd am ei greulondeb tuag at blant, cyhuddiad cwbl ddi-sail.[3] Ceir cyhuddiad tebyg gan Christopher Hitchens yn *God is not Great* (2007) gan ddisgrifio Calfin fel treisiwr a llabyddiwr, yn barod i roi taw ar anghydffurfwyr a bod ei ddilynwyr heddiw fel y Presbyteriaid a'r Bedyddwyr yn yr un olyniaeth.[4] Ac felly y bu ar hyd y canrifoedd. Cawn deyrnged John Knox iddo ar un llaw a beirniadaeth Jerome Bolsec ar y llaw arall. I Knox gŵr Duw a phregethwr eneiniedig oedd Calfin, i Bolsec unben Genefa a gŵr dialgar oedd y Diwygiwr.

Cymerer enghraifft arall, y tro hwn o'r ugeinfed ganrif. Gŵr o'r Swistir oedd Karl Barth, diwinydd a gyfrifir yn un o feddylwyr pennaf y byd Protestannaidd yn yr ugeinfed ganrif. Cofiwn, yn y bennod gyntaf, ei deyrnged i Calfin. Gallai dreulio ei holl fywyd yn astudio'r dyn a'i neges i'r byd. Ond o'r un wlad y daeth Jacob Burckhardt. Ac ni allai ef ddioddef John Calfin. Trychineb pennaf y Diwygiad Protestannaidd, meddai Burckhardt, oedd bod Calfin wedi dod yn arweinydd ar ôl marwolaeth Martin Luther. Ond sut arweinydd oedd John Calfin?

Gellid meddwl amdano o dan nifer o benawdau fel arweinydd pwysig yn hanes Cristnogaeth. Yn gyntaf fel Gŵr yr Etholedigaeth. Ni ellir anghofio hyn. Gwelodd Calfin bob cam a gymerodd a phob digwyddiad yn ei hanes yn nhermau'r rhagordeiniad a'r ethol.[5] Deallodd ddiwinyddiaeth Luther. Ef a'i hargyhoeddodd ein bod ni i gyd, offeiriaid a lleygwyr yn bechaduriaid. Duw sydd yn cyfiawnhau.Ni ddaw'r cyfiawnhad hwn fel gwobr am ein hymdrech i fod yn dda. Ac felly y mae bod yn Gristion yn fater hynod o bwysig, ond yn gyntaf ac yn bennaf, nid mater o'r hyn a wnawn ydyw ond mater o'r hyn yr ydym yn barod i'w dderbyn fel rhodd haelionus o law'r Goruchaf.[6]

Aeth ati i fyfyrio ar y dirgelwch, a bu'r athrawiaeth o ragordeiniad ac o etholedigaeth yn ei boeni, yn ei ysbarduno, ac yn ei fodloni. Disgrifiodd, yn argraffiad cyntaf yr *Institutes*, y profiad o fod yn ffoadur yn ninas Basel heb unrhyw syniad o beth oedd o'i flaen.Ond gwyddai fod Duw wedi trefnu. Duw a drefnodd iddo gartrefu yn ninas Strasbourg lle y dysgodd gymaint a lle y cafodd gyfarfod ag un a ddaeth yn gymar bywyd, Idelette. Byr fu'r berthynas ac ni chafodd yr hyn a ddymunai. Ei ddymuniad oedd cael teulu ar ôl priodi Idelette. Ganwyd mab ym mis Gorffennaf 1542 ond bu hi'n galed ar Idelette ar ei enedigaeth.[7] Bu bron â cholli ei bywyd. Collodd ei fab. Mynegodd ei ing a'i drallod i'w gyfaill Peter Viret a drigai yn Lausanne, ond ni chollodd ei ffydd am fod Duw, yn ei ragluniaeth, yn gyfrifol am yr holl daith. Yna ar 30 Mai 1544 ganwyd merch fechan ac yna yn 1545 ganwyd plentyn arall. Ond bu farw'r tri phlentyn yn eu babandod. Ac yna ar 5 Ebrill 1549 collodd ei annwyl Idelette.[8] Ond daliodd i dderbyn cysur o'r gred a dyfodd yn athroniaeth lywodraethol ei fywyd.

Gallai weld y cyfan yn nhermau'r rhagordeiniad. Pam fod rhai yn cael eu hachub ac eraill yn gwbl glustfyddar ac eraill yn cael calonnau caled. Gofynnodd: Pam nad yw Duw yn caniatáu i'r efengyl gael ei phregethu i bob person o ddechreuad y byd? Pam y caniataodd gymaint o bobl ar hyd y canrifoedd maith i grwydro yn nhywyllwch marwolaeth ac nid yng ngoleuni llachar yr efengyl? Gorfodwyd ef i ateb: yr unig esboniad pam nad yw Duw yn galw pawb yw bod ei etholedigaeth yn ddirgelwch sy'n caniatáu ethol rhai ac nid rhai eraill.

Ac yn ei fywyd fel bugail ar ffoaduriaid o'i wlad ei hun yn Strasbourg a Genefa cyhoeddodd yn gyson thema Gras Duw yn y rhagordeiniad. 'Ni chawn ein perswadio byth fel y dylem', oedd ei air eirias, 'fod ein hiachawdwriaeth wedi llifo o ffynnon trugaredd Duw hyd nes inni ddod i ddeall ei etholedigaeth dragwyddol.'[9]

Yn ail, rhaid cofio mai Gŵr y Dröedigaeth oedd Calfin fel arweinydd. Gwelodd Calfin y dröedigaeth fel rhan o gynllun Duw yn ei etholedigaeth a'i ragordeiniad. Rywdro rhwng 1525 a 1532 daeth i brofiad byw o Efengyl Crist.[10] Yn neuaddau dysg Bourges yn 1529 daeth i werthfawrogi cyfrol Martin Luther, *Caethiwed yr Eglwys ym Mabilon*, ac yn ei *Esboniad ar y Salmau* cyfeiria at ei dröedigaeth. Dyma a ddywed:

> Megis y dyrchafodd Duw Ddafydd o fugeilio defaid i safle o urddas brenhinol, felly y dyrchafodd Duw fi o ddechreuadau isel a distadl, i'r swydd fwyaf anrhydeddus hwn o weinidog a phregethwr yr efengyl.[11]

Dyna iddo ef brofiad gwefreiddiol.[12]

Bu ei dröedigaeth yn llywio ei ymateb ar hyd ei oes. Diolchodd i Dduw am ei waredigaeth o ofergoeliaeth a llwybrau cyfeiliornus y bu ef yn eu cerdded yn ei blentyndod a'i ieuenctid. Hyn oedd ei gyffes:

> Er mewn imi ddirnad y pethau hyn, llewyrchaist, O Arglwydd, arnaf yn nisgleirdeb Dy Ysbryd, nes i mi ddeall pa mor annuwiol a niweidiol oeddent. Gosodaist o'm blaen lusern. Dy Air, nes imi eu ffieiddio hwynt, fel oedd yn weddus.[13]

Amhosibl deall y dyn a'r arweinydd heb gofio ei dröedigaeth o Babyddiaeth i Brotestaniaeth ac i brofiad byw Efengylaidd.

Yn drydydd, dyn dadleugar ydoedd fel y rhan fwyaf o'r Diwygwyr cynnar. Nid oedd neb yn fwy dadleugar na Martin Luther a John Knox. Soniwyd eisoes am ddadleuon Calfin o fewn dinas Genefa. Ond gwahoddwyd ef i ddinasoedd eraill i ddadlau gyda phobl oedd yn anghytuno ag ef. Dinas nid nepell o Genefa oedd Neuchâtel lle y penderfynodd Farel symud o Genefa. Yr oedd Calfin a Farel yn gohebu â'i gilydd yn gyson ac yn cyfarfod yn achlysurol. Ym mis Mai 1543 cafodd Calfin ei wahodd i'w amddiffyn ei hun rhag cyhuddiadau Jean Courtois.[14] Gweinidog oedd Courtois a symudodd i Neuchâtel yn 1542 a dod o dan ddylanwad ei frawd-yng-nghyfraith, Jean Chaponneau, a fu'n gweinidogaethu yn y dref rai blynyddoedd ynghynt a gelyn mawr i Farel.[15] Cyhuddiad Courtois oedd bod Calfin yn anuniongred ar Athrawiaethau'r Drindod a Pherson Crist.[16] Cofiai Calfin Chaponneau o'i ddyddiau fel myfyriwr yn Bourges. Cyrhaeddodd y gwahoddiad yn rhy hwyr i Calfin, ac felly amddiffynnodd ei hun mewn llythyr dyddiedig 28 Mai 1543 at weinidogion yr Efengyl yn Neuchâtel.

Ym mis Tachwedd 1543 ysgrifennodd Calfin lythyr arall i weinidogion Neuchâtel am ymgom yn Genefa gyda Jean Courtois ar y Drindod a Pherson Crist. Cydnabu Courtois ei fod wedi cerdded i Genefa nid i ddadlau, ond i ddysgu wrth draed Calfin, gan gydnabod ei bod hi'n hawdd iawn gwneud trafferth o fewn cymdeithas yr eglwys.[17] Yr oedd hi'n amlwg fod Calfin yn ddigon cyfeillgar gyda Courtois.

Gwyddom i Calfin alw yn Neuchâtel ar ei ffordd yn ôl i Genefa o Bern ar 17 Medi 1544.[18] Manteisiodd Chaponneau ar y cyfle i gyflwyno iddo restr o baragraffau o'i gyfrol *Bannau* nad oedd yn gwbl glir iddo. Addawodd Calfin ei ateb mewn llythyr a gwnaeth hynny er nad yw'r cynnwys wedi goroesi.[19]

Mewn ymateb lluniodd Chaponneau lythyr hir cecrus yn nechrau mis Rhagfyr yn herio syniadau Calfin am ddwyfoldeb Crist ac yn ei gyhuddo o heresi. Creodd y llythyr hwn ddiflastod ymhlith gweinidogion Genefa.[20] Atebodd Calfin mewn llythyr dyddiedig 21 Ionawr 1545 a distawodd y cyhuddiadau di-sail.[21] Ar 25 Hydref 1545 bu farw Chaponneau a chafodd Calfin lonydd.[22] Ond gwelwn yn glir fod Calfin yn barod iawn i ddadlau'r achos, i anghytuno pan oedd angen, ac i gyfarwyddo ar droeon eraill. Meddai ar feddwl miniog, iaith dda, a rhesymeg i'w gynnal yn y dadleuon y bu mor amlwg ynddynt.

Yn bedwerydd, yr oedd Calfin yn arweinydd, yn gymodwr a

chysurwr a chynghorydd o fewn i ddinas Genefa ac yn yr eglwysi a'r cymunedau Protestannaidd yn y Swistir, Ffrainc a'r Almaen. Rhoddwn nifer o enghreifftiau o'r ddawn fel cymodwr, agwedd arno na chaiff lawer o sylw. Un o ganolfannau'r Diwygiad oedd Frankfurt yn yr Almaen, ac enciliodd llawer o Brotestaniaid Prydain yno. Hwy oedd y Calfiniaid brwdfrydig, ond ymrannwyd yn ddwy blaid yn Frankfurt, sef y Calfiniaid fel John Knox, rhagflaenwyr y Presbyteriaid, a'r blaid arall a lynai wrth y Llyfr Gweddi Gyffredin ac i'r rhain y perthynai'r Cymro, Richard Davies (1501-1581).[23] Cododd dadl ymhlith y gynulleidfa o alltudion a addolai yn Saesneg yn Frankfurt ar fater y litwrgi. Anfonodd John Knox a William Whittingham lythyr dyddiedig 11 Rhagfyr 1554 i Calfin, i ofyn am gyfarwyddyd, ar fater dilyn Llyfr Gweddi Cyffredin neu litwrgi Ddiwygiedig. Teimlai Knox a'i gyfaill fod gormod o elfennau Pabyddol yn y Llyfr Gweddi Cyffredin.[24]

Atebodd Calfin yn ei lythyr dyddiedig 18 Ionawr 1555 yn gofidio'n fawr fod diffyg undeb i'w ganfod ymysg credinwyr oedd wedi dianc rhag erledigaeth. Yn ei farn ef yr oedd dadlau ar fater o weddi gyhoeddus a seremonïau eraill yn annheg pan oedd y gynulleidfa ar ei phrifiant; condemniodd ystyfnigrwydd y rhai oedd yn gwrthwynebu.[25] Cydnebydd fod yna wendidau yn y litwrgi Seisnig, ond nid oedd hyn yn amharu ar ysbrydolrwydd y cynnwys. Ac mewn amser gellid gwneud newidiadau amlwg. Rhaid iddynt gydweithio er mwyn adeiladu cymuned deilwng o'u Gwaredwr yn hytrach na bod yn eiddigeddus o'i gilydd.[26] Y mae'r llythyr hwn yn glasur o ran ysbryd cymodlon Calfin.

Gwnaeth y llythyr les dirfawr i'r gynulleidfa. Llwyddwyd i gymrodeddu dros dro. Ond amlygwyd problemau pellach pan gyrhaeddodd rhagor o ffoaduriaid o Loegr o dan arweiniad Richard Cox oedd yn bendant o blaid y Llyfr Gweddi Cyffredin.[27] Ymosodwyd yn fuan ar John Knox, yn bennaf am iddo lunio darn ymosodol am yr Ymerawdwr, ac fe'i halltudiwyd o Frankfurt.[28] Anfonodd Richard Whittingham lythyr dyddiedig 25 Mawrth 1555 at John Calfin yn erfyn arno i'w gyfarwyddo. Yn nechrau mis Ebrill anfonodd Cox ac eraill lythyr i Calfin i ddisgrifio'r sefyllfa ac i ddweud eu bod am gymrodeddu.[29] Atebodd Calfin yn ei lythyr dyddiedig 31 Mai ei fod yn falch o'r cymodi ond yn anfodlon ar y modd yr alltudiwyd John Knox. Soniodd hefyd am y si fod rhai o gefnogwyr Richard Cox am symud o Frankfurt i Genefa. Gobeithiai yn fawr na fyddid yn codi helynt yn ninas Genefa.[30]

Yn ail hanner mis Medi 1556 teithiodd Calfin i Frankfurt am bythefnos o amser, i geisio cymodi o fewn y gymuned o alltudion Ffrainc ar nifer o faterion oedd yn peryglu'r Calfiniaid.[31] Ymysg y gymuned hon ceid hefyd alltudion o Loegr, ac yn anffodus yr oedd y Gweinidog, Valérand Poullain, wedi anghofio ei gyfrifoldeb o fod yn Gymodwr.[32] Ceisiodd Calfin gymodi trwy ohebiaeth. Lluniodd o leiaf bedwar llythyr i dawelu'r aelodau, un i'r gweinidog, ac un arall i Johann von Glanburg, aelod o Gyngor Frankfurt a Phrotestant a gyfarfu yn y drafodaeth yn Regensburg.[33] Gofynnodd i Glanburg gymodi. Anfonodd lythyr hefyd i flaenoriaid a diaconiaid y gynulleidfa Ffrengig ac un arall i'r holl gynulleidfa.

Yn ystod ymweliad Calfin â Frankfurt bu'n cadeirio Comisiwn i drafod y sefyllfa. Ceid saith o aelodau ar y Comisiwn i ddelio â'r Gweinidog. Cliriwyd ef o'r cyhuddiadau ynglŷn â'i ystyfnigrwydd ond gorfodwyd ef i ymddiswyddo. Cynhaliodd Calfin hefyd drafodaeth am ddau ddiwrnod gyda Justus Wels a anghytunai ar athrawiaeth y rhagordeiniad gan amddiffyn rhyddid ewyllys.[34] Gwnaeth gais hefyd i gyfarfod â chynulleidfa'r alltudion a addolai trwy gyfrwng y Saesneg.

Cafodd hi'n anodd cymodi ymhlith ei bobl ei hun fel y cydnabu'n ddiweddarach. A bu problemau yn eu plith am flynyddoedd i ddod. Cyfarchodd hwy mewn llythyr dyddiedig 23 Chwefror 1559 am fod anghydfod blin yn eu plith. Credai Calfin fod anghydfod blin rhwng aelodau'r gynulleidfa yn dwyn anfri ar gorff Crist.[35] Ond yr oedd hi'n fwy o ddiflastod byth pan geid cenhadon hedd yn brwydro ac anghytuno yn filain â'i gilydd.

Teimlai gyfrifoldeb enfawr fel cymodwr, a galwodd ynghyd y rhai oedd yn dirmygu Crist y Tangnefeddwr. Rhybuddiodd y gynulleidfa rhag dichellion Sebastian Castellio, y bu ef yn croesi cleddyfau ag ef ac a oedd bellach yn ymyrryd ym mywyd cref-yddol Frankfurt.[36] Un arall o'r un teip oedd Augustin Legrand, aelod o'r gynulleidfa yn Frankfurt. Adnabu Calfin ef fel dyn cas a blin. Anfonodd lythyr apêl ato i beidio ar unrhyw gyfrif â tharfu ar heddwch y gynulleidfa gyda'i sylwadau a oedd yn llawn llysnafedd.[37] Gwelir Calfin ar ei orau fel cymodwr yn ei berthynas â Christnogion ei gyfnod. Tristawyd ei ysbryd yn fawr yn 1545 pan gafodd miloedd o Waldensiaid eu treisio a'u lladd yng nghyffiniau dinas Rouen. Anfonodd genadwri i Guillaume Farel am yr hyn a glywodd gan lygad-dystion am yr anfadwaith ac am benderfyniad Cyngor Dinesig Genefa i'w anfon ef o amgylch eglwysi Diwygiedig y Swistir i gasglu arian at anghenion y Waldensiaid.[38]

Ymwelodd Calfin â nifer o'r dinasoedd, gan gynnwys Strasbourg, cyn mynd ymlaen i Aarau, lle y cynhaliwyd cyn-hadledd i drafod sefyllfa anodd y Waldensiaid. Penderfynwyd anfon neges frys at y Brenin François y Cyntaf yn pledio arno i ymateb i drychineb Rouen a derbyn dirprwyaeth ato. Ond teimlai Calfin mai ychydig o gymorth a estynwyd i'r Waldensiaid, mudiad a ddioddefodd yn ddybryd.[39] Anfonodd neges i Heinrich Bullinger yn awgrymu mai'r Cardinal de Tournon oedd un o'r rhai a gefnogodd yr erledigaeth yn Rouen.[40]

Lluniodd Calfin nifer o lythyron i Ddiwygwyr yn erfyn am gydymdeimlad a chymorth i'r gorthrymedig rai. Derbyniodd gweinidogion tref Schaffhausen apêl oddi wrtho, felly hefyd Oswald Myconius yn Basel a Joachim von Watt ym mhentref tlws Sant Gall.[41] Y canlyniad oedd codi digon o frwdfrydedd ymhlith Diwygwyr y Swistir a'r Almaen i anfon dirprwyaeth i weld Brenin Ffrainc. Cafodd y Waldensiaid oedd mewn carchar eu rhyddhau'n ddiymdroi a'u derbyn yn groesawgar yn ninasoedd y Swistir.

Ym mis Ionawr 1548 derbyniodd Cyngor Dinesig Genefa lythyr swyddogol oddi wrth y Brenin Henri II o Ffrainc a olynodd ei dad François I yn 1547.[42] Bwrdwn ei lythyr oedd datgelu ei fod am gael gwared o'r hereticiaid. A'r hereticiaid yng ngolwg Henri II oedd y Protestaniaid. Yr oedd ef hyd yn oed yn greulonach na'i dad gyda'r canlyniad i nifer dda o Brotestaniaid chwilio am noddfa yn ninas Genefa. Ymhlith y rhai a ddaeth i dderbyn arweiniad John Calfin oedd Laurent de Normandie ym mis Awst

1548; Theodore Beza ar 3 Mai 1549 (ym mis Tachwedd symudodd yn Athro Groeg i Lausanne); gweddw Guillaume Budé a nifer o'i phlant ar 17 Mehefin 1549 (bu ef farw yn 1540), a'r argraffydd Robert Estienne ar 13 Tachwedd 1550.[43]

Gofidiai Calfin o weld yr erledigaeth erchyll ar dir Ffrainc, yn ogystal â goblygiadau *Edict Châteaubriant* a gyhoeddwyd ar 2 Medi 1551.[44] Amddifadwyd Protestaniaid o hawliau a oedd yn eiddo i ladron pen ffordd a dihirod a mwrdrwyr, sef cael apelio i lys uchaf y wlad. Rhoddid hawl i'r barnwyr anfon y Protestaniaid i'r stanc heb unrhyw apêl yn erbyn y ddedfryd.[45] Teimlai Calfin mor ddiymadferth, a gofidiai am ddifrawder dinasoedd fel Bern. Tra gofalai y Pabyddion fod min ar y cleddyfau, methai'r brodyr Protestannaidd â chysylltu na chydweithio â'i gilydd.

Ond rhoddodd Calfin arweiniad cadarn. Defnyddiodd ei allu fel gwleidydd i gael goruchafiaeth. Nid oedd hynny yn hawdd o gwbl. Pan ddangosodd y tywysog Maurice o Saxony, Protestant o ran ei ddaliadau, ddiddordeb i gydweithio gyda'r Brenin Henri II yn erbyn yr Ymerawdr Siarl V, gwelodd Calfin ychydig o obaith ar ran ei gyd-Brotestaniaid yn Ffrainc oedd yn dioddef yn enbyd fel canlyniad i *Edict Châteaubriant*, yn arbennig y cymal lle y disgwylid i bawb fynychu'r offeren ar ddyddiau gwyliau eglwysig.[46]

Penderfynodd Calfin deithio o Genefa i ddeffro'r cyn-ulleidfaoedd a'r cynghorau o blaid y dioddefwyr. Dechreuodd ar ei grwsâd ar 6 Mawrth 1552 gan berswadio Farel i fod yn gydymaith.[47] Galwyd yn Bern, yna i Basel, ac yn y ddwy ddinas, fe'u cynghorwyd i beidio ymweld â dinas Zürich. Dychwelodd i Genefa ar 21 Mawrth wedi blino'n llwyr ac yn rhwystredig gyda'r gwleidyddion a'r gweinidogion y bu ef yn eu cwmni. Ond ni laesodd ddwylo. Yr oedd yn arweinydd penderfynol a chafodd gwmni'r Eidalwr Caelso Martinego o Basel.[48] Balch ydoedd o'i gwmnïaeth a chroesawodd ef i weinidogaethu fel bugail ar gymuned Eidalaidd Genefa. Gwyddai Martinengo am erledigaeth. Bu'n rhaid iddo ef ffoi o Brescia am ei ffydd.[49]

Clywodd Calfin am drybini pump o fyfyrwyr Ffrengig yn Lyons. Yr oeddent wedi cwblhau'u cyrsiau academaidd ac ar eu ffordd adref i'w cartrefi yn Lausanne ar 30 Ebrill pan gawsant eu taflu i garchar. O fewn deng niwrnod arall fe'u condemniwyd i farwolaeth am eu ffydd Brotestannaidd. Cymerodd Calfin yr arweiniad. Lluniodd lythyron iddynt i'w cysuro.[50] Anfonodd ddau o'i gydweithwyr yn Genefa, Nicolas Colladon a Laurent de Normandie, i ddinasoedd y Swistir i godi ymwybyddiaeth, er mwyn paratoi protest i frenin Ffrainc. Ond methiant fu'r cyfan. Llosgwyd y myfyrwyr yn nhref Lyons yn 1553.[51]

Yr oedd sefyllfa'r Protestaniaid yn Paris yn golygu llawer iddo; wedi'r cyfan yr oedd ganddo atgofion am ei ddyddiau yn y ddinas. Anfonodd Nicholas des Gallars fel Gweinidog i Baris, a phan aeth hi'n ddyddiau anodd, perswadiodd ef i aros yno i warchod yr etifeddiaeth.[52] Yr oedd Nicholas des Gallars yn meddu ar gryn ddewrder. Dyna oedd nodwedd Calfiniaid Paris. Oherwydd i nifer o fyfyrwyr darfu ar oedfa hwyrol y gynulleidfa Brotestannaidd ar 4 Medi 1558 cafodd yr awdurdodau gyfle pellach i erlid. Arestiwyd bron i ddau gant o'r aelodau, yn cynnwys llawer o hen wragedd. Anfonodd Calfin lythyron i gysuro y gwragedd hyn yn eu caethiwed. Llosgwyd tair ohonynt yn fyw ar 27 Medi 1557.[53]

Gweinidog arall yn Paris a feddyliai gryn lawer o Calfin oedd Jean Macard. Gohebient yn gyson. Cadwai Macard Calfin mewn cysylltiad ag aelodau o'r gymuned a haeddai lythyr o galondid ac o gysur. Soniodd Macard am helynt blin un o'r gwragedd a garcharwyd, gwraig o'r enw Madame de Rentigny. Cymerodd ran yn yr offeren ar orchymyn ei gŵr. Anfonodd Calfin air i'w chysuro ar 10 Ebrill 1558.[54] Pan glywodd Calfin fod Brenin talaith Navarre, sef Antoine de Bourbon, wedi ymuno â'r gwersyll Protestannaidd, ysgrifennodd Calfin lythyr diolchgar iddo, gan ei gefnogi i ystyried achos y Protestaniaid yn nyddiau'r erlid yn Ffrainc. Anfonodd un o'i lyfrau fel rhodd iddo, gweithred arall hardd o eiddo Calfin.[55]

Un o'r gwŷr bonheddig cyntaf yn Ffrainc i gefnogi Protestaniaeth oedd François d'Andelot.[56] Ar ganol sgwrs ym mhalas y Brenin, o amgylch y bwrdd bwyd, gofynnodd Henri II i D'Andelot am ei farn ar yr offeren.[57] Atebodd D'Andelot fel Protestant nad oedd yr offeren yn bwysig iddo ef ochr yn ochr â'r Cymun Bendigaid. Ffromodd y Brenin Henri a gorchmynnodd i'r stiwardiaid daflu ei westai ar ei union i'r ddalfa.[58] Anfonwyd neges i Calfin. Lluniodd ef nifer o lythyron i D'Andelot. Gwyddom am o leiaf dri llythyr a luniodd yr haf hwnnw rhwng diwedd Mai a chanol Gorffennaf. Pan glywodd Calfin fod D'Andelot wedi cymryd rhan yn yr offeren (ac edrychid ar hynny fel cam gwag i bobl o ffydd efengylaidd), gwnaeth yn ddigon eglur iddo na chytunai o gwbl ag ef yn hynny o beth. Pwysodd Calfin arno i ddilyn Iesu yn y dydd blin. Bu D'Andelot yn un o bileri y gymuned Brotestannaidd yn ninas Paris.

Brawd i François d'Andelot oedd yr Admiral Gaspard de Coligny, un o enwogion Ffrainc.[59] Fel canlyniad i frwydr Saint-Quentin yn 1557 fe'i carcharwyd gan y Sbaenwyr.[60] Yn ystod ei gaethiwed yn Ghent fe gafodd dröedigaeth i'r ffydd Brotestannaidd, ac fel canlyniad i'r ddealltwriaeth rhwng y Brenin Henri II a Philip II o Sbaen ar 3 Ebrill 1559 fe ryddhawyd y morwr a bu'n ffyddlon i'r brodyr a'r chwiorydd Protestannaidd. Cafodd gysur helaeth o'r llythyron o galondid a dderbyniodd ef a'i briod Charlotte yn eu caethiwed oddi wrth Calfin.[61]

Dyna gyfraniad pwysig Calfin fel cymodwr a chysurwr pobl y ffydd o dan erledigaeth. Ceisiodd bob ffordd y medrai gadw ei gyd-Gristnogion rhag digalonni a cholli gobaith. Anfonodd at Jean Sturm a François Hotmas i gael tywysogion o Brotestaniaid yn yr Almaen i gael gair gyda Brenin Ffrainc ac i'w sicrhau eu bod hwy o blaid diwygio'r eglwys, yn barod i gydweithio, ac yn dymuno heddwch iddo a nerth i lywodraethu. Ysgrifennodd yn gyson at lywiawdwyr eraill, pobl o ddylanwad ym mywyd Ffrainc ac at gynulleidfaoedd a gweinidogion oedd yn cadw'r dystiolaeth yn fyw. Yn wir am flynyddoedd gofalodd Calfin fod gweinidogion o Genefa yn cael eu hanfon i Ffrainc. Dechreuodd hyn yn y flwyddyn 1555 a bu'r trefniant yn para hyd farwolaeth Calfin. Anfonwyd Jacques l'Anglois i Poitiers ar 22 Ebrill 1555, ef oedd y cyntaf o 88 o weinidogion a anfonodd Calfin i ddinas Genefa, a daeth rhai ohonynt yn ferthyron ar eu teithiau oddi yno.[62] Cafodd pump ohonynt ym mis Awst 1555 eu carcharu yn Chambéry. Rhoddodd Antoine Laborie gyfrif o hyn iddo, a chysurodd Calfin hwy yn ei lythyron.Ond ar 12 Hydref fe losgwyd y pump ohonynt.

Ysgrifennai'r gynulleidfa yn Paris yn gyson at Calfin. Ni

feiddient gyflawni dim byd pwysig heb ei gyfarwyddyd. Os medrai gynorthwyo, fe wnâi hynny a llwyddai bob amser i ddod o hyd i fugeiliaid i'r cynulleidfaoedd. Pan ofynodd Coligny am weinidog yn 1562, anfonodd Calfin un y medrai ymddiried ynddo, sef Jean Raymon Merlin, ar ei union atynt.[63] Symudodd ef i Genefa o Lausanne yn 1560 a meddai ar ddoniau amrywiol a fyddai o fudd mewn dinas gosmopolitan fel Paris.

Bu Calfin yn bleidiol iawn i gynlluniau Nicolas de Villegagnon a Coligny a'r Brenin i sefydlu trefedigaeth yn Brasil yn 1555.[64] Anfonwyd y flwyddyn ganlynol i Calfin am weinidogion i groesi'r moroedd i Brasil. Dewisodd Calfin ddau gyda chydweithrediad awdurdodau Genefa, sef Pierre Richer a Guillaume Chartier.[65] Gwirfoddolodd un ar ddeg o ffoaduriaid Ffrengig i deithio gyda hwy i ddechrau ar fywyd newydd yn Ne America. Ar ynys fechan ar arfordir Brasil, a gafodd ei henwi yn Coligny, cynhaliwyd oedfaon ar gyfer yr ymfudwyr o Ffrainc a Genefa a chyflwynwyd yr efengyl i'r brodorion.[66]

Adroddwyd yr hanes yn fanwl mewn llythyron at Calfin.[67] Gwyddent fod Calfin yn meddwl amdanynt yn gyson a gofynnwyd am ei eiriolaeth ar eu rhan. Yn wir ysgrifennwyd hanes yr anturiaeth a'r arbrawf gan un o'r alltudion o Genefa, sef Jean de Léri. Ond methiant fu'r arbrawf oherwydd i Villegagnon droi yn Babydd. Mynnodd hefyd gael ei ffordd ar bob mater. Drylliwyd y freuddwyd yn deilchion.

Gweithiodd Calfin yn ddygn fel arweinydd Protestaniaid Ffrainc. Derbyniodd ei arweiniad bob amser bron; eithriad oedd gwrthod ei gyngor. Hyd y medrai, anfonai genhadon i'r cymunedau. Ond ni allai atal y treisio a'r creulondeb diystyr a ddigwyddai'n gyson. Yn niwedd ei oes bu rhagor o erledigaeth ar dir Ffrainc. Teimlai Calfin fod ganddo ddyled i Gaspard de Coligny gan iddo ef fod yn barod iawn i gynorthwyo'r Huguenotiaid, a gresynai na fyddai rhagor yn dilyn ei esiampl. Aeth ef i'r Gynhadledd a alwyd gan y Brenin François II yn Fontainebleau ar 21 Awst 1560.[68] Yno gwnaeth bwyso ar y Brenin i ganiatáu i'r Huguenotiaid yn Nhalaith Normandy gynnal gwasanaethau crefyddol mewn rhyddid.

Cafodd siom, fodd bynnag, yn Antoine de Bourbon, brenin

Navarre. Pan fu farw'r Brenin François II ar 5 Rhagfyr 1560 fe ddaeth Charles IX yn olynydd iddo, ond gan ei fod ef ond yn 9 mlwydd oed, dibynnai lawer ar ei gynghorwyr. Yn lle manteisio ar ei gyfle gadawodd Antoine de Bourbon i Catherine de Médici gael y llaw drechaf yn y llys.[69]

Gwelodd Calfin fod Antoine de Bourbon yn gymeriad gwan. Ymunodd ei briod, Jeanne d'Albret, â'r eglwys efengylaidd ar ôl i'w brawd-yng-nghyfaith, Louis de Condé, gael ei osod yn y ddalfa.[70] Ysgrifennodd Calfin yn ôl ei arfer ati ar 16 Ionawr 1561 yn mynegi llawenydd mawr ei bod hi wedi ymaelodi yn y gorlan. Gobeithiai'n fawr y byddai Jeanne yn mawrygu ei safle, a ddaeth iddi wedi'r cyfan oddi wrth Dduw, ac yn ymgysegru ei bywyd iddo mewn astudiaethau Beiblaidd.[71] Y mae angen astudio y Beibl arnom, meddai Calfin, oherwydd fod ein ffydd mor wan.

Yr un diwrnod y bu Calfin yn cysuro a chynghori Jeanne anfonodd lythyr i wraig fonheddig arall, sef Renée o Ffrainc. Yr oedd ei gŵr, y Dug Hercule d'Este, wedi ei charcharu hi yn 1553-54 am ei ffydd efengylaidd, ond trwy gymryd rhan yn yr offeren, cafodd bardwn. Ysgrifennodd Calfin lythyr o galondid iddi ar 2 Chwefror 1555 a chadwodd mewn cysylltiad â hi trwy ohebiaeth am flynyddoedd. Ym mis Hydref 1559 bu ei phriod yn ddifrifol wael, ac ar ei wely angau gwnaeth ei briod addo na fyddai hi o hyn allan yn cysylltu o gwbl â John Calfin.[72] Ar ôl ei arwyl rhoddodd ei fab Alfonso ddewis i'w fam, naill ai i aros yn Ferrara, fel aelod o'r Eglwys Babyddol, neu i adael am rywle arall fel Protestant. Dewisodd Renée yr ail opsiwn. Ysgrifennodd Calfin ar 5 Gorffennaf 1560 i'w chynghori nad oedd angen iddi gadw'r llw a dyngodd i'w mab Alfonso.[73] Soniodd wrthi am y peryglon o'i blaen, pe bae'n teithio i Ffrainc, ac mewn llythyr diweddarach, ar 16 Ionawr 1561, cynghorodd hi i wneud y gorau a fedrai dros 'aelodau tlawd teulu Iesu Grist.'[74]

Renée o Ffrainc, wedi'r cyfan, oedd mam-yng-nghyfraith François de Guise a fwrdrwyd ar 13 Chwefror 1563 yn Orléans. Lluniodd Calfin lythyr llawn cynghorion a chyfarwyddyd iddi ar 24 Ionawr 1564 am ei bod hi'n dal yn ddialgar ar gyfrif y weithred hagr a gyflawnwyd ar De Guise.[75] Soniodd wrthi am y drwgweithredwyr a thanlinellu bod dialedd a chasineb yn anghristnogol. Gobeithiai'n fawr na fyddai Renée yn dychwelyd o gwbl i ffordd y drwgweithredwyr, ond yn medru cymodi a dangos cariad at bobl na wyddent o gwbl ystyr cariad Duw yng Nghrist Iesu.

Cefndir y cyfan oedd taith ei fab-yng-nghyfraith, François de Guise, yn ôl i'w gartref, ar ôl bod yn ymweld â Dug Christoph von Württenberg ar 1 Mawrth 1562. Aflonyddodd ef a'i filwyr gyfarfod crefyddol yng ngofal François de Morel yn nhiriogaeth Vassy, ac o'r digwyddiad hwnnw cafwyd diflastod anghyffredin.[76] Anodd credu'r creulondeb a ddigwyddodd. Amcangyfrifid bod mil a dau gant yn bresennol yn y cyfarfyddiad; lladdwyd chwe deg a chafodd dau gant a hanner eu niweidio.[77] Torrodd rhyfel cartref allan. Plediodd Calfin am i dywysogion yr Almaen gynorthwyo'r Protestaniaid yn Ffrainc. Fel canlyniad i'r gyflafan yn Vassy, cymerodd y Protestaniaid, a elwid yn Ffrainc yn Huguenotiaid, o dan arweiniad gweinidog yr efengyl, Jacques Rufi, afael ar ddinas Lyons, a hynny ar 30 Ebrill 1562.[78] Cafodd eglwys Saint Jean ei fandaleiddio. Daeth y Cadfridog Baron François des Adrets yn arweinydd y lluoedd Protestannaidd, ac anfonodd Calfin lythyr ato ac at y gweinidogion i'w cynghori i fod yn ofalus a pharchus o eiddo a phobl.[79] Dywedodd yn glir na ddylai gweinidogion yr Efengyl ddefnyddio arfau yn enw'r ffydd. Beirniadodd yn llym yr hyn a gyflawnwyd yn yr Eglwys, gweithred oedd ddwywaith gwaeth na goresgyn pererin ar daith a'i adael yn ddiymadferth. Croesawodd Calfin y llawfeddyg Ambrose Paré er bod llawer o Brotestaniaid Ffrainc yn edrych arno fel bradwr, yn arbennig gan i François de Guise golli ei einioes yng ngwarchae Orléans ar 13 Chwefror 1563.[80] Drwgdybid Coligny, Theodore Beza a Count François de la Rochefoucauld o fod â rhan ym mwrdwr de Guise a pharatôdd Colingy amddiffyniad rhag y cyhuddiad. Ond sylweddolodd Calfin gystal â neb na ddeuai llawer o gysur i grefydd na gwlad o ryfela.

Ni allwn ond rhyfeddu at ymroddiad Calfin i'w bobl yn Ffrainc. Er ei fod yn byw y tu allan i'r wlad ni bu yn absennol o ran hynt a helynt ei gyd-Brotestaniaid. Atebodd bob cais am gyfarwyddyd. Derbyniodd gwestiynnau di-rif, yn arbennig pan oed Morel yn weinidog yn llys Renée o Ffrainc yn Montarges.[81] Bugail oedd ef yn ei hanfod yn cysuro a chymodi a chynghori.

Haedda un enghraifft arall ein sylw a hynny yn ei berthynas ag un o'i edmygwyr pennaf. Ym mis Mawrth 1553, pan oedd Guillaume Farel yn bur wael, aeth Calfin at ei wely yn ei gartref yn nhref Neuchâtel. Ym mhresenoldeb Calfin paratôdd Farel ei ewyllys. Gadawodd y Diwygiwr Neuchâtel gan gredu mai mater o ddyddiau oedd hi cyn marwolaeth Farel. Nid felly y bu. Gwellodd Farel er syndod i bawb.[82]

Dangosodd Calfin yn anad neb rinweddau'r arweinydd fel gŵr y gân, ac fel y cyfeiriwyd eisoes, credai fod ar yr addolwr ddyletswydd i ganu mawl i Dduw. Wrth astudio Awstin sylweddolodd y parch oedd gan y meddyliwr hwnnw tuag at Lyfr y Salmau. Ofnai John Calfin oedfaon heb gân yn Strasbourg, fel yn Genefa.Y broblem fwyaf oedd cynulleidfa ddistaw. Yng ngolwg y Diwygwyr yr oedd Rhufain wedi distewi cân y pererinion. Llefarai'r offeiriaid mewn iaith ddieithr a throsglwyddid i'r Côr yr hyn a ddylai fod yn gyfrifoldeb y gynulleidfa. Nid oedd Calfin yn meddwl am eiliad mai gwaith y gweinidog na'r Côr oedd caniadaeth o fewn eglwys y Duw byw. Os yw'r Ysgrythur yn pwysleisio fod holl goed y maes, adar y nefoedd a phlant bach i orfoleddu yn Nuw'r Creawdwr a'r Cynhaliwr, onid oes dyletswydd ar hen ac ifanc, dynion a merched i ganu? Dylid eu hyfforddi a dylid paratoi ar eu cyfer. Gwyddai fod caneuon yr Arglwydd yn fwy cofiadwy na phregethau, a dylid ar bob cyfrif gadw'r neges a'r geiriau o fewn canllawiau'r Ysgrythurau. Gwelodd Calfin fod cerddoriaeth a chanu yn ysbrydoli'r credinwyr i gredu ac i weddïo. Y mae fel cylch yn grwn ac yn gynhwysfawr.

Gellir dweud fod John Calfin yn meddu ar werthfawrogiad llawn o gerddoriaeth. Rhoddodd Duw i'r ddynoliaeth rodd o gerddoriaeth i'w foliannu, a chantorion i ganu ei fawl, a chyfansoddwyr i roddi trefn ar anhrefn. Teimlai Calfin fod diogi'n bechod ac ni chredai fod gwneud cerddoriaeth er mwyn diddanu'n unig yn dda.Yr oedd yn rhaid cael rheswm am y cyfan. Mater o ffydd ydyw. Ar ôl profi gras Duw nid yw'r crediniwr am ganu'n unig er mwyn diddanu. Y mae canu mawl i'r Iôr yn bwysig iddo bellach. Ni chredai Calfin mai telyn a medr Dafydd oedd yn gyfrifol fod y Brenin Saul yn cael ei gysuro a'i sobri yn ei dymer ddrwg. Er ei fod yn cydnabod y gall cerddoriaeth dawelu'r ysbryd drwg sydd yn ein personoliaethau, nid cerddoriaeth sydd yn ein gwella ni. Ewyllys Duw sy'n gyfrifol fod cerddoriaeth yn ei ddatguddio'i hun yn gyfrwng i wella'r dolurus ei feddwl. Nid ymgais i danseilio cerddoriaeth sydd ganddo, ond ymgais i gydnabod ysbryd Duw tu ôl i'r cyfan.

Diwygiwr ac arweinydd arall oedd ar yr un donfedd â Calfin ar fater cerddoriaeth gysegredig oedd Martin Luther. Dilynodd Calfin ei esiampl gan hyrwyddo'r gân bob cyfle a ddeuai iddo, a rhoddodd arweiniad cryf i eglwysi Genefa ar fater caniadaeth y cysegr.

Agwedd arall ar Calfin fel arweinydd oedd y llys eglwysig y bu ef yn ei warchod a'i osod i ddelio â disgyblaeth yn y ddinas ac ymysg y dinasyddion. Gelwid y llys hwn yn *Consistory*. Nid llys cyfreithiol mohono, ond yn hytrach gorff oedd yn cynghori ac yn ceisio setlo anghydfod a cheryddu gyda geiriau yn hytrach na chosbi gyda charchar a chaethiwed. John Calfin oedd y cyf-ryngwr yn y *Consistory*. Yr oedd y *Consistory* yn bwysig fel llys o fewn y ddinas, yn delio â materion oedd yn peri diflastod i unigolion a theuluoedd.[83]

Dyma enghreifftiau o'r achosion a ddeuai o flaen y *Consistory*. Gŵr ifanc anystywallt oedd Jean Arochet, yn barod iawn i segura ar strydoedd Genefa a chael ei demtio i yfed diod feddwol gan feddwi a pheri poen i'w rieni a'i gydnabod. Gwell ganddo yfed yn anghymedrol na chyflawni diwrnod da o waith. Trosglwyddwyd ei achos i'r llys eglwysig a derbyniodd gyfarwyddyd Cadeirydd y *Consistory*, Calfin ei hun.[84] Dywedodd wrtho y dylai fyw bywyd o sobrwydd, ac anrhydeddu ei rieni, a pheidio â threulio ei amser yng nghwmni criw o yfwyr anghymedrol. Ni wyddom a wrandawodd Jean Arochet ar Calfin, ond ni ymddangosai drachefn gerbron y llys.

Deliai'r llys gyda llu o enghreifftiau o wŷr priod yn arddangos creulondeb i'w gwragedd, a gofalai Calfin atgoffa'r troseddwr o'i gyfrifoldeb i fyw fel Cristion. Weithiau ceid enghraifft o odinebu.

Gwraig oedd yn ei chael hi'n anodd i gadw gofynion y gymdeithas Gristnogol oedd Claude Dhatena, gweddw André Dhatena.[85] Treuliodd hi wyth diwrnod yn y carchar am ei hymddygiad rhywiol. Ychydig wythnosau yn ddiweddarach ymddangosodd am ei godineb gerbron Calfin a'i gydlywiawdwyr. Derbyniodd gerydd y Diwygiwr a'i hatgoffodd fod yn rhaid iddi edifarhau gerbron Duw. Cafodd ei rhyddhau gan y cyngor i ymatal rhag ymddygiad o'r fath byth eto.

Nid oedd y rhai a ddeuai i'r *Consistory* yn ymddangos mewn llys barn, a'r ddedfryd arnynt oedd cyfarwyddyd, cyngor, cyfle arall.

Nid Calfin oedd yng ngofal dinas Genefa; ei gyfrifoldeb ef oedd fel Bugail eneidiau, ffrind i'r pechaduriaid a chymodwr, hyd y medrai. Yr oedd y biwritaniaeth a gysylltir gyda'n delwedd o Calfin yn rhan o Genefa cyn iddo ef gyrraedd yno. Yn wir mor bell yn ôl â 1490, ni chaniateid gamblo yn y strydoedd a'r tafarnau adeg yr offeren.[86] Dwy flynedd cyn i Calfin weld y ddinas penderfynodd yr ynadon nad oedd chwarae cardiau i'w ganiatáu ar strydoedd y ddinas adeg oedfaon pregethu ac ar ôl naw o'r gloch y nos. Cefnogid y dinasyddion i roddi gwybodaeth i awdurdodau'r ddinas am eu cymdogion oedd yn torri'r gyfraith. Yr oedd hyn yn dirwyn yn ôl i'r Canol Oesoedd. Ond rhaid cydnabod fod y *Consistory* yn hynod o ddiwyd. Cynyddai'r achosion o flwyddyn i flwyddyn. Yn 1546 deliodd y llys â 182 o achosion am drafferthion yn y bywyd priodasol; erbyn 1557 cynyddodd y nifer i 323.[87] Un rheswm am y cynnydd oedd fod y boblogaeth wedi cynyddu oherwydd yr erlid ffyrnig, yn arbennig yn Ffrainc, ar y Protestanniaid.

Gwelwn hefyd duedd amlwg yn hanes y *Consistory* i fod yn gynyddol gadarnach gyda'r ddedfryd. Y gosb a olygai boen a blinder i'r mwyafrif a ddeuai gerbron y *Consistory* oedd cael rhybudd i gadw draw o Wasanaeth y Sacrament o'r Cymun Sanctaidd. Yn 1546 dim ond 5 a amddifadwyd o'r fraint, ond erbyn 1552 cynyddodd y nifer i 36 ac yna erbyn 1557 ceid 114 o unigolion yn y sefyllfa enbydus honno.[88]

Arwyddair Calfin oedd hyn: 'Dewch i ni wella'r byd a dechrau yn Genefa', a dyna wedi'r cyfan oedd barn y mwyafrif o'r trigolion. Dadleuai Calfin wrth y rhai nad oedd am gadw trefn a pharchu rheolau'r gymuned Brotestannaidd, 'Nid oes rhaid i chwi aros yma, gallwch symud i rywle arall.'[89] Yn wir, dywedodd ef yn blwmp ac yn blaen wrth deulu pigog y Favre, oedd yn gofidio fod y gymdeithas yn mynd yn rhy Gristnogol, y frawddeg hon: 'Tra'ch bod chwi yn byw yn ninas Genefa, y mae pob ymdrech o'ch eiddo i wrthod deddfau Duw'n gwbl ddi-fudd.'[90]

Gwyddai Calfin ei bod hi'n amhosibl i gael cymdeithas berffaith ymhlith dynion a merched oherwydd y pechod gwreiddiol. Realydd ydoedd yn hynny o beth. Ond credai hefyd y dylai wneud ymdrech i wella'r byd a gwella moesau'r rhai oedd yn arddel efengyl Crist. Er nad oedd Calfin yn gwbl fodlon bob amser ar ei gyd-weinidogion, gyda'i ymroddiad llwyddodd yn rhyfeddol i osod safonau pendant yn eu plith. Wedi'r cyfan, gweision i Dduw oedd y gweinidogion yn gyntaf ac yn bennaf, ei gynrychiolwyr Ef ar y ddaear. Blinasai ar hyd y blynyddoedd ar ymddygiad bydol offeiriaid Pabyddol ac ni allai ddioddef gweld diogi a diffyg ymroddiad ymhlith gweinidogion y Diwygiad Protestannaidd.

Nid oedd pethau'n wych iawn pan gyrhaeddodd ef Genefa yn 1536 nac yn 1541. Aeth ati i newid y sefyllfa, gan ddangos cryn ddoethineb. Iddo ef yr oedd pedwar gwendid amlwg ym mywyd rhai o weinidogion Genefa. Yn gyntaf, yr oedd y bugeiliaid hyn yn hunanol ac yn rhoddi pwys ar y 'fi fawr'. Yn ail, sylwodd fod llawer ohonynt heb unrhyw ymroddiad na gweledigaeth, yn gwbl hapus yn eu byd bach eu hunain. Yn drydydd, yr oedd yn ofalus rhag cythruddo gormod ohonynt. Gwyddai fod carfan ohonynt yn wrthwynebol iddo beth bynnag, ac fel cymodwr naturiol, nid oedd am godi gwrychyn y rhai oedd yn cynrychioli Duw yn y ddinas. Ond gydag amynedd a hunan-ddisgyblaeth llwyddodd yn rhyfeddol, a gwelodd wyrth yr Arglwydd ar waith, sef 'gelynion iddo yn dod yn gyfeillion'.

Erbyn 1546 llwyddodd Calfin i gael gwared o'r gweinidogion diffaith a welodd yn 1536 i 1538 a chael gweinidogion newydd brwdfrydig o Ffrainc yn eu lle.

Cam nesaf Calfin oedd trefnu'r gweinidogion yn ei gynllun pellgyrhaeddol ar gyfer gweddnewid yr eglwysi a'r ddinas.

Trefnodd i grŵp o ddeg i ddeuddeg o weinidogion gyfarfod yn wythnosol i drafod yr athrawiaethau ac i ystyried a datgloi problemau a gwahaniaeth barn. Sefydlwyd dau sefydliad pwysig yn Genefa ar gyfer y cyfarfyddiadau a'r trafodaethau hyn. Y sefydliad cyntaf oedd yr hyn a elwid 'Cynulleidfa', neu *Congrégation* yn Ffrangeg. Pwy a berthynai i'r corff hwn? Pob un o fugeiliaid eglwysi Genefa a'r cyffiniau gyda'u cynorthwywyr (ac yn ddiweddarach ar ôl 1559 Athrawon yr Academi). Disgwylid iddynt gyrraedd yr *Auditoire* erbyn 7 o'r gloch ar fore Gwener. Dyma'r sefydliad oedd yn cymryd drosodd y materion a'r cyfrifoldebau a berthynai gynt i Esgob Pabyddol Genefa. Yn agenda'r cyfarfyddiad wythnosol gwahoddid un o'r gweinidogion i agor trwy esboniad ar ddarn o'r Ysgrythur, ac ar ôl iddo gwblhau'r dasg, ceid trafodaeth ar ei gyflwyniad a'i arweiniad. Ar ôl hynny ceid darlith gan Calfin ar bynciau amrywiol yn ymwneud â gwaith gweinidog. Estynnid gwahoddiad i aelodau ffyddlon y cynulleidfaoedd i'w presenoli eu hunain, nid yn unig fel gwrandawyr, ond i ymuno fel y deuai cyfle yn y trafodaethau. Ar ddiwedd y cyfarfyddiad ceid seibiant byr cyn cyfarfyddiad arall, sef Cwmni'r Bugeiliaid, math o *fraternal* gweinidogion, ar gyfer y gweinidogion yn unig. Cyfle oedd hwn i drin a thrafod amgylchiadau ac anawsterau a phobl oedd yn blino'r bugeiliaid, gan gredu ei bod hi'n haws cywiro'r sefyllfa fel uned nag ar eu pennau eu hunain. Unwaith bob chwarter cynhelid sgwrs agored lle y rhoddid penrhyddid i unrhyw weinidog i godi mater dyrys o ran athrawiaeth neu o ran perthynas bersonol gyda'i gydweinidogion neu gydag un gweinidog yn benodol. Yr oedd Calfin wedi gosod rhestr gerbron ei gydweinidogion o bynciau y dylid ymgadw rhagddynt. Rhestr o bechodau amlwg y dylid ffoi rhagddynt oedd y rhain. Ar ben y rhestr ceid ymrafael geiriol, meddwi, tuedd i goleddu syniadau twyllodrus, yn ogystal â diffyg ymdrech fel bugail, amharchu'r Beibl trwy beidio â'i drin yn ddiwinyddol, a gofyn cwestiynau dwl ac amharchus er mwyn creu syndod, a'r duedd i gablu yng ngoleuni yr 'alwedigaeth nefol'. Rhaid cydnabod fod y rhestr yn dal yn berthnasol i weinidogion yr Efengyl ym mhob cenhedlaeth.[91] Gallwn ddweud hefyd mai o fewn y sefydliad hwn a'i safonau, yr hyn a elwid yn

Genefa yn *Compagnie des Pasteurs*, y magwyd y gweinidog Presbyteraidd a Diwygiedig a fu'n addurn yn Eglwys Crist. Bu'r gweinidogion hyn â'u safonau uchel yn ysbrydoliaeth i aelodau'r capeli a'r eglwysi ar hyd a lled y byd.

Dyma'r math o weinidogion a fu'n gefn i Calfin yn ei oes, ac yn cefnogol i'r alwad i ddiwygio'r eglwys o ofergoliaeth ac arferion nad oedd yn gydnaws â Gair Duw. Ni fu hi'n hawdd iddynt. Bu aml i anghytundeb a dadlau ffyrnig rhwng y bugeiliaid hyn o dan arweiniad Calfin ac arweinwyr dinesig. Dyma flynyddoedd y dadlau mynych, blynyddoedd yr heresïau, a blynyddoedd y cosbi. Daeth y llys eglwysig i chwarae rhan bwysig, ond heb gefnogaeth Cyngor y Ddinas, nid oedd modd gweithredu. Nid un hawdd delio ag ef oedd Calfin; meddai ar ewyllys ddi-ildio ac anodd ar dro oedd ei gael ef i gytuno. Ond yr oedd hynny'n wir am Gyngor y Ddinas a'r gwleidyddion a oedd yr un mor benderfynol. Ond y brif broblem, yn fy nhyb i, oedd yr ymfudo mawr o Ffrainc i Genefa a ddigwyddodd yn oes Calfin. Magodd hyn ysbryd gwrth-Ffrengig. Cythruddwyd aelodau o'r eglwysi gan agenda Calfin o gael gweinidogion o Ffrainc i wasanaethu yn y ddinas. Digwyddodd hyn rhwng 1543 a 1545. Perswadiodd Calfin bedwar Ffrancwr i symud i Genefa yn 1543, daeth dau arall y flwyddyn ganlynol, ac yn 1545 dau eto: cyfanswm o wyth Ffrancwr i swyddi allweddol o dan arweiniad Ffrancwr uchelgeisiol arall o'r enw John Calfin. Nid rhyfedd fod hyn yn creu tensiwn, anghytuno, gwrthwynebiad a diflastod.

Bu problem y ffoaduriaid o Ffrainc yn un boenus fel ag y gwelwn wrth astudio'r ystadegau. Derbyniodd 10,657 o ffoaduriaid gymorth gan drigolion Genefa rhwng Hydref 1538 a Hydref 1539, nifer anferth, pan gofir mai 12,000 oedd poblogaeth y ddinas.[92] Y tro hwnnw nid arhosodd y mwyafrif ohonynt yn Genefa. Ond ar ôl i Calfin symud yn ôl i'r ddinas yn 1541 bu newid yn agwedd y ffoaduriaid o dan gyfaredd Calfin. Dymunai ef gynorthwyo aelodau o'i gyd-genedl a phersawdio pob un ohonynt i setlo yn y ddinas.

Codai anghydfod yn aml, fel y gwelsom, rhwng Calfin ac aelodau o hen deuluoedd Genefa, nid pobl ddŵad, ond pobl oedd wedi eu geni a'u magu yno, a'u teuluoedd yn dirwyn yn ôl genedlaethau. Enghraifft dda o hyn oedd yr achos a gysylltir â gŵr o'r enw Pierre Ameaux, un o ddilynwyr cynnar Calfin, dyn pwysig am ei fod yng ngofal amddiffyniad y ddinas. Gwaethygodd y berthynas mewn byr amser oherwydd i Ameaux sefydlu cwmni i gynhyrchu cardiau chwarae ac i hybu hapchwarae.[93] Gofidiai Calfin am hyn a llwyddodd i gael y Cyngor i wahardd iddo gynhyrchu cardiau. Derbyniodd Pierre Ameaux y gwaharddiad ar yr amser gwaethaf, pan oedd ef a'i briod Benoite ar fin ysgaru. Aeth hi i weld Calfin am air o gyfarwyddyd. Gwraig ffôl oedd Benoite ac awgrymodd i Calfin, er ei fod ef yn briod, y medrai hi symud i fyw i'w gartref. Dychrynodd y diwygiwr ac fe'i hanfonwyd hi yn ddigon diseremoni trwy'r drws. O fewn dyddiau yr oedd hi mewn rhagor o helbulon. Condemniwyd hi yn Ionawr 1545 i garchar am ei hoes am gablu a godineb. Cafodd bardwn mewn ychydig fisoedd ar y ddealltwriaeth y byddai'n ymddwyn yn gall o hynny allan.

Derbyniodd Pierre Ameaux ei ysgariad ac ailbriododd. Ond yn Ionawr 1546 yr oedd yntau o flaen ei well am ei ymosodiad ar Calfin. Nid oedd gwaith ganddo ac yr oedd ei ail wraig wedi cael digon ohono a llefarodd yn hagr am Calfin, ar ôl goryfed y ddiod feddwol, mewn cinio ymhlith ei ffrindiau. Cyhuddodd Calfin o fod yn ddieithryn di-werth, a gweinidog hereticaidd. Cyhoeddai athrawiaethau annerbyniol gan atal plant Genefa i astudio Lladin. Breuddwyd Calfin, yn ôl Ameaux, oedd rheoli'r ddinas a dyna pam fod llu o ffoaduriaid Ffrainc yn symud i Genefa.

Ni chythruddodd Calfin pan glywodd am gyhuddiadau Pierre; yn wir, dywedodd wrth y Barnwyr am beidio â bod yn rhy galed arno. Yr oedd ef yn barod i ymweld ag ef yn y carchar, ond mynnodd y Cyngor Dinesig ei fod ef yn cadw draw. Ceisiodd Calfin ei orau i amddiffyn Ameaux. Yr oedd hi'n anodd ar y Cyngor gan ei bod yn delio gyda dinesydd a gwreiddiau dwfn ganddo yn Genefa. Barnai carfan o'r Cyngor y byddai ymddiheuriad o enau Pierre yn ddigon, tra teimlai'r gweddill a'r *Consistory* a Calfin ei hun fod hynny yn rhy hawdd. Hwy a gafodd y llaw drechaf gyda'r canlyniad i Ameaux orfod cerdded trwy'r ddinas yn ei grys gyda ffagl yn ei law, yn ymbil ar Dduw, a'r Cyngor, a Calfin am faddeuant.[94] Bychanwyd Pierre Ameaux yn ddirfawr ar strydoedd ei dref enedigol er mawr siom i'w deulu, ei gyfeillion a'i gyfoeswyr. Ni fu'r gosb yn gymorth i ddyrchafu Calfin a'i wneud yn boblogaidd yng ngolwg aml un yn y ddinas, ac y mae'n anhygoel nad oedd Calfin a'i gyd-weinidogion o'r *Consistory* wedi deall hynny o gwbl. Dylid atal rhag bychanu aelod o eglwys Crist os gellid peidio. Anghofiodd Calfin yr hyn a bregethai'n aml. Bu hi'n adeg argyfyngus, a phenderfynodd Cyngor y Ddinas osod crocbren y tu allan i Eglwys St Gervais.[95] Ni ddefnyddiwyd y crocbren; ond gwnaeth yr holl achos aml i berson yn filain yn erbyn John Calfin am ei fod mor ansensitif, ef a'i gefnogwyr.

Rhoddodd achos Ameaux hyder i'r teuluoedd yn Genefa oedd yn anghyfforddus gyda chynlluniau Calfin, yn arbennig gyda sefydliad fel y *Consistory*. Nid oedd amynedd ganddynt gyda'r *Consistory*. Gwrthodent wneud dim ag ef, a phan orfodid 'Plant Genefa' i ymddangos dangosent yn amlwg ddiffyg parch i bob aelod gan gynnwys y Cadeirydd, Calfin. Ni allwn beidio â beirniadau y ddwy ochr fel ei gilydd. Gadawodd Calfin i'w ragfarnau lywio llawer iawn o bolisïau'r llys eglwysig. Y mae hynny'n amlwg ynglŷn â'r arferiad o ddawnsio. Dadleuai Calfin fod dawnsio yn arwain at odineb, dyna'r cam cyntaf ar y llwybr.[96] Gwaharddwyd cynnal dawns mewn adeilad cyhoeddus gyda'r canlyniad i 'Blant Genefa' drefnu dawnsfeydd yn y dirgel ac yn anghyfreithlon. Digwyddodd yr un peth gyda chwarae cardiau. Ond yr oedd un peth yn wir am Calfin: yr oedd dinas Genefa yn tyfu'n bwysicach iddo o flwyddyn i flwyddyn. Er iddo roddi'r argraff y byddai'n barod i adael Genefa, go brin ei fod ef yn barod i weithredu felly ar ôl 1541. Dywedodd 'Hyd fy anadl olaf, nid wyf am adael y ddinas, a Genefa yw fy nhyst.'[97] O ble cafodd ef y nerth a'r dyfalbarhad? Ac y mae'n rhaid ateb: yn ei ddefosiwn a'i ddisgyblaeth ddyddiol. Gweddi oedd y gyfrinach.

Cychwynnai Calfin raglen y dydd, yn ei ystafell wely, ar ei liniau mewn gweddi daer ar ei Dad Nefol. Gweddïai'n gyson, bron yn ddi-baid. Llenwid ei feddwl gan ymadroddion gweddi. Yr oedd mor benderfynol ar lwybr gweddi ag oedd y mynach yn ei gell. Llefarodd yn ddygn ar ystyr a gwerth gweddi. Dylid gweddïo ar bob cyfle, ar ôl codi yn y bore, cyn cychwyn ar waith y dydd, cyn y prydau bwyd, brecwast, cinio, te a swper, ac ar ôl bwyta, ac yna cyn mynd i gysgu'r nos. Y mae'r arferiad gwych o weddïo cyn pob pryd bwyd, gartref ac mewn cinio cyhoeddus, yn deillio o esiampl John Calfin.

Ar ôl dychwelyd o Strasbourg yn 1541 i Genefa, cychwynnodd Calfin yr arfer o ddiwrnod o weddïo. Neilltuodd ddydd Mercher i'r diben pwysig hwn, a chynhelid Cyfarfod Gweddi bob wythnos o wyth o'r gloch y bore i ddeg o'r gloch. Y cymhelliad y tu ôl i'r arferiad yn 1541 oedd sefyllfa druenus yr Almaen ynghanol rhyfel a phla, ond ar ôl i'r argyfwng fynd heibio, daliodd Calfin i hybu Dydd Gweddi Cristnogion Genefa.

Rhwng gweddïau'r bore a gweddïau'r nos, cyflwynai Calfin ei hun i'w Dduw ac i'w Eglwys gan ganolbwyntio ar alwadau'r Arweinydd, sef ateb a llunio llythyron, paratoi darlithiau a phregethau, darllen penodau a phroflenni ei esboniadau a'i *Institutes*, sgwrsio â'i briod a'i gyfeillion, cyn dechrau ymweld â'r cleifion a chyrraedd adref i groesawu ymwelwyr ac aelodau mewn helbulon. Yn ychwanegol at hyn, fel y cofiwn, ceid oedfaon i bregethu ynddynt a darlithiau i'w traddodi. Pe bai Calfin wedi treulio ei holl amser mewn anghydfod a dadleuon ni fyddai wedi llwyddo o gwbl i gyflawni ei briod waith fel Gwas yr Arglwydd. Hynny oedd y flaenoriaeth yn ei fywyd. Cyflawnodd beth oedd bron yn amhosibl i berson dynol.Meddylier amdano rhwng 1546 o 1549 yn paratoi a chyhoeddi pum esboniad ar Ysgrythurau'r Testament Newydd yn yr iaith Ladin a'r iaith Ffrangeg, yr holl bregethau a'r darlithiau a draddododd, a'r cannoedd o lythyron a ysgrifennodd â'i law ei hun.

Yn wir ysgrifennodd gymaint nes ei fod weithiau wedi blino'n lân ar y weithred o ysgrifennu. Ar foment wan dywedodd ei fod yn 'casáu ysgrifennu'.[98] Ond nid oedd ganddo ddim dewis. Er iddo aros y rhan fwyaf o'r amser yn Genefa, gwelsom fod galw amdano ar hyd a lled Ewrop, a'i fod ef ynghanol bwrlwm bywyd y Cyfandir. Lle bynnag yr oedd Protestaniaeth mewn enbydrwydd clywid llais Calfin yn cynghori a chyfarwyddo yn ei lythyron maith a mynych. Byddai wedi rhoddi'r byd i gyd yn rhodd am flwyddyn o amser i wneud dim byd ond darllen a pharatoi cyfrol ar 'ddyfnion bethau Duw'.

Pan glywodd fod ei ffrind mawr Martin Bucer yn gadael Strasbourg yn 1549 am loches fel ffoadur yn Lloegr, anfonodd Calfin lythyr ato i ddweud ei fod ef yn eiddigeddus ohono. Yn Lloegr gallai ysgrifennu ar gyfer ei annwyl bobl, yr Almaenwyr Protestannaidd, 'tra y byddaf i, wedi fy amgylchynu gan bob math o waith a'm poeni gan iechyd gwael, ac ychydig o amser i ddim byd arall.'[99] Ond nid oedd Calfin yn gwbl deg gyda Bucer. Cafodd ef gyfrifoldebau mawr yn Lloegr ac yntau'n llythyrwr toreithiog.[100] Anfonodd Bucer lu o lythyron at wahanol gyfeillion, heb anghofio John Calfin ei hun. Ond ni arbedwyd Bucer yng Nghaergrawnt gan drafferthion Calfin yn Genefa. Yng Nghaergrawnt bu'n rhaid iddo wynebu dadleuon llym y tri diwinydd Pabyddol, John Young, Thomas Sedgwick ac Andrew Perne ar bwnc cyfiawnhad trwy weithredoedd yn ystod haf 1550.[101] Llosgodd y gannwyll ddydd a nos a bu farw ar 28 Chwefror 1551, ac fe'i claddwyd yn Eglwys y Santes Fair, Caergrawnt.[102] Cafodd Calfin flynyddoedd lawer i lywio'r Diwygiad Protestannaidd ar ôl ymadawiad Bucer; yn wir cafodd bymtheg mlynedd arall, fel y gwelsom, o weithgarwch anhygoel fel Prif Ddiwygiwr y Brotestaniaeth Ddiwygiedig.[103]

1 Philip Schaff. 'Calvin's Life and Labours', *Presbyterian Quarterly and Princeton Review* 4 (Ebrill, 1875), 255-56; Philip Schaff, *History of the Christian Church* (Grand Rapids, 1979, Cyfrol viii, 270-95; R. Ward Holder, 'Calvin's Heritage', yn *The Cambridge Companion to John Calvin*, (gol. Donald K. McKim) (Efrog Newydd, 2004), 266.

2 Paul Henry, *The Life and Times of John Calvin: The Great Reformer*, (cyf. Henry Stebbing) (Efrog Newydd, 1851), 185.

3 Aldous Huxley, *Proper Studies* (Llundain, 1929), 287.

4 Christopher Hitchens, *God is not Great: How Religion Poisons Everything* (Boston, 2007), 233-34.

5 Wendel, *Calvin*, 289.

6 Charles Partee, *Calvin and Classical Philosophy* (Louisville, 2005), yn arbennig y bennod o dan y teitl, 'Calvin on the Universal and Particular Providence'; Karl Barth, *The Word of God and the Word of Man*, (cyf. Douglas Horton)(Boston, 1928), 58.

7 Alexander, *Ladies of the Reformation*, 40.

8 *ibid.*

9 Partee, 'Prayer as the Practice of Predestination', yn Wilhelm H Neuser (gol.), *Calvinus Servus Christi* (Budapest, 1988), 245-56.

10   Wallace, *Calvin*, 7-9.
11   Evans, 'John Calfin', yn Rees (gol.) *Deuddeg Diwygiwr*, 43-4.
12   *ibid.*, 4.
13   *ibid.*
14   Wulfert de Greef, *The Writings of John Calvin, Expanded Edition*, (cyfieithiad Lyle D. Bierma) (Louisville, 2009), 43.
15   *ibid.*
16   *ibid.*
17   *ibid.*, 44.
18   *ibid.*
19   *ibid.*, 45.
20   *ibid.*
21   *ibid.*
22   Am y cefndir llawn, gw. A. Guillaume Farel, *Group of historians, professors, and pastors* (Neuchâtel, 1930), 540-50.
23   Glanmor Williams, 'Yr Esgob Richard Davies (? 1501-1581), yn *Grym y Tafodau Tân: Ysgrifau Hanesyddol ar Grefydd a Diwylliant* (Llandysul, 1984), 104.
24   Wulfert de Greef, *Writings*, 46.
25   *ibid.*
26   *ibid.*
27   *ibid.*
28   *ibid.*
29 · *ibid.*
30   *ibid.*
31   *ibid.*
32   *ibid.*, 48
33   *ibid.*, 47
34   *ibid.*
35   *ibid.*, 48
36   *ibid.*
37   *ibid.*
38   *ibid.*
39   *ibid.*
40   *ibid.*, 49
41   *ibid.*
42   *ibid.*
43   *ibid.*
44   *ibid.*
45   *ibid.*
46   *ibid.*
47   *ibid.*, 50.
48   *ibid.*
49   *ibid.*
50   *ibid.*, 199.
51   *ibid.*, 50.
52   *ibid.*
53   *ibid.*

54 *ibid.*, 51.
55 *ibid.*
56 *ibid.*
57 *ibid.*
58 *ibid.*
59 *ibid.*, 53.
60 *ibid.*, 51.
61 *ibid.*
62 *ibid.*, 56.
63 *ibid.*
64 *ibid.*
65 *ibid.*
66 *ibid.*
67 *ibid.*
68 *ibid.*, 53.
69 *ibid.*
70 *ibid.*, 54.
71 *ibid.*
72 *ibid.*.
73 *ibid.*, 54-5.
74 *ibid.*, 55.
75 *ibid.*
76 *ibid.*, 58.
77 *ibid.*
78 *ibid.*
79 *ibid.*
80 *ibid.*
81 *ibid.*
82 *ibid.*
83 *ibid.*
84 *ibid.*
85 *ibid.*
86 *ibid.*, 129.
87 *ibid.*
88 *ibid.*
89 *ibid.*
90 *ibid.*
91 Teg yw'r ymadrodd *a unique ethos* am yr hyn a gymerodd le o dan Calfin yn
    Genefa. Gw. Felipe Fernández-Armesto and Derek Wilson, *Reformation:
    Christianity and the World 1500-2000* (Llundain, 1996), 216.
92 Derbyniwyd rhwng 1549 a 1555, 1297 o ddieithriaid fel dinasyddion yn
    Genefa, a bron pob un ohonynt yno oherwydd erledigaeth grefyddol. Gw
    Preserved Smith, *Reformation in Europe* (Lludain, 1966), 139.
93 Selderhuis, *John Calvin*, 147.
94 *ibid.*, 149.
95 *ibid.*, 150..
96 *ibid.*, 151.
97 *ibid.*, 152.

99   *ibid.*, 166.
100 Ceir rhestr o'r cyfieithiadau Saesneg o lythyron Bucer yn D. F. Wright (gol.) *Common Places of Martin Bucer* (Courtenay, 1972), 472-5.
101 Powell, 'Martin Bucer', yn Rees (gol.), *Deuddeg Diwygiwr*, 20.
102 Codwyd corff Martin Bucer gan y Pabyddion ar 6 Chwefror 1555 a'i losgi'n gyhoeddus fel heretic.
103 R. B. Kuiper, *As to being Reformed* (Grand Rapids, 1926), 88-91. Maentumir bod Calfiniaeth a Christnogaeth bron yn gyfystyr. Ychwanega ar dudalen 91, 'For in the last instance the fundamentals of Calvinism are also the fundamentals of the Christian religion.' Nid yw Kuiper yn bell ohoni ym marn diwinyddion o faintioli Karl Barth, R. Tudur Jones a J. E. Daniel.

Cyflwyniad i Ddiwinyddiaeth John Calfin yng ngoleuni'r *Institutio Christianae Religionis*

Ni cheir cyfrol ar hanes yr Eglwys Gristnogol heb fod enw Calfin fel diwinydd yn ymddangos ynddi. Yn hanes Diwinyddiaeth Gristnogol y mae iddo le pwysig, ac astudir ei waith gan Adrannau Diwinyddol ar hyd a lled y byd.[1] Nid yw pawb o bell ffordd yn cytuno â'i safbwynt, ond nid yw hynny'n lleihau dim ar ei bwysigrwydd fel un o leisiau pwysicaf diwinyddiaeth Brotestannaidd.[2]

Diwinydd yw person sydd yn ceisio cyflwyno darlun cynhwysfawr o Dduw a'i berthynas â'i fyd. Ond yn ôl Calfin ni allwn wybod am hanfodion Duw; yr unig beth a allwn ei wybod yw ei ddatguddiad ohono ef i ni. Cydnabu Calfin fod Duw yn Greawdwr ac yn Achubydd y cawn ei glywed yn llefaru yn yr Ysgrythurau ac yn derfynol yn ei Fab.[3] Cawn ddiwinyddiaeth Calfin yn ei bregethau a'i esboniadau, ei draethodau ac yn arbennig yn ei lythyron.[4] Ond y mae ganddo gyfrol sy'n crynhoi ei holl safbwynt fel diwinydd, sef *Institutio Christianae Religionis*, sef *Bannau'r Grefydd Gristnogol*. Y mae holl safbwynt Calfin i'w ganfod yn y gyfrol hon.[5] Rhaid cychwyn gyda'r gyfrol hon gan gofio iddo dreulio oes gyfan yn ychwanegu ati a thrafod hanfodion y ffydd.

Strwythur *Bannau'r Ffydd*

Rhennir y gyfrol yn bedwar llyfr, ac y mae pob llyfr yn meddu ar benodau, a phob pennod yn cynnwys adrannau. Fel cyflwyniad i'r gyfrol ceir dau anerchiad, un i'r darllenydd a'r llall i Frenin Ffrainc, y Brenin François y Cyntaf.

Diddorol yw darllen y cyflwyniad i'r Brenin gan fod Calfin

wedi ei lunio ar 1 Awst 1536.[6] Erbyn argraffiad 1559 y gyfrol lle ceir y gwaith wedi ei gwblhau, cedwid y llythyr, er bod y Brenin wedi marw ers mwy na degawd. Er bod Brenin newydd ar orsedd Ffrainc teimlai Calfin fod yr egwyddorion a gyflwynodd yn y gyfrol gyntaf yn dal yr un mor berthnasol. Wedi'r cyfan, ymgais oedd y Diwygiad Protestannaidd i adfer yr hyn oedd wedi ei golli o dystiolaeth yr Eglwys gyfoes. Dadleuodd Calfin hefyd fod yr ensyniadau a wnaed yn erbyn y Diwygwyr yn anfoesol ac yn gwbl gyfeiliornus. Apeliodd at y Brenin i wrando ar y Diwygwyr er mwyn gweld beth oedd ganddynt i'w gynnig i'r byd, ac i roddi tegwch i'w hachos. Ond beth bynnag a ddigwydd, meddai Calfin, gwyddai y byddai Duw yn gwrando ar y diniwed.[7]

Yn ei lythyr o gyflwyniad i'r darllenydd tystia'r diwinydd fod trefnu'r pynciau a gaiff eu trin yn hynod o bwysig iddo, ac ni fu'n fodlon o gwbl hyd yr argraffiad a gwblhawyd yn 1559.[8] A dyma'r allwedd i agor cyfrinachau ei ddiwinyddiaeth, trefn y pynciau a'u perthynas â'i gilydd. I ddeall athrawiaeth a'i gwirionedd, rhaid deall yr holl adrannau sy'n perthyn iddi a'u deall hwy hefyd yn y drefn briodol.[9] Er enghraifft, y mae'n amhosibl i ni ddeall ystyr yr Eglwys Weledig cyn i ni ddeall yn gywir waith yr Arglwydd Iesu. Y mae'r drefn y gwelir y ddysgeidiaeth wedi ei gosod allan yn allweddol bwysig. A hefyd y mae'n rhaid astudio diwinyddiaeth er mwyn i ni amgyffred y ffydd Gristnogol a dod hefyd i ddeall y Beibl. Y mae'r *Bannau* yn sylfaen athrawiaethol i'w holl esboniadau ar yr Ysgrythurau. Stori drist yw'r stori, yn ôl y diwinydd: dyn a dynes a grëwyd i fwynhau paradwys, yn dinistrio'r cyfan, ond daeth newydd da i ganol y tristwch, sef y Duw - ddyn Iesu, ac ynddo ef daeth dynion a merched o hyd i'r bywyd diddiflanedig, a thrwy'r Ysbryd Glân cafwyd bendithion fyrdd, sef cyfiawnhad a sancteiddhad.[10] Y gair pwysig i Calfin fel diwinydd oedd, 'gwybodaeth'; ceir y gair trwy gydol ei ddiwinyddiaeth. Iddo ef y mae gwybodaeth yn fwy na rheswm: y mae'n cwmpasu ein holl alluoedd. Ond y peth pwysig iddo oedd trafod sut y mae'r person dynol yn dod yn ymwybodol o Dduw, sut y mae ef yn dod i berthynas â Duw, a sut y mae Duw yn gweddnewid y berthynas, ac yn arwain a diogelu'r crediniwr yn ei daith ar y ddaear. Ymgais i adrodd y stori fawr honno yw diwinyddiaeth Calfin. Wrth edrych ar y stori hon yr ydym am ddilyn y patrwm a osododd Calfin yn ei glasur.

Rhannodd y gyfrol i bedair rhan. Yn gyntaf cawn ein cyflwyno i Dduw'r Creawdwr, yn yr ail gyfrol i Dduw'r Achubwr, yn y drydedd trafodir y modd y mae Gras Iesu yn cael ei dderbyn, ac yn y bedwaredd ymdrinnir â'r canllawiau sydd gan Dduw i gynorthwyo Cristion i ymddiried yng Nghrist.

Y Llyfr Cyntaf: Gwybodaeth am Dduw'r Creawdwr

Cychwynna Calfin ei ymdriniaeth â diwinyddiaeth gyda'r cwestiynau mwyaf amlwg, sef Pwy yw Duw? Pwy ydwyf i? sef yr hyn a eilw yn wybodaeth o Dduw a gwybodaeth ohonom ein hunain. Ond y mae'r ddau gwestiwn yn berthnasol i'w gilydd. Ni allwn gael golwg gywir arnom ein hunain cyn inni weld yn gliriach ein Creawdwr, ac yn hytrach na dewis un o flaen y llall, dywed Calfin fod yn rhaid i ni edrych ar y ddau, sef Duw a dyn.[11] Y mae'n hynod ddiddorol nodi nad yw'r diwinydd yn ceisio profi bodolaeth Duw o gwbl. Ni chredai fod angen archwilio dealltwriaeth ddiwinyddol i osod sylfaen resymegol ar gyfer ffydd a chred. Yn wir y mae diwinyddiaeth yn cymryd yn ganiataol fod ffydd ar gael. Fel y diwinydd Anselm o Gaergaint (1033-1109), yr oedd diwinyddiaeth yn golygu 'ffydd yn ceisio dealltwriaeth.'[12] Credai fod holl bobl y ffydd yn gwybod am fodolaeth Duw.

Y mae Duw wedi gosod gwybodaeth ohono ef ei hun yn y greadigaeth ac ynom ni ein hunain fel bodau dynol. Edrycher ar unigolyn, pa mor gelfydd y crëwyd ef, ei gorff a'i holl gyneddfau a'i brydferthwch cynhenid. Dyma ddigon o wyrth i'n hargyhoeddi a llenwi ein meddyliau.[13] Y mae'r enaid dynol, y meddwl, ein hymwybyddiaeth, ein dychymyg a'n dealltwriaeth, ein gallu creadigol, yn dangos 'arwyddion digamsyniol o'r duwdod.'[14] A beth am y byd y tu hwnt i ni ein hunain? Dim ond bodau sydd wedi crebachu sydd yn methu gweld rhyfeddodau natur, ac yn anghofio pwy sy'n gyfrifol am y cyfan i gyd, ac yn methu profi doethineb, gallu a daioni'r Creawdwr. Y mae natur, yn ôl Calfin, yn theatr gogoniant Duw, 'wedi'i orlenwi gyda gwyrthiau dirifedi'.[15] Dyma ddelwedd weledol o'r Anweledig Dduw. Fe all

118

person duwiol fentro dweud fod natur yn Dduw, gan fod y byd o'n hamgylch yn ei amrywiaeth yn dangos Duw yn glir i ni.[16] Ond gan mai Duw yw'r gallu creadigol sydd ar waith mewn natur a thrwyddi, y mae'n well peidio â chymysgu'r Creawdwr gyda'i greadigaeth.

Ond y mae ynom ni, y ddynoliaeth, felly, yr hyn y gallwn ei alw yn wybodaeth naturiol o Dduw. Ffordd arall o osod y neges ydyw dweud fod pob person yn meddu ar 'had yr efengyl'. Dengys anthropoleg, hanes a chymdeithaseg yn glir fod y teulu dynol yn bobl grefyddol. Hynny yw, nid yn unig y mae ganddynt ymwybyddiaeth o Dduw ond hefyd ffyrdd o ymateb i Dduw, yn arbennig trwy addoliad a seremonïau a dathliadau. Yn anffodus, ym marn Calfin, y mae cymaint o'r ymateb wedi ei lurgunio o'r hyn y dylai fod. Crëwyd eilunod a'u clodfori, a llurgunio'r hyn sydd yn cynrychioli'r sanctaidd. Dywediad gwych o eiddo Calfin yw hwnnw pan ddywed fod y meddwl dynol yn aml fel 'ffatri creu eilunod'. Cymerwn hyfdra i addoli'r gau dduwiau yn hytrach na'r gwir a'r bywiol Dduw. Y mae had yr efengyl yn gwreiddio ynom ac yn tyfu'n flodeuyn adwythig gyda ffrwyth sy'n sur.[17]

Fel y Cristionogion cynnar cysylltai Calfin ein tuedd naturiol i eilunaddoliaeth gyda chrefydd baganaidd. Ond credai hefyd y gellid gweld hyn ym mhob enghraifft o grefydd, hyd yn oed Gristnogaeth. Yr oedd yn amlwg yn ei oes a'i amgylchfyd fod eilunaddoliaeth i'w ganfod, a bod tuedd i gysylltu gallu Duw â phethau materol.[18] Yr oedd pobl yn barod i deithio i weld darn o bren neu liain a gysylltid ag Iesu, neu i weld delw gerfiedig o un o'r seintiau cynnar.[19] Ni allai Calfin oddef y math hwn o grefydda a bu'n llawdrwm iawn ar yr arferion hyn er ei fod ef ei hun wedi mynd i abaty ger Noyon, yn llaw ei fam, i anrhydeddu gweddillion y Santes Anne.

I Calfin yr oedd y crefydda arwynebol hwn i'w gondemnio yng ngolau y Deg Gorchymyn (Exodus 20: 3-5). A dyma esboniad ar yr ymdrechion a wnaed yn aml gan y Diwygwyr (er nad gan Luther) i wrthwynebu unrhyw gyfrwng oedd yn ceisio cynrychioli'r Creawdwr. Gwrthodwyd, oherwydd hyn, osod darluniau a cherfluniau o unrhyw fath yn y capeli a'r eglwysi.[20] Yr oedd i Calfin wendid affwysol yn y cyfan i gyd. Yn lle caniatáu i Dduw ei ddatguddio ei hun yr ydym wedi creu Duw yn ôl ein syniadau meidrol, anghywir ni. Y mae'r ymosodiad ar ddelwau yn bwysig am ei fod yn tanlinellu'r ysbryd beirniadol a ddaeth yn rhan bwysig o'i gyfraniad. Beirniad pigog oedd John Calfin. Nid ofnai o gwbl fynegi ei feirniadaeth ar grefydd ei ddydd. Gwnaeth hynny yn bennaf er mwyn dangos y gwahaniaeth rhwng y gwirionedd ac anwiredd, a daeth hyn yn rhan bwysig o dyst-iolaeth yr eglwysi Calfinaidd. Ceisiai Calfin ein harwain o hyd i adnabod Duw. A thrwy drugaredd y mae hynny'n bosib. Y mae Duw yn barod i'n cynorthwyo i weld yn gliriach trwy roddi i ni sbectol i'n llygaid fel y medrwn ddarllen Gair Duw.[21]

Beth yw Gair Duw? Yr hyn ydyw yw cofnod cywir o'r modd y mae Duw wedi llefaru â'r ddynoliaeth ar hyd y canrifoedd o'r Eglwys Fore hyd ein dyddiau ni. Dyma'r ffordd y cyfathrebwyd â ni yn effeithiol gan Dduw.[22] Ac y mae'r Gair gennym ar hyn o bryd yn ffurf yr Ysgrythurau. Y mae ffynonellau eraill hefyd at ein gwasanaeth i ddod o hyd i'n gwybodaeth o Dduw. Ond dim ond trwy'r canllawiau a rydd yr Ysgrythurau y medrwn wneud synnwyr o'r ffynonellau eraill.[23] Eto sylweddolodd Calfin fod un broblem fawr yn ein hwynebu, sef mater o awdurdod yn y byd crefyddol. Dadleuai ysgolheigion yr Eglwys Babyddol fod yr Ysgrythur o dan awdurdod yr Eglwys. I lawer un yr oedd yr Eglwys yn hŷn na'r efengylau a llythyron Paul a'r Apostolion. Pwy a benderfynodd ar Canon y Testament Newydd ond yr Eglwys. Yr Eglwys yw'r awdurdod. Ond anghytunai Calfin â hyn. Iddo ef yr oedd gosod yr Eglwys uwchlaw'r Ysgrythurau yn gosod awdurdod dynol uwchlaw awdurdod Duw.[24] Y gwir yw nad yw'r eglwys yn hŷn na'r Ysgrythur. Yr Ysgrythur yw Gair Ysgrifenedig Duw. Sut y daeth yr Eglwys i fodololaeth? Trwy alwad Duw yng ngair Duw a phregethu'r proffwydi a'r apostolion oedd yn mynegi meddwl Duw. Ac er bod yr Eglwys wedi pen-derfynu pa lyfrau y dylid eu cynnwys yn llyfrgell y Testament Newydd, fe benderfynwyd y mater ar sail yr awdurdod oedd gan y cyfrolau hyn ymysg cymuned y ffyddloniaid. Ac felly yng ngolwg John Calfin, dylid cydnabod awdurdod yr Ysgrythurau fel yr awdurdod pennaf. Dyma'r cyfrwng sydd gennym i glywed gair Duw.[25]

Ond sut y gwyddom fod Duw yn llefaru yn yr Ysgrythurau? Fe wyddom o brofiad. Yr ydym yn sicr fod yr Ysgrythurau yn Air Duw i ni, pan fo Ysbryd Duw yn ein hargyhoeddi o'n hangen am Waredwr. Y mae dadl Calfin yn un resymegol fel y gallwn gydnabod, ar y naill llaw, ond ar y llaw arall y mae ef yn disgwyl i ni astudio (fel y gwnaeth ef) yr Ysgrythurau Sanctaidd. Oher-wydd nid yw am eiliad am adael i ni blygu i unrhyw awdurdod sydd yn uwch na'r Ysgrythur.[26] Wedi'r cyfan, yn yr Ysgrythur y clywsom ni Dduw'n llefaru. Dyna oedd profiad Eseia o Jerwsalem.[27] Ond onid yw Duw'n llefaru mewn ffyrdd eraill, y tu allan i'r Beibl? Beth am yr Ysbryd Glân? Cred Calfin fod Duw'n llefaru trwy'r Ysbryd Glân.[28] Yr Ysbryd, fodd bynnag, yw awdur yr Ysgrythur. Trwy'r Gair y mae Duw'n ein dysgu ni, ac nid yw pob un yn gweld y gwirionedd pan yw'n darllen yr Ysgrythyrau. Ond pan fydd yr Ysbryd ar waith yn goleuo ein dealltwriaeth, fe dry'r brawddegau a'r geiriau yn eiriau'r bywyd tragwyddol. Darganfuwn Air Duw. Ac er bod Calfin fel ysgolhaig Beiblaidd yn rhoddi pwys ar destun y Beibl fel Gair Duw, y mae hefyd yn cydnabod fod yn rhaid i'r Ysbryd weithio ar ei ddarllenwyr a'r gymuned Gristnogol i roddi i'r Gair nerth anorchfydol yr Ysbryd Glân yn ei oes a'i amgylchfyd.[29]

Gwêl John Calfin Dduw, ym mherson yr Ysbryd Glân, yn awdur yr Ysgrythurau.[30] Pan ddywed hyn, nid yw'n golygu nad oes awduron dynol i'r Beibl. Cydnabu gyfraniad pwysig cewri'r ffydd fel Moses a Dafydd, Luc a Paul. Rhaid felly gweld Duw yn awdur yr Ysgrythur. Golyga hyn mai Duw yw'r un sy'n llefaru'r neges, ym mherson yr Ysbryd Glân, drwy eiriau Moses, Dafydd, Solomon, Luc, Paul a llu o rai eraill. Y mae'r Ysgrythur, i Calfin, fel ystafell y darlithydd neu'r athro. Dyma'r amgylchedd sydd yn gydnaws â'n hangen, fel y medrwn ddysgu am Dduw ac amdanom ni ein hunain. Sieryd â ni fel plant, yn wir gan amlaf fel babanod, gan fod iaith haniaethol yn rhy anodd i'r mwyafrif o blant dynion.[31]

Y mae'r Ysgrythur yn ein dysgu ni i ganfod Duw fel Un yn Dri. Er nad yw'r Ysgrythur yn rhoddi sylw helaeth i'r Drindod, y mae holl fframwaith yr Athrawiaeth i'w ganfod yno. Y mae'r Tri Pherson gyda'i gilydd yn Un Duw. Y mae pob un yn dragwyddol, a phob un yn cynrychioli agwedd ar Dduw. Pwysleisiodd Calfin yr agwedd Drindodaidd ar Dduw.[32] Nid oedd hyn yn newydd o gwbl a chan fod Calfin yn pwysleisio fod pob athrawiaeth a'i seiliau yn y Beibl, y mae'n arwyddocaol fod y Diwygiwr wedi pwysleisio'r Drindod. Credai rhai oedd yn rhan o'r Diwygiad Protestannaidd y dylid anghofio'r athrawiaeth hon, a dyna oedd safbwynt Michael Servetus. Ond heresi oedd y safbwynt hwnnw i Calfin a'i gyd-weinidogion.[33]

Y Duw hwn, sydd yn Drindod, yw ffynhonnell pob peth. Ef a greodd y byd ac yr oedd yn dda, yn ôl pennod gyntaf llyfr Genesis. Cynnwys y greadigaeth, yn ei dyb ef, yr holl fodau ysbrydol: angylion, ie, hyd yn oed yr angylion syrthiedig gan gynnwys y Diafol.[34] Er bod hyn yn peri penbleth i nifer ohonom ynglŷn â chrëwr daioni, i Calfin nid yw hynny'n wir. Duw sydd yn gofalu am y cyfan i gyd gan gynnwys Satan. Ni all ef wneud dim heb fod Duw yn caniatáu hynny. Ond nid yw'r bodau ysbrydol, boed hwy yn dda neu ddrwg, yn ganolbwynt y greadigaeth ac yn wrthrychau pwysicaf yng ngolwg Duw. Y mae'r anrhydedd hwn yn perthyn i ddynion a merched. Yn y ddynoliaeth y cawn, yn ôl Calfin, yr 'enghreifftiau gorau a godidocaf o gyfiawnder, doethineb a daioni Duw.'[35] Y mae'r ddynoliaeth yn goron y greadigaeth. Y mae'r ddynoliaeth yn unigryw ac yn gwbl arbennig. Crewyd y teulu dynol i fwynhau perthynas arbennig gyda'r Creawdwr. Nid oedd y pechod gwreiddiol yn rhan o'u gwneuthuriad. Lluniwyd hwy gydag ewyllys rydd, y rhyddid i ddewis cyfiawni daioni. Ym mhob agwedd ar y natur ddynol a grewyd, fe welwn adlewyrchiad o ogoniant yr Anfeidrol Dduw. Y mae'n ymddangos na all Calfin atal ei gymeradwyaeth i'r ddynoliaeth a grewyd gan Dduw. Ac y mae'n sicr fod y cyflwyno a gawn gan Calfin yn peri syndod i lawer un sy'n cysylltu'r Diwygiwr ag agwedd ddilornus, besimistaidd tuag at y natur ddynol. Ei waith ef yw ein cyfeirio at ddaioni Duw. Y mae Duw yn gofalu am ei blant, y teulu dynol. Y mae dwylo caredig Duw ar waith ym mhobman, yn cadw, cynnal a chofleidio ei drysorau dynol. A phan sieryd Calfin am ragluniaeth, dyna sydd ganddo mewn golwg. Camgymeriad dybryd yn ôl y diwinydd yw dymuno i un o'n hanwyliaid neu'n cyfeillion 'lwc dda' gan nad oes y fath beth yn bod.[36] Nid mater o lwc dda neu lwc ddrwg yw hi.

I lawer beirniad seciwlar, y mae syniadaeth Calfin yn sawru o dynghediaeth, hynny yw bod tynged dyn wedi ei threfnu ymlaen llaw. Mynegwyd y gred honno gan y Groegiaid a'r Stoïciaid gan ddadlau nad oes neb yn meddu ar ryddid. Yr ydym oll, yn Dduw ac yn ddynion, yn rhan o fyd ffawd. Dadleuodd Calfin fod y ffordd Feiblaidd yn dra gwahanol. Y mae Duw yn rhydd, ac felly hefyd yr unigolyn. Er bod Duw yn gweithredu ym mhob peth a ddigwydd, gan gynnwys popeth a gyflawnaf, yr wyf yn rhydd yn fy newis. Ond ar ôl dweud hyn i gyd, y mae'r syniad fod Duw yn gyfrifol am bopeth, yn taro'n chwithig i lawer ohonom. Y mae digwyddiadau echrydus yn digwydd ym myd natur ac ymhlith y ddynoliaeth. Cymerer y digwyddiadau a berthyn i fyd natur, fel daeargrynfâu, stormydd, mellt a tharanau, gwlawogydd a'u difrod a'r dioddefaint yn eu sgil. Ac yna cymerer y trasiedïau oherwydd camgymeriadau pobl, mewn damweiniau a chreulondeb a bywydau a dorrir i lawr gan ddrygioni pobl. Rhaid wynebu ar gwestiynau poenus na ellir eu hateb. Sut y medrwn gysoni'r dioddefaint enfawr â'n darlun o Dduw sy'n ymgorfforiad o ddaioni? Os yw Duw'n gyfrifol am bopeth sut y medrwn ni ddianc rhag dweud mai ef sydd wedi cyflwyno drygioni i'r byd?

A'r ateb syml, yn hyn o fyd, yw na allwn. Y mae Duw'n gweithredu ym mhob gweithred ddynol a phob gweithred o fyd natur. Ac eto mi fyddai'n anghywir i ni i ystyried mai Duw sy'n gyfrifol am ddrygioni yn y modd yr ydym ni yn deall hynny. Pam hynny? Oherwydd pan ydym yn ystyried moesoldeb y weithred, yr ydym yn edrych ar nifer o ffactorau, gan gynnwys bwriad yr un sy'n gweithredu yn ogystal â chanlyniad y weithred. Fe wyddom, meddai Calfin, pan fo unigolyn yn gweithredu mewn ffordd dreisiol, ei fod ef yn bwriadu cyflawni trais ac yn aml yn llwyddo i anafu person arall. Ond ym mhob enghraifft o ddigwyddiadau sy'n peri dioddefiadau, y mae Duw'n gweithio i ddwyn allan sefyllfa sydd o safbwynt Duw yn dda. O'n perspectif dynol ni nid ydym yn medru amgyffred na deall hyn. Methwn weld na sylweddoli'n llawn y canlyniadau. A'r unig ddewis sydd gennym ydyw ymddiried yn Nuw i weithredu yn ddiaonus er bod dioddefaint enbyd yn digwydd.

Nid yw'r ateb hwn yn ddigonol o bell ffordd, yn arbennig i'r credinwyr na all dderbyn y darlun o Dduw sy'n gyfrifol am ddioddefaint. Ond y mae'n werth atgoffa'n gilydd fod Calfin, pan fydd yn trafod rhagluniaeth dwyfol, yn cyfleu cydymdeimlad a thosturi. Mewn adeg o argyfwng yn hanes y gymuned Ddiwygiedig yn ninas Paris yn y flwyddyn 1557, fe ysgrifennodd eiriau o gysur i'r rhai oedd yn wynebu ar farwolaeth dreisiol, gan eu hatgoffa o gysur Salm 56, yn arbennig adnodau 8 i 11.

I Calfin y mae rhagluniaeth Duw yn gysur mawr, yn arbennig i'r rhai sydd yng nghanol stormydd enbyd a threialon a thrasiediau bywyd. I'r rhai sy'n dioddef erledigaeth y mae'r gred fod Duw yng ngofal y byd yn gysur. Fe ddysg Calfin i ni wers elfennol sy'n bwysig dros ben: y fraint o ddibynnu'n llwyr ar Dduw. Dyna neges sylfaenol Llyfr Cyntaf *Bannau'r Ffydd*. O'r neges yma daw seiliau i weddill y llyfrau sy'n dilyn. Defnyddia Duw'r duwiol a'r annuwiol i gyflawni ei bwrpas achubol. I Calfin dyma athrawiaeth o gysur. Y mae'r Creawdwr yn dal i lywodraethu dros ei greadigaeth ym mhob amgylchiad.

Yr Ail Lyfr: Sut yr adnabyddwn Dduw fel ein Hiachawdwr?

Gwybodaeth o Dduw fy Mhrynwr yng Nghrist yw ein cysur i gyd. Yn niwinyddiaeth Calfin, fel yn nysgeidiaeth draddodiadol yr Eglwys, yr un sy'n talu'r pris dros Gristnogion, fel y cânt eu gwaredu o bechod a marwolaeth, yw gwrthrych cysurlon ein ffydd, sef Gwaredwr y Byd.[37] Gan fod Calfin yn dymuno egluro Duw'r Achubydd yng Nghrist, y mae'n rhaid iddo yn gyntaf esbonio pam fod angen gwaredigaeth ar y teulu dynol.[38] Gan ddilyn diwinyddion yr Eglwys Fore, darllenodd Calfin hanes Adda ac Efa (fel y'i cofnodwyd yn Llyfr Genesis) fel cwymp llythrennol oddi wrth Ras. Y mae hyn yn golygu bod gwir wybodaeth o Dduw wedi ei golli. Dim ond trwy Grist, yr Eiriolwr, a thrwy ffydd ynddo Ef y gall gwir wybodaeth am Dduw a'i ddaioni gael ei hadnewyddu.[39] Dim ond trwy Dduw yr Achubydd yng Nghrist y gall Duw y Creawdwr gael ei adnabod. Ac felly daw ffydd yn Nuw yn unig trwy ffydd yng Nghrist, oherwydd, meddai Calfin, heb Grist y mae Duw yn anhysbys.[40]

I Galfin y mae'r holl Ysgrythurau yn gyflwyniad i Iesu Grist. Soniodd proffwydi'r Hen Destament am ddyfodiad y Crist. Er bod gallu'r Gyfraith i gondemnio wedi ei ddileu i'r rhai a gaiff eu prynu gan Grist, y mae'r drefn yn dal yn ddefnyddiol i Gristnogion newydd-anedig fel tywysydd i ymddygiad mwy derbyniol fyth. A dyna pam fod Galfin wedi esbonio'n helaeth ar y Deg Gorchymyn, gan eu bod yn werthfawr fel cynhorthwy i fyw y bywyd sanctaidd ar ôl ein hachubiaeth gan Grist.[41]

Er bod Galfin yn ddigon parod i gydnabod fod yr holl Feibl yn tystiolaethu i Grist, fe ddysgodd ei ddisgyblion yn Genefa fod y datguddiad llawnaf a chliriaf o Grist yn dod trwy'r Testament Newydd ac yn arbennig ar dudalennau y pedair efengyl. Y mae fel petai'r Artist Dwyfol wedi gwneud darlun o Grist mewn pensil ar gyfer yr Hen Destament, ond yn y Testament Newydd ar gynfas eang cafwyd portread mewn paent llachar.[42]

Treuliodd Galfin y gweddill o'r Ail Lyfr yn *Bannau'r Ffydd* i ysgrifennu'n benodol am Grist a sut i'w ddehongli a'i ddeall. Crist yw'r cyfryngwr rhwng Duw a'r ddynoliaeth, yn rhannu, fel y dywedwyd, dwy natur, y natur ddynol a'r un ddwyfol. Ac y mae'n digwydd, yn ôl Galfin, bod y ddwyfol a'r ddynol natur yn tyfu gyda'i gilydd. Oni bai am hyn byddai'r agendor y tu hwnt i ni, ond yn awr, gallwn ymfalchïo bod Duw yn preswylio yn ein plith.[43]

Dyma'r rheswm y gwisgodd Crist wisg ddynol, sef siwt o gnawd. Heb hynny, ni fyddai modd iddo fod yn gyfryngwr rhwng Duw a'r ddynoliaeth, a dyna'n fyr oedd holl bwrpas yr ymgnawdoliad, sef prynedigaeth y pechadur. Ac felly o reidrwydd y mae'n rhaid gweld Crist yn ei fawredd, y gwir Dduw a'r gwir ddyn. Credai Galfin fod Crist wedi gwireddu ei swyddogaeth fel cyfryngwr o dan oruchwyliaeth driphlyg, sef fel proffwyd, offeiriad a brenin.[44] Fel proffwyd y mae Crist yn tystiolaethu i Ras Duw, fel offeiriad y mae yn eiriol ar ran y crediniwr ac yn gwneud iawn am bechod, ac fel brenin y mae'n llywodraethu teyrnas ysbrydol y prynedigion am byth gan ofalu am eu hanghenion.[45]

Yr oedd Galfin yn llwyr gredu fod ufudd-dod Iesu Grist ar y Groes a'i farwolaeth yn ddigonol. Marwolaeth Crist oedd y taliad am bechod, ac yn ôl Credo'r Apostolion, efe 'a ddisgynnodd i uffern', i gynrychioli'r poen ysbrydol yr oedd Crist yn barod i'w ddioddef er mwyn ei braidd.[46] Trwy ei ufudd-dod a'i farwolaeth, harddodd Crist ras ac iachawdwriaeth Duw gan eu cyflwyno i'w ganlynwyr. Pam? Ateb Calfin oedd hyn: 'Y mae Gras Duw wedi ordeinio'r ffordd hon o iachawdwriaeth i ni.'[47] Yr ydym yn abl oherwydd Crist i adnabod Duw nid bellach fel barnwr cyfiawn ond fel tad cariadus a haelionus. Y mae Iesu Grist yn dangos i ni wyneb cariadus Duw.

Y Trydydd Llyfr: Y ffordd yr ydym yn derbyn Gras Crist.

Yn nhrydedd llyfr *Bannau'r Ffydd* y mae Calfin yn ysgrifennu ar y modd y derbyniwn ras Duw, a'r bendithion a ddaw drwyddo, a'i ganlyniadau. Pwysleisia Calfin fod yr Ysbryd Glân yn gweithio'n rymus ar galon y Cristion er mwyn iddo werthfawrogi ei Waredwr. Dyma 'ynni cyfrinachol yr ysbryd', trwy yr hwn y 'deuwn i fwynhau Crist a'i fendithion.'[48]

Gwaith amlycaf yr Ysbryd Glân yw creu ffydd. Beth felly yw'r ffydd y mae'r Ysbryd Glân yn ei chyflwyno i'r Cristion? Ateb y Diwygiwr yw hyn: 'Ystyriwn ffydd fel gwybodaeth o ewyllys Duw tuag atom, a ddeallwn trwy'r Gair.'[49] Y mae'r Gair Bywiol, sef Crist yn tystio i'r Gair Ysgrifenedig, sef yr Ysgrythur, a gyhoeddir yn y Gair llafaredig, sef y bregeth, a'i arddangos trwy'r Gair Gweledig, sef y Cymun Bendigaid. Y mae pob un yn dangos y ffordd i'r Cristion at Dduw. Ac felly Ffydd, yn ôl Calfin, yw gwybodaeth bendant o ewyllys da Duw tuag atom, a adeiladwyd ar y gwirionedd â'r addewidion a roddwyd gan Iesu Grist, ac a gyflwynwyd i'n meddyliau a'i gadarnhau yn ein calonnau trwy'r Ysbryd Glân.'[50] A chofiwn mai ar lwybr ffydd, y cychwynna'r broses a eilw Calfin yn ailenedigaeth. Y mae'r Cristion yn byw y bywyd newydd fel canlyniad i brynedigaeth. Bellach y mae'n blentyn i Dduw, yn ymwybodol o'i fraint ac yn dyheu am fedru byw yn fwy tebyg i Iesu Grist. Ar ôl ei gyfiawnhau gan Grist, y mae'r Cristion yn cychwyn bywyd o sancteiddhad, y bywyd duwiol. Ac felly i Calfin y mae'r broses o brynedigaeth nid yn fater o gred yn unig. Y mae'n achub y person cyfan. Athrawiaeth bywyd ydyw.[51]

Sonia Calfin hefyd am ryddid Cristnogol. Gydag ailenedig-aeth, y mae'r Cristion yn rhydd o hualau'r Gyfraith, y sonnir cymaint amdani yn yr Hen Destament a hefyd yn epistolau Paul. Ni all y Gyfraith gondemnio na chreu euogrwydd bellach. Yng nghyswllt ffydd, y mae Calfin yn ein dysgu am weddi, ac yn arbennig am Weddi'r Arglwydd fel patrwm ein ysbrydolrwydd. Cyfeiriwyd eisoes at athrawiaeth Calfin a'r rhagordeiniad sydd yn cael ei drafod bron ar derfyn y trydydd llyfr. Edrychai Calfin ar yr athrawiaeth hon, yng nghyswllt Ffydd. Dyna pam y mae'n trafod y pwnc yn y Drydedd Gyfrol. Gwêl Calfin lu o adrannau yn yr Ysgrythurau sydd yn cynnal a chefnogi'r athrawiaeth, a chred hefyd fod y syniad yn egluro llawer iawn o agweddau a syniadaeth pobl o bob cefndir. Er enghraifft, fe gred llu o bobl fod yr efengyl yn werthfawr; os felly, meddai'r diwygiwr, pam na fyddai rhagor ohonynt yn byw eu bywydau yn unol â dysgeidiaeth Efengyl yr Arglwydd Iesu. Ond credai Calfin fod derbyn iachawdwriaeth yn golygu fod yr Ysbryd Glân ar waith o fewn bywyd ysbrydol y Cristion, yn hytrach na bod y credadun yn gwneud y dewis ei hun.

Cydnabyddwn fod llawer o'r rhai a fagwyd o fewn yr Eglwysi Presbyteraidd wedi ei chael hi'n anodd deall, amgyffred a derbyn rhagordeiniad, naill ai yn fersiwn Calfin neu yng ngweithiau'r Piwritaniaid. Ond rhaid pwysleisio, ar y llaw arall, fod John Calfin ei hun wedi derbyn cryn lawer o gysur o'r athrawiaeth.[52]

Y Pedwerydd Llyfr: Cyfryngau Gofal

Y mae'r llyfr hwn yn bwysig i John Calfin gan iddo dreulio'r rhan helaethaf o bob dydd yn pwysleisio gwerth yr hyn a alwn yn Gyfryngau Gofal. Cofiwn mai diwinydd mawr yr Eglwys fel cymuned y saint yw John Calfin. I Calfin, fel i Awstin, y mae Duw wedi ordeinio cymunedau i gyfarfod yn enw Crist a chael eu galw'n eglwys.[53] O fewn yr Eglwys paratôdd Duw weinidogaeth y Gair. Er ei fod yn cydnabod fod yr Eglwys Babyddol wedi magu aml i Gristion gloyw, ni all beidio â thanlinellu methiant ystrwythur, arferion a gweinidogaeth yr Eglwys Gatholig Rufeinig. Holl bwrpas ei brotest ef ac eraill oedd ymddihatru o'r

traddodiadau dynol a chaniatáu i'r Efengyl sefydlu'r blaenor-
iaethau yn hanes yr Eglwys.[54]

I Calfin y mae'r Wir Eglwys yn bodoli lle bynnag y caiff Gair
Duw ei bregethu a'r ddau sacrament eu gweinyddu yn
effeithiol.[55] Credai hefyd fod angen disgyblaeth ar yr aelodau,
ond ni osodai hynny fel un o arwyddion y wir Eglwys.[56] Rhydd
ofod i'r ddau Sacrament, gan bwysleisio fod y dŵr yn y bedydd yn
arwydd o'r glanhad, a'r bara a'r gwin yn arwydd o gorff Crist ar
y Groes a'r gwaed a redodd i'w gofio fel moddion prynedigaeth y
pechadur.[57] Dadleua'n gryf mai dau sacrament a ddylai fod o
fewn yr Eglwys ac nid saith.[58]

Y mae Calfin yn cwblhau ei gyfrol gyda phennod ddiddorol ar
lywodraeth gwlad. Cychwynna'r gyfrol trwy annerch brenin
Ffrainc a daw y *Bannau* i ben gydag ymdriniaeth â llywodraeth.
Fel llawer o'r diwygwyr, Luther yn arbennig, ofnai Calfin anhrefn
gwleidyddol a gwladol. Yr oedd rheidrwydd i gael llywod-
raethwyr a llywodraeth ar bob cymuned, dinas a gwlad. Nid oedd
yn gwbl gyfforddus gyda democratiaeth, oherwydd ei fod ef yn
sylweddoli gwendid yn y llywodraethwyr a'u hawch am bŵer a
grym.[59] Yr oedd gwendid y natur ddynol yn ei ddychryn a
gwelodd hyn ei hun yn ninas Genefa. Credai fod y llywod-
raethwyr yn cael y cyfrifoldeb o lywodraethu am fod Duw wedi
ordeinio hynny. Iddo ef dylai'r dinesydd ufuddhau i'r
llywodraethwyr. Er hyn i gyd nid oedd Calfin yn barod i adael yr
holl awdurdod i lywodraeth ddynol.

Galwyd ef gan W. Fred Graham yn 'Chwyldroadwr
Adeiladol'.[60] Er nad oedd Calfin yn barod i gefnogi dinasyddion
oedd am ddymchwel llywodraethau, eto'r oedd yn barod i roddi
sêl ei fendith ar y rhai oedd am gael gwared ag unben, yn
arbennig gwrthwynebwyr o fewn y senedd neu'r llywodraeth.
Credai fod y rhai oedd yn dal swyddi o awdurdod yn gyfreithiol o
dan lywodraethwr â hawl i ddymchwel y llywodraeth ac y medrai
Duw eu defnyddio i wneud hynny. Felly, yn ôl rhesymeg Calfin,
yr oedd hi'n gyfiawn i drosglwyddo pwerau o fewn llywodraeth,
hyd yn oed gyda grym, os y gwneid hynny gan bobl oedd wedi
cael cefnogaeth y cyhoedd yn y lle cyntaf ac wedi eu hethol gan y
dinasyddion. Er hynny, ni chredai fod unrhyw lywodraeth na

llywodraethwr yn meddu ar reolaeth absoliwt. Yn rhan olaf ei lyfr, rhybuddia Calfin mai Duw, yn hytrach na llywodraethwyr dynol, oedd yn deilwng o'n hufudd-dod. Ac fel y mae'n tystio yn y frawddeg olaf o'i gyfrol : 'Fe gawsom ein prynu gan Grist am bris uchel... ac felly... ni ddylem fynd yn gaethiwus i ddyheadau pechadurus dynion na bod yn ddarostyngedig i'w hannuwioldeb.'[61] Ac ar y nodyn rhybuddiol yna y mae John Calfin yn diweddu ei gyfrol fawr ar dduwioldeb. Yr oedd ganddo barch i'r strwythurau gwleidyddol a chredai y dylem gymryd rhan yn y sefydliadau a geir mewn cymdeithas. Y mae rheidrwydd arnom dalu ein trethi, defnyddio'r llysoedd a bod yn barod i ufuddhau i'r deddfau sydd yn deg a chyfiawn. Wedi'r cyfan y mae ein harweinwyr yn gyfrifol i Dduw, ac Ef yw ffynhonnell pob awdurdod.

Daw y ffydd Gristnogol oddi wrth Dduw, ac Ef sydd yn llefaru wrthym, yn ein gwahodd a'n cludo i gymdeithas yr Arglwydd Iesu. Gallwn ymddiried yn Nuw a phwyso'n gyfan gwbl ar ei addewidion. I Calfin: 'Yr Arglwydd yw Brenin y brenhinoedd, a rhaid i bawb wrando arno pan egyr ei enau. Arno ef y mae'n rhaid gwrando.'[62] Yn Nuw ac ynddo ef yn unig y cawsom ni, ei braidd, ein gosod yn ddarostyngedig i'r rhai a alwodd ef yn arweinwyr.

1 Barn Roger E. Olson am Calfin yw mai ef a gynhyrchodd: 'the first true Protestant systematic theology.' Gw. Olson, *The Mosaic of Christian Belief: Twenty Centuries of Unity and Diversity* (Downers Grove, 2002), 74.
2 Beirniada Preserved Smith Calvin am ei ddiffyg fel meddyliwr gwreiddiol. Gw. Smith, *Reformation in Europe*, 131, ond dywed Michael Walzer nad diwinydd nac athronydd mohono ond gŵr y syniadau ideolegol: 'alltud Ffrengig oedd wedi ei lyncu gan wleidyddiaeth Genefa.' Gw. Walzer, *The Revolution of the Saints: A Study of the Origin of Radical Politics* (Cambridge, 1965), 25.
3 John Calvin, *Institutes of the Christian Religion* (Peabody, 2008), 7.
4 Jean-Daniel Benoit, 'Calvin the Letter Writer', cyf. G. R. S. Cox yn G. E. Duffield (gol,), *John Calvin: Courtenay Studies in Reformation Theology*, (Grand Rapids, 1966), 67-101; Douglas Kelly, 'The Collected Letters of John Calvin', *Scottish Journal of Theology XXX* (1977); 429-37.
5 I. John Hesselink, 'Calvin's Theology', yn Donald M. Mckim (gol.), *The Cambridge Companion to John Calvin* (Efrog Newydd, 2004), 75.
6 Calvin, *Institutes*, xiii-xxxvi

7 Geilw Calfin y Brenin yn Weinidog i Dduw, *ibid.*, xxv.
8 *ibid.*, xl. Caiff y cyflwyniad ei ddyddio o Genefa 1 Awst 1559 gyda brawddeg sy'n amlygu ei ostyngeiddrwydd: 'Ffarwel, ddarllenydd caredig, os cei unrhyw fantais o'm llafur, cynorthwya fi gyda'th weddïau i'm Tad nefol.'
9 *ibid.*, xli.
10 *ibid.*
11 *ibid.*, 5.
12 Nid yw Calfin yn orhoff o Anselm fel diwinydd; gwell ganddo o lawer waith diwinyddol Origen a Peter Lombard: gw. Calvin, *Institutes*, 160.
13 *ibid.*, 8.
14 *ibid.*, 9.
15 *ibid.*, 16-17 a 21.
16 Dyfynna Calfin Salm 8, adnodau 2 a 4, gw *Institutes*, 17.
17 *ibid.*, 18.
18 *ibid.*, 23.
19 Reeves, *The Unquenchable Flame*, 88.
20 Ni allai Calfin oddef y Babaeth ac ni fu ei ymweliad â Rhufain o gymorth yn y byd i'w gymodi ag eglwys ei fagwraeth. Gw. Selderhuis, *John Calvin*, 102-3.
21 Calvin, *Institutes*, 26.
22 *ibid.*, 27.
23 Sonia Calfin am Dduw yn mynegi ei hun ar lwybr oraclau a gweledigaethau. Gw. *Institutes*, 27.
24 Credai Calfin gydag angerdd mai'r Ysgrythurau oedd Gair Duw. Gw. Charles Partee, 'Calvin's Polemic: Foundational Convictions in the Service of God's Truth', yn Wilhelm H. Neuer a Brian G. Armstrong (gol.), *Calvinus Sincerioris Religionis Vindex* (Kirksville, 1997), 97-122.
25 Hans-Joachim Kraus, 'Calvin's Exegetical Principles', cyfieithiwyd gan Keith Krim yn *Interpretation: A Journal of Bible and Theology XXXI* (1997), 18.
26 David L. Puckett, *John Calvin's Exegesis of the Old Testament* (Louisville, 1995), 45-47.
27 Dywed John Goldingay, 'What we read in Isaiah I is something Isaiah saw that not everyone could see; more literally or more usually, he heard God speak (1: 2, 10-11, 18, 20, 24)', Gw. John Goldingay, 'The Theology of Isaiah', yn David G. Firth and H. G. M. Williamson (goln.), *Interpreting Isaiah: Issues and Approaches* (Nottingham, 2009), 169.
28 *Calvin, Institutes*, 1:13:14, 76.
29 *ibid.*, 3:1:1, 349.
30 *ibid.*, 3:1:4, 351.
31 Christopher Elwood, *Calvin for Armchair Theologians* (Louisville, 2002), 52.
32 Pwysleisia Benjamin Warfield, Calfinydd adnabyddus o'r Unol Daleithiau, gyfraniad pwysig Calfin i athrawiaeth y Drindod yn Warfield, *Calvin and Calvinism* (Efrog Newydd, 1931), 71, 82.
33 Cyhuddwyd Calfin ei hun gan Pierre Caroli o heresi Ariaeth (Arianism) am ei fod yn anwybyddu'r term y Drindod.Gw. Karl Barth, *The Theology of John Calvin*, cyf. Geoffrey W Bromiley (Grand Rapids: 1995), 309-45.
34 Elwood, *Calvin for Armchair Theologians*, 57.
35 *ibid.*

36 *ibid.*. 59.
37 Ceir esboniad cynhwysfawr gan Stephen Edmondson, *Calvin's Christology* (Caergrawnt, 2004).
38 John Jansen, *Calvin's Doctrine of the Work of Christ* (Llundain, 1956),13.
39 David Willis, *Calvin's Catholic Christology:The Function of the So-Called Extra Calvinisticum in Calvin's Theology* (Leiden, 1966), 99. Sonia Willis am ddefnydd Calfin o'r term Eiriolwr. Sonia amdano fel 'Eiriolwr Prynedigol yn y cnawd a'r Eiriolwr sydd yn Dragwyddol Fab Duw.'
40 Davis, *John Calvin*, 78.
41 *ibid.*
42 *ibid.*, 79.
43 Calvin, *Institutes*, 2:12:1, 165.
44 *ibid.*, 2:15:1, 319.
45 *ibid.*, 2:15:2, 139.
46 *Llyfr Gwasanaeth Eglwys Methodistiaid Calfinaidd Cymru*, 'Credo'r Apostolion' (Caernarfon, 1958), v.
47 *ibid.*, 2:17:1, 123.
48 *ibid.*, 3:1:1, 349.
49 *ibid.*, 3:2:6, 358.
50 *ibid.*, 3:2:7, 390.
51 *ibid.*, 3:6:4, 389.
52 Un arall a gafodd yr un cysur â Calfin oedd y pregethwr adnabyddus o oes Fictoria, Charles Spurgeon. Gw. D. Ben Rees, *Pregethu a Phregethwyr* (Dinbych, 1996), 150-162, ac H. Thielicke (gol.), *Encounter with Spurgeon* (Llundain, 1964).
53 Y mae Calfin yn dyfynnu'n amlach yn yr *Institutes* o waith Awstin na neb arall. Cyfrifais 80 o gyfeiriadau yn argraffiad Gwasg Henrickson a gyhoeddwyd yn 2008.
54 McGrath, *Christianity's Dangerous Idea*, 252-258.
55 Calvin, *Institutes*, 4:1: 9, 678.
56 *ibid.*, 4:1:10, 679.
57 Dywed Calfin am y Bedydd yn *Ffydd i'n Dydd*: 'Mae bedydd yn cynrychioli dau beth yn arbennig: yn gyntaf, y golchiad a gawsom trwy waed Crist; yn ail, marweiddiad y cnawd yr ydym wedi ei brofi trwy ei farwolaeth ef'. Gw. John Calvin, *Ffydd i'n Dydd*, addasiad Cymraeg Euros Wyn Jones (Llangefni, 2003), 66-7.
58 Diddorol yw'r pwyslais a rydd yn *Ffydd i'n Dydd* ar Swper yr Arglwydd a'r Bedydd fel arwyddion yn hytrach na symbolau. Sonia Euros Wyn Jones am y pwynt hwn mewn troednodyn ar dudalen 70. Gw. hefyd Paul T. Fuhrmann, *Instruction in Faith* (Llundain, 1949), 223.
59 Davis, *John Calvin*, 83.
60 W. Fred Graham,*The Constructive Revolutionary: John Calvin and His Socio-Economic Impact* (Atlanta, 1978).
61 Calvin, *Institutes*, 4:20:32, 988.
62 Calvin, *Ffydd i'n Dydd*, 77-8.

John Calfin a'r Gymdeithas Gyfan

Y mae'n gwbl naturiol i Galfinydd gymryd rhan flaenllaw mewn gwleidyddiaeth ar lefel leol a chenedlaethol. Rhoddodd John Calfin le pwysig yn ei glasur i natur llywodraeth sifil, a dyletswyddau a chyfrifoldebau'r Cristnogion at awdurdod gwleidyddol.[1] Y mae'n hynod o bwysig ein bod yn treulio amser yn trafod a deall natur gwleidyddiaeth ac awdurdod y gwleidydd. Cafodd aml un o ddilynwyr Calfin drafferth i ddeall hyn a chlywsom y gri: 'Ni ddylai pregethwr neu ddiwinydd ymwneud â gwleidyddiaeth o gwbl'. Gwn o brofiad am hynny, ond diffyg gwybodaeth ddybryd sy'n gyfrifol am y safbwynt. Ateb Calfin fyddai: 'Darllenwch eich Beiblau ac fe gewch weld pam y dylech ymboeni am wleidyddiaeth.'

Y mae'r ddau Destament, y cyntaf a'r ail, yn llawn consyrn am faterion sy'n ymwneud â gwleidyddiaeth. Nid oes angen i ni ond darllen Llyfr Amos i weld pwysigrwydd y proffwyd sy'n barod i godi ei lais a mynnu gosod cyflwr y trueiniaid gerbron y llywodraethwyr. Cawn yr un diddordeb a phwyslais yn y Testament Newydd, yn arbennig yn nysgeidiaeth Iesu a'i gefnogaeth ddi-ildio i'r rhai sy'n ymwadu â thrais ac yn cofleidio cariad a gofal, bywyd a hunanaberth a heddychiaeth. Nid cadw'r sefydliad mewn bodolaeth pan yw'n methu cyflawni ei briod waith oedd agwedd Iesu. Gwelodd bydredd yn y Deml a chyflawnodd ei brotest wrth ddymchwel byrddau'r cyfnewidwyr arian. Ond erbyn dyddiau John Calfin yr oedd yr Eglwys Babyddol wedi colli'r awch i fod yn gydwybod i gymdeithas ac yn arbennig i atgoffa tywysogion a brenhinoedd o'u cyfrifoldebau am y dirmygedig a'r difreintiedig. Duw oedd wedi dewis y llywodraethwyr, wedi'r cyfan, ac felly rheidrwydd mawr oedd plygu i'w hawdurdod. Gwnaeth Martin Luther yn eglur iawn ei safbwynt ef, sef, yn y lle cyntaf, parchu'r gydwybod, ac yn yr ail le, parchu'r llywiawdwyr.[2] Gosododd Luther y gydwybod fel cloch i'n galw i weithredu'n ddeinamig mewn cymdeithas. Cafodd y gwersyll Protestannaidd lawer iawn o'i dystiolaeth herfeiddiol trwy Galfiniaid, a benthycwyd syniad Luther yn ei grynswth. Gwyddom am yr adeg lle y dywedodd Luther: 'Dyma'r lle'r wy'n sefyll. Helpa fi o Dduw.' Ni allwn wneud dim chwaneg, meddai Luther na Calfin, ond gwrthwynebu llywiawdwyr y bobl ar dir cydwybod. Etifeddion Luther a Calfin ydym ar yr adeg honno.

Ond rhaid cofio'r ochr arall i'r geiniog tra bo Luther yn y cwestiwn. Yn ymrafael gwaedlyd Gwrthryfel y Gwerinwyr 1524-5 yng ngwlad yr Almaen ochrodd Luther gyda'r awdurdodau yn gyfan gwbl. Dadleuodd ei bod yn ddyletswydd parchu ac ufuddhau i rym y tywysog, er mawr siom i lawer un o'i ddilynwyr. Un felly oedd Zwingli.[3] Ond yr oedd grŵp arall mwy radical o bell ffordd, sef 'Adain Chwith' y Diwygiad Protestannaidd.[4] Yr oeddent hwy'n dadlau'n unol â lle'r gydwybod yn ein bywydau ysbrydol. I'r garfan hon, ein perthynas â Duw sy'n llywio ein holl ymateb i gymdeithas ac nid parchu tywysogion sydd ar gyfeiliorn.[5]

Yn y sefyllfa anodd hon, dangosodd Calfin ei allu fel diwinydd a gwleidydd. Gwyddai yn dda am safbwynt Adain Chwith y Diwygiad, sef agwedd yr Ail Fedyddwyr, ond pe bai ef yn mabwysiadu'r agwedd honno fe wyddai nad oedd gobaith i'w ddiwinyddiaeth na'i syniadaeth dreiddio ar hyd a lled cyfandir Ewrop. Ni fyddai chwaith yn ffyddlon i'r Testament Newydd. Byddai ef yn cael ei gondemnio'n ddidrugaredd ym mhob gwlad lle y ceid y fflam Brotestannaidd. Ond wrth dderbyn safbwynt mwy canol y llwybr a chefnogi Luther a Zwingli, byddai gobaith da i'w safbwynt gael clust y llywiawdwyr. Dyna a wnaeth ar ôl mynd yn ôl i Genefa: parchu'r bobl a osodid mewn awdurdod fel yr ustusiaid, y cynghorwyr ac ymhellach fyth yr awdurdodau seciwlar fel y brenin, y tywysog a llywiawdwyr eraill. Credai nad oedd dewis ganddo ond coleddu safbwynt y *status quo*. Pobl yn meddu ar awdurdod dwyfol oedd yr ustusiaid, a phan oeddent yn cyfeiliorni ac yn methu gweithredu cyfiawnder, dyletswydd disgybl Crist oedd gwrthwynebu. Y mae'r safbwynt hwn yn dal yn rymus o fewn yr Eglwys Gristnogol o bob traddodiad.

Felly yr oedd Calfin yn credu, yn wahanol i Luther a Zwingli, na ddylid plygu glin yn wasaidd i'r awdurdodau seciwlar ar bob amgylchiad. Pan oedd yr awdurdodau'n cadw at eu cyfrifoldebau a roddwyd iddynt gan Dduw, yna dylid eu parchu, ond pan oeddent ar gyfeiliorn dylid ar bob cyfrif eu gwrthwynebu'n gyhoeddus. Dyna fel y ceisiodd ef ymddwyn ei hun yn ninas Genefa, ond bu beirniadu arno yn aml am fethu cadw'r grym eglwysig a'r grym seciwlar ar wahân. Toddai'r ddau i'w gilydd o dan ei arweiniad. Wedi'r cyfan, i Calfin yr oedd llywodraeth sifil yn rhodd oddi wrth Dduw ac yn ddatganiad o lywodraeth ddoeth Duw o'i fyd.

Fe adlewyrchai'r hyder a'r agwedd obeithiol at allu gwleidyddol a awgrymwyd yng nghyngor Paul i'r Cristnogion cynnar yn ninas Rhufain:

> Y mae'n rhaid i bob dyn ymostwng i'r awdurdodau sy'n ben. Oherwydd nid oes awdurdod heb i Dduw ei sefydlu, ac y mae'r awdurdodau sydd ohoni wedi eu sefydlu gan Dduw (Rhufeiniaid 13, 1).

Gwelai Calfin y cyfan yn llesol. Derbyniai ymhellach gyngor Paul i'r Rhufeiniaid:

> Y mae'r llywodraethwyr yn ddychryn, nid i'r sawl sy'n gwneud daioni, ond i'r sawl sy'n gwneud drygioni. A wyt ti am fyw heb ofni'r awdurdod? Gwna ddaioni, a chei glod ganddo. Oherwydd gwas Duw ydyw, yn gweini arnat ti er dy les. Ond os drygioni a wnei, dylit ofni, oherwydd nid i ddim y mae'n gwisgo'r cleddyf. Gwas Duw ydyw, ie dialydd i ddwyn digofaint dwyfol ar drwgweithredwr. (Rhufeiniaid 13. 3-4).

Ni allai Calfin ddioddef pobl oedd yn bychanu a chasáu awdurdod. Dyna pam nad oedd yr Ail Fedyddwyr yn dderbyniol yn ei olwg. Yr oedd ganddynt wrthwynebiad sylfaenol i lywodraeth y wladwriaeth. Ni chredent y gallai'r Cristion barchu llywodraeth a ddefnyddiai'r cleddyf a grym i gadw trefn.

I Calfin yr oedd y syniadau hyn yn wallgof ac yn sawru o

ddiffyg pwyll. Iddo ef yr oedd y wladwriaeth a'r eglwys i fod ar wahân yn gwasanaethu bwriadau Duw. Yr eglwys oedd i ofalu ar ôl y materion ysbrydol, y wladwriaeth oedd â gofal am yr allanol bethau a gwleidyddiaeth yn eu hystyr ehangaf. Y mae angen yr eglwys ar y wladwriaeth gan fod cyfraniad corff Crist i fwydo eneidiau yn gwbl anhepgorol er mwyn cadw heddwch yn y gymdeithas. Y mae angen y wladwriaeth ar yr eglwys oherwydd, heb gyfraith a threfn heddwch, a'r cyfiawnder a ddaw o lywodraeth wladol, ni all crefydd ffynnu. Yr oedd gan y ddau sefydliad eu ffiniau a dylid parchu'r ffiniau hynny. Pan benderfynodd Thomas Jefferson (1743-1826) y dylid cadw'r eglwys a'r wladwriaeth yn gwbl ar wahân yn yr Unol Daleithiau nid oedd hynny'n hollol yr hyn oedd gan Calfin mewn golwg.[6] Ond y mae'n debyg y medrai ddeall pam y bu iddynt lunio cyfansoddiad o'r fath ar gyfer y byd newydd.

Rhaid i'r Cristion yn anad neb gymryd cyfrifoldeb am y byd o'i amgylch, y gymdeithas ddynol, y peirianwaith at wasanaeth y dinasyddion, y cyfrifoldeb i gadw trefn ar bawb a phob un. Y mae'r byd y'n cawn ein hunain ynddo yn gymysgfa o ddrygioni a daioni, o hunanoldeb ac o wasanaeth, o gasineb ac o gariad, ac ni ddylem ddianc o'n cyfrifoldebau parthed sefydlu teyrnas Dduw. Y dewis sydd gennym yw derbyn y byd neu ei wrthod. Troediodd carfan dda o fewn yr eglwys lwybrau'r fynachlog ac o ymwadu â galwadau teulu a chymdeithas, llwybr nad oedd yn dderbyniol i Calfin a'i ganlynwyr. I Iesu nid byd gwael i'w adael yn llonydd yw'r byd presennol ond byd i'w gofleidio a gweithredu yn gadarnhaol o'i fewn. I Calfin, y Babaeth a lurguniodd y gwirionedd ac a wnaeth y ffydd yn ffuantus gan gyhoeddi sloganau fel 'Nid oes iachawdwriaeth y tu allan i'r Eglwys.' Gwelai Calfin y Babaeth yn llawer rhy gyfyng ei gwelediad ac yn anghofio cofleidio holl weithgaredd y person dynol, coron y greadigaeth. Cyfrwng oedd yr unigolyn ger bron Duw i wella'i greadigaeth ar y ddaear mewn ffordd hunanddisgybledig a hunanaberthol. Y mae deall y byd yn ffordd arall o ddeall Duw a thrwy hynny ei gofleidio a'i ogoneddu. Felly er mwyn cynnal a chyfrannu'n greadigol i Deyrnas Dduw ar y ddaear fe ymdrecha pob Calfinydd i ennill rheolaeth dros natur a'r pwerau sydd o fewn y byd hwnnw. Dyna pam y bu i John Calfin roddi cefnogaeth i'r celfyddydau cain, i ddiwylliant, i gerddoriaeth a llenyddiaeth. Credai fod yr Ysbryd Glân yn sancteiddio dynion a merched a fyddai'n ymwneud â'r bydoedd hyn, a'n dyletswydd ni bob amser yw eu parchu a'u datblygu fel y deuant yn offerynnau cymwys i ddylanwadau'r Duwdod ymhlith y ddynoliaeth.

Un o feddylwyr amlwg Ewrop yn nechrau'r ugeinfed ganrif oedd y cymdeithasegydd, Max Weber (1864-1924).[7] Ef a ddywedodd mai Martin Luther a greodd Brotestaniaeth ond John Calfin a'i hachubodd. Fe'i hachubwyd, yn ôl Weber, trwy greu system gymdeithasol hollol newydd. Un wedd ar y system honno oedd cyfalafiaeth. Y mae cyfraniad Weber i ddeall datblygiad cyfalafiaeth wedi dod mor amlwg ag ymdrechion meddylwyr eraill fel Karl Marx a Charles Darwin. Ysgrifennwyd ei draethawd *The Protestant Ethic and the Spirit of Capitalism* yn y flwyddyn 1904-5. Erbyn hyn fe gaiff y llyfr ei gyfrif yn glasur a seiliodd Weber ei ddamcaniaeth ar waith Calfin yn yr *Institutio*, y Gyffes Helfetaidd a Chyffes Westminster ac, fel y soniodd Ellis Roberts yn ei astudiaeth yn Gymraeg ohono, cynhwysodd hefyd yr 'elfennau canlynol':

1. Mai un Duw sydd a bod hwnnw'n hollalluog a throsgynnol;
2. Bod Duw wedi rhagordeinio pob unigolyn un ai i uffern neu i'r nefoedd, ac nad oes modd i'r unigolyn ddarganfod ei dynged;
3. Bod Duw wedi creu'r byd ac wedi rhoddi dyn ynddo i'w wasanaethu a'i ogoneddu;
4. Bod Duw yn gorchymyn i ddyn fyw ar y ddaear mewn ufudd-dod i'w orchmynion er mwyn sefydlu ei deyrnas ar y ddaear;
5. Mai diflanedig yw pethau daearol ac mai trwy ras dwyfol yn unig y gellir eu gwaredu.

Sylweddolai Weber nad bwriad Calfiniaeth oedd creu trefn gyfalafol effeithiol ond mai priod ddiddordeb Calfin oedd adfer yr eglwys i'w phurdeb adeg yr Eglwys Fore.[8] Ond oherwydd y pwyslais ar waith caled, ac ymdrech egnïol, ac am i Calfin roddi gwerth mawr ar arferion a gondemniwyd gan y Babaeth, datblygodd cyfalafiaeth o dan ei syniadaeth. Yr enghraifft yr hoffwn roddi sylw iddi yw usuriaeth. Agwedd y Babaeth oedd condemnio usuriaeth, sef y syniad canolog o dalu llog am fenthyg arian. I Calfin nid oedd dim yn anghyson â'r Efengyl mewn usuriaeth, a chredai ef fod gosod llog ar arian mor gyfreithiol ag unrhyw weithred fasnachol arall. Dadleuai na ddylai'r llog fod yn rhy uchel, y dylid ei gadw o dan chwech y cant. Cyn Calfin ceid enghreifftiau o gyfoethogion yn codi llog o ddeg ar hugain y cant. Sylweddolodd Weber fod hyn wedi bod yn allweddol yn natblygiad cyfalafiaeth.[9] Yr oedd Zwingli yn llawdrwm ar y cyfoethogion ac yn amheus iawn a welent Deyrnas Dduw. Nid felly Calfin.Yr oedd ymhél ag elw ac arian a datblygu ac ehangu busnes yn opsiwn i bob crediniwr, ac yn arbennig pan welid ymgysegriad llwyr i'r dasg. Gwaith caled ac ymroddiad oedd y rhinweddau derbyniol, a gwyddid fod hyn yn anorfod yn arwain i lwyddiant ac yn y pen draw i ennill bywoliaeth dda. Sylweddolodd Weber fod gwreiddiau'r ddamcaniaeth Galfinaidd yn hanes y genedl Iddewig yn yr Hen Destament ac yn hynny o beth yr oedd yn llygad ei le. Felly ni wadai Weber nad oedd elfennau o'r ysbryd cyfalafol i'w canfod cyn dyfodiad y Diwygiwr John Calfin, ond cyfyng oeddent. Ond gwelodd ef yn ei astudiaeth ganlyniadau ymlediad Calfiniaeth i'r Iseldiroedd, i'r Almaen,ac i Brydain. A gofynnodd gwestiwn perthnasol: Pam fod y gwledydd hyn wedi llwyddo'n economaidd yn well na dyweder Sbaen neu'r Eidal, gwledydd Pabyddol? Wrth ddadansoddi syniadau Calfin am gymdeithas gwelodd y darlun. Da y dywedodd Ellis Roberts: 'Y mudiad Calfinaidd a greodd yr hinsawdd ddiwylliannol a ganiataodd iddynt dorri'n rhydd oddi wrth y clymau ffiwdal ac ymhél â masnach a chyfalaf.'[10] A da y gwna'r Cymro ehangu ar hyn trwy ddweud:

> Eto pwysai'r grefydd yn drwm arno rhag iddo golli'r cyfoeth; gan mai gwaith caled er mwyn yr Hollalluog a'i creodd, yr oedd cyfrifoldeb arno i'w warchod a'i gynyddu. I weithredu'r cyfrifoldeb hwn buddsoddid y cyfoeth mewn banciau a chwmnïau masnachol ac yn y llywodraeth.[11]

Ni chafodd damcaniaeth Weber dderbyniad gan bawb ac ym Mhrydain cafwyd ymateb gan y sosialydd, R. H. Tawney yn ei lyfr *Religion and the Rise of Capitalism* (Llundain, 1926). Dadleuodd ef yn ddeheuig iawn bod 'ysbryd cyfalafol' wedi ei greu gan Brotestaniaeth ac nid gan John Calfin yn unig. Dangosodd Tawney nad oedd agwedd Calfin at usuriaeth ddim yn arbennig o wreiddiol.[12] Caiff pob un a ddarlleno gyfrol Tawney ymdriniaeth werthfawr â Calfin. I Tawney pwrpas byw ar y ddaear i'r Diwygiwr oedd gogoneddu Duw, ac y mae hyn i ddigwydd nid yn unig ar lwybr gweddi ond hefyd ar lwybr gweithredu. Felly sancteiddid y byd gan waith a gweddi. Deallodd Tawney Galfiniaeth fel diwinyddiaeth ymarferol. Dyma'i eiriau yn y gyfrol:

> For Calvinism, with all its repudiation of personal merit, is intensely practical. Good works are not a way of attaining salvation, but they are indispensable as a proof that salvation has been attained... For the Calvinist the world is ordained to show forth the majesty of God, and the duty of the Christian is to live for that end. His task is at once to discipline his individual life, and to create a sanctified society.[13]

Cydnabu Tawney fod Calfiniaeth wedi croesawu byd busnes i'w mynwes gyda chroeso na chafwyd erioed o'r blaen yn ysbryd y gorchfygwr yn trefnu gwladwriaeth newydd. Ni ellid dweud yn well na Tawney:

> The first half-century of the Reformed Church at Geneva saw a prolonged effort to organize an economic order worthy of the Kingdom of Christ, in which the ministers played the part of Old Testament prophets to an Israel not wholly weaned from the fleshpots of Egypt.[14]

Dadl ganolog Tawney oedd bod cyfalafiaeth wedi cymryd lle ffiwdaliaeth yn hanes gwledydd Ewrop oherwydd crefydd y Diwygiad Protestannaidd. Gwelai'n amlwg bresenoldeb y gweithiwr Protestannaidd a'r etheg Brotestannaidd yn y Swistir, yr Alban, Cymru, Lloegr, Gogledd Iwerddon, yr Iseldiroedd a chymunedau ar hyd a lled yr Unol Daleithiau, yn arbennig lle ceid Albanwyr, Cymry neu Almaenwyr. Sylweddolodd Tawney fod dilynwyr John Calfin, yn arbennig o'r unfed ganrif ar bymtheg i'r bedwaredd ganrif ar bymtheg, wedi dangos ymroddiad, llwyddiant, ysbryd mentrus na welwyd ymhlith unrhyw garfan grefyddol arall. Gosododd nifer o resymau am ei safbwynt diddorol.

a. I Calfin sancteiddid y byd masnachol a diwydiannol gan ddisgyblaeth bersonol a ymylai'n aml ar ystyfnigrwydd. Nid oedd ildio i fod o gwbl ar ôl cychwyn y fenter, ond yn hytrach lwyddiant masnachol. Dylid dal ati o fore tan nos, o fore Llun i nos Sadwrn, ac ar y Sul ymlacio llwyr a mynychu'r oedfaon a'r Ysgol Sul. Dyna'r gymdeithas a gofiaf yn Llanddewi Brefi ym mhedwardegau'r ugeinfed ganrif. Eithriad oedd gweld tyddynwyr a ffermwyr yn gorffen yn gynnar ar brynhawn Sadwrn ac yn troi i gyfeiriad pleserau Llanbedr Pont Steffan a Thregaron! Ar adeg cynhaeaf gwair, y peth pwysig oedd cael y cyfan i ddiddosrwydd y tŷ gwair cyn i Ddydd yr Arglwydd gyrraedd, gan nad oedd gweithio i fod ar y dydd hwnnw. Erbyn hyn teimlaf fy mod yn cofio diwedd dylanwad Calfiniaeth ar y gymuned Gymraeg o ran disgyblaeth lem, gadarn, a hefyd y gwerth a roddid ar nerth braich o gnawd i gyflawni'r dasg.

b. Nid oedd dim lle i bleserau ofer a di-fudd. Dysgwyd ni i sylweddoli hynny fel plant. Ychydig o deganau a ddaeth i'm cartref. Caniateid llyfr yn achlysurol, ond edrychid ar lenyddiaeth ffug fel pleser y gellid bod hebddo. Un o'r ychydig bleserau a drefnid oedd gwibdaith yr Ysgol Sul i Borth-cawl ac Ynys y Barri lle y gwelid byd gwahanol iawn. Am fod y Calfiniaid yn ymwrthod â phleser, ceid digon o gyfle o ran amser ac o ran ynni i gyflawni'r tasgau.

c. Gwerth gwaith cyson. Meddylid yn uchel o ŵr a oedd yn barod i weithio'n galed ym mha swydd bynnag y byddai. Wrth ddarllen hanes y Calfiniaid cyffredin o blith y werin Gymraeg cawn ddigon o enghreifftiau o'r pwynt a nodwyd gan Tawney. Dyna dad y meibion dawnus, Owen Thomas, John Thomas, Josiah Thomas a William Thomas (pob un wedi gwasanaethu ar lwybr dirwest a moes a'r weinidogaeth yn Lerpwl) yn cael ei bortreadu yn adeiladu Pont Menai yn 1826. Dyn cryf oedd

Owen Thomas, y tad, ac yr oedd yn weithiwr medrus. Nid oedd neb i'w guro am naddu colofn, a derbyniai gyflog uchel yn ôl safonau'r oes, sef pum swllt ar hugain yr wythnos, ond yr hyn a'i ysgogai oedd ei Galfiniaeth gadarn a etifeddwyd gan ei feibion disglair.

ch. Yr oedd llwyddiant mewn gwaith yn arwydd bod Duw'n cynnwys yr unigolyn ymhlith yr etholedig rai. Ni allwn ddadlau fod Calfin ei hun wedi dweud hyn, ond fe soniodd fwy nag unwaith fod Duw yn rhoi arwyddion i'r rhai oedd o fewn cylch ei gariad, y rhai a oedd ymhlith yr etholedig rai. Ac un o'r arwyddion yn sicr oedd llwyddiant mewn busnes, mewn coleg, mewn unrhyw gylch o fywyd. A gwelwn ddigon o enghreifftiau yn hanes Cymru o'r cyfalafwyr Calfinaidd.

Yn ôl Tawney, ac ni allaf anghytuno ag ef ar hyn, gwnaeth John Calfin gyfalafiaeth yn dderbyniol, yn angenrheidiol, ac yn system sy'n dal yn dderbyniol heddiw fel ag yn nyddiau'r Diwygiwr. Ond wrth ddarllen astudiaethau a ymddangosodd er 1926 rhaid cydnabod bod Weber a Tawney wedi dod o dan gryn dipyn o feirniadaeth. I rai cymdeithasegwyr, ni phrofwyd yn ddigon eglur y cysylltiad rhwng crefydd a thwf cyfalafiaeth, ac yn arbennig rhif (ch) uchod, sef fod cysylltiad agos rhwng Calfiniaeth a Chyfalafiaeth. Dywedodd yr economegwr o Sweden, Kurt Samuelson yn 1973 fod Pabyddiaeth wedi gorfod ymateb i gyfnewidiadau cymdeithasol oes Calfin, a chyda'r canlyniad nad oedd yr etheg Galfinaidd mor wahanol â hynny i'r etheg Babyddol. Gwnaeth Samuelson waith ymchwil i ddatblygiadau economaidd y cyfnod yn Lloegr, yr Iseldiroedd, Ffrainc a'r Almaen. Ni welodd ef ddigon o dystiolaeth mai Calfiniaeth oedd y dylanwad pennaf ar dwf cyfalafiaeth. Tynnodd sylw pendant fod cynnydd wedi digwydd ym myd masnach mewn gwledydd Pabyddol fel yn y gwledydd Protestannaidd. Rhaid hefyd cyfeirio at astudiaeth bwysig Gerhard Lenski o dref Detroit yn ei lyfr *The Religious Factor* a gyhoeddwyd yn 1961. Dadleuodd Lenski fod lle pwysig i ddamcaniaeth Weber, a gellir ei gyfrif ef yn un o'i ddisgyblion o ran gogwydd ei astudiaeth. Cred Lenski fod sail gref i'r dybiaeth fod Protestaniaid wedi bod yn llawer mwy llwyddiannus na Phabyddion ym myd busnes, ond nid yw hynny'n wir mewn tref fel Detroit. Dangosodd yr astudiaeth fod pobl wyn eu croen sydd yn Babyddion yn llawer mwy llwyddiannus mewn dinasoedd yn yr Amerig na Phrotestaniaid du eu croen. Rhaid bod yn ofalus gyda'r damcaniaethau. Er hynny, fel y dywed Ellis Roberts:

> Gellir honni nad oes un o'r beirniaid wedi llwyddo i danseilio haeriadau sylfaenol 'thesis Weber'. Yn gyntaf ymosododd llawer ohonynt arno ar sail camddarlleniad o'i fwriadau. Yn ail, gan mai astudiaeth o gyfnod yn y gorffennol a wnaeth, ni ellir dyfeisio technegau methodolegol i ddychwelyd yn ôl i'r cyfnod hwnnw a gwneud prawf empeirig.[15]

Erbyn hyn gellir dweud yn weddol ffyddiog fod yma ychydig o berthnasedd yn y ddamcaniaeth er mwyn deall John Calfin, er na ellir llyncu'r cyfan. Teimlir bod Weber fel Tawney yn tueddu i or-ddweud am y cysylltiad rhwng cyfalafiaeth a Chalfiniaeth. Credaf gydag Ellis Roberts mai barn y Ffrancwr, Raymond Aron, un a feddyliai'n uchel o Weber, sydd agosaf i'r gwir, sef 'ni ellir gwadu ei gyfraniad i'n dealltwriaeth o ddatblygiad cyfalafiaeth, a hynny yn bennaf oherwydd y cwestiynau a ofynnodd a'r gogwydd newydd a roddodd i'r drafodaeth.'[16]

A gwir yw dweud fod y gwledydd cyfalafol hyn wedi bod yn fawr eu diddordeb mewn addysg a gwybodaeth, gwyddoniaeth a chelfyddyd. Yn lle ymneilltuo o'r byd fe ofalwyd bod yn ei ganol. Ac yng Nghymru oes Fictoria cafwyd Calfiniaid a fu'n fawr eu dylanwad ym mywyd y genedl, ac fel y dangosodd Dr Bobi Jones, gellid eu hadnabod yn ôl eu gweithredoedd, o Richard Jones, Llanfrothen, i Samuel Roberts, Llanbrynmair, ac fe adleisir hyn yn syniadaeth gynnar y radicaliaid, y sosialwyr a'r cenedlaethol-wyr.[17] Gŵr yr ymhyfrydais yn ei hanes yw William Rees (Gwilym Hiraethog), ac ni ellir ei ddeall yntau ond yng ngoleuni ei syniadaeth ddiwinyddol. Ieuan Glan Geirionnydd a agorodd ei lygaid i Galfiniaeth ac adeiladodd Gwilym Hiraethog yn helaeth ar y seiliau hynny.[18] Gwelodd y Dr R. Tudur Jones debygrwydd trawiadol rhwng dysg Abraham Kuyper, gwleidydd pwysig yn hanes yr Iseldiroedd a ddaeth maes o law yn Brif Weinidog y wlad, am sofraniaeth Duw a chenedlaetholdeb radicalaidd Michael D. Jones, Calfinydd Cymraeg.[19]

Hawdd yw maentumio gormod am Calfin yn ei agwedd at gymdeithas. Gwn y caiff ei gysylltu â chwyldro a syniadau gwleidyddol radical, ond nid yw hynny'n gwbl deg. Teg nodi hefyd nad oedd yn geidwadwr. Martin Luther oedd y ceidwadwr yn feddyliol a chrefyddol.[20] Ni allaf roddi labelau democrat na radical na chwyldrowr ar Calfin, er bod elfennau o bob un o'r rhain i'w canfod yn ei fywyd prysur. Ond ei deyrngarwch cyntaf bob amser oedd i Dduw yn hytrach nag i ddynion. Byddai'n barod iawn i ategu Pedr a'r apostolion ger bron y Sanhedrin yn Jerwsalem: 'Rhaid ufuddhau i Dduw yn hytrach nag i ddynion.' Ar faterion mawr bywyd ni all y Calfin ddianc o'r safbwynt hwnnw. Dywedodd Calfin ei hun eiriau cryfach na hynny lawer tro am bobl oedd yn bychanu Duw a'i amddifadu o'i sofraniaeth yn ei fyd.

Yn ei lythyr o gyfarchiad i'r Brenin François I, ceisiodd Calfin atgoffa'r Brenin a'r awdurdodau gwladol nad oedd y Cristnogion a gynrychiolai ef yn peryglu awdurdod bydol o gwbl. Ond ni fu yn gyfan gwbl gysurus wrth ymdrin â'r cwestiwn hwn. Yn ei argraffiad olaf o'i gampwaith fe danlinella'r ffaith fod Cristnogion Diwygiedig yn cymryd o ddifrif y sefydliadau allanol (fel yr Eglwys a'r Wladwriaeth) gan fod Duw'n llywodraethu byd a bywyd drwyddynt. Ond fe awgryma hefyd fod ffyrdd ar waith i feirniadu'r sefydliadau hyn. Yr oedd hyn yn ddealledig yn ei athroniaeth gan fod y pechod gwreiddiol ym mhob person, ac oherwydd hynny, gall pob sefydliad da syrthio i beryglon a pheri poen a blinder. Yng ngoleuni safonau'r Beibl yn unig y gellir mesur a phwyso gwerth a chyfraniad pob sefydliad a welir yn ein byd. Dylai'r Cristion ymddiried yn gyntaf yn Nuw a dibynnu arno ef yn gyfan gwbl am bob dim. Dylai'r Calfinydd fod yn ddiolchgar am holl ddaioni'r Arglwydd, ac am ei roddion gwerthfawr, fel caredigrwydd Iesu, ond ni ddylem roddi gormod o bwys ar roddion sy'n prysur ddiflannu o'n gafael. Cawn ein siomi mor gyson gan ein llywodraethwyr mewn byd a betws, ond er hynny ni ddigalonnwn am fod Duw yng ngofal ei fyd.

1 Cafwyd astudiaeth hynod o dreiddgar ar ei waith gan André Biéler yn yr iaith Ffrangeg o dan y teitl, *La pensée économique et sociale de Calvin* yn 1959. Cyfieithwyd y gyfrol i Portiwgaleg yn 1990, a bellach fe welir y cyfan yn Saesneg, *Calvin's Economic and Social Thought* (Genefa, 2006).

2 D. Ben Rees, 'Martin Luther (1483-1536)', yn Rees (gol.), *Deuddeg Diwygiwr,* 107.

3 Gwir y dywedodd y Dr W. T. Pennar Davies am Zwingli: 'Gresyn iddo gydio nid yn unig yn ei Feibl ond hefyd yn ei gleddyf'. Gw. Pennar Davies, 'Huldrych Zwingli', yn Rees (gol.), *Deuddeg Diwygiwr,* 169.

4 Y mae Adain Chwith y Diwygiad yn cynnwys nifer o wahanol fudiadau a sectau. Dyma groesdoriad diddorol, gŵr fel Thomas Müntzer (1489-1525), y Mennoniaid, y Brodyr Hutteraidd a'r Ail fedyddwyr, y Bedyddwyr a'r Crynwyr. Mewn ysgrif gynhwysfawr ar Thomas Müntzer gwna'r Parchedig Ddr Hugh Matthews bwynt pwysig sef 'mai enw tylwythol am nifer o sectyddion gwahanol yw Ail fedyddwyr, a'i fod yn gamenw; er ei fod wedi gwreiddio bellach mewn hanes.' Gw. Matthews, 'Thomas Müntzer (*c.* 1489-1525)', yn Rees (gol.) *Deuddeg Diwygiwr,* 135.

5 Gobeithiai Müntzer 'mai'r tywysogion oedd yr etholedigion a chydweithiai â'r wladwriaeth ond pan siomwyd ef troes ei wyneb yn erbyn y tywysogion a'r wladwriaeth.' *ibid.,* 136.

6 Anwybyddwyd Calfin yn llwyr gan un o hyrwyddwyr y grefydd gymdeithasol yn yr Unol Daleithiau, Walter Rauschenbusch. Gw. Rauschenbusch, *Christianity and the Social Crisis* (Efrog Newydd, 1911).

7 Cymdeithasegydd enwog o'r Almaen ydoedd Weber. Gw. Ellis Roberts, *Weber,* (Dinbych, 1982); hefyd Max Weber, *The Protestant Ethic and the Spirit of Capitalism,* (Llundain, 1976); S. N. Eisenstadt (gol.), *The Protestant Ethic and Modérnization: A Comparative View* (Efrog Newydd, 1968).

8 Sylweddolodd Weber hefyd mai'r Etholedig yw Eglwys Anweledig Duw. Dyma'r frawddeg, 'The elect thus are and remain God's invisible Church.' Gw. Anthony Gidden (gol.), *The Protestant Ethic and the Spirit of Capitalism* by Max Weber (Llundain, 1976),110 a 122.

9 *ibid.,* 124.

10 Roberts, *Weber,* 25.

11 *ibid.*

12 'Nor were Calvin's specific contributions to the theory of usury strikingly original.' Gw. R. H. Tawney, *Religion and the Rise of Capitalism,* 116. Gw. Roger Fenton, *A Treatise of Usurie* (Llundain, 1612), 61.

13 Tawney, *Religion,* 117.

14 *ibid.* 234.

15 Roberts, *Weber,* 52.

16 *ibid.*

17 R M Jones, *Llên Cymru a Chrefydd,* 436.

18 Cofleidiodd Gwilym Hiraethog, fel y dywed yr Athro R. M. Jones, Galfiniaeth 'gymedrol', wedi astudio ysgrif Ieuan Glan Geirionnydd yn y *Dysgedydd* 1827. Dywedodd Hiraethog: 'Y mae'n amheus a ysgrifennodd Ieuan ddim erioed, na chynt na chwedyn, mor arabaidd, cyrhaeddgar, ac effeithiol â honno.' Ieuan Glan Geirionnydd yn ei ysgol yn Nyffryn Conwy a oedd yn gyfrifol am hyfforddi John Jones, Talsarn, yn y Galfiniaeth gymedrol. Gw R.

Tudur Jones, *Hanes Undeb yr Annibynwyr Cymraeg* (Abertawe, 1966), 173. Dr R. Tudur Jones yw'r ysgolhaig a agorodd ein llygaid i bwysigrwydd Ieuan Glan Geirionnydd fel athro Calfiniaeth. Gw. R. Tudur Jones, 'Rhyddiaith Grefyddol y Bedwaredd Ganrif ar Bymtheg', yn Geraint Bowen (gol.) *Y Traddodiad Rhyddiaith* (Llandysul, 1970), 327-8.

19 R. Tudur Jones, 'Abraham Kuyper', yn Noel Gibbard (gol.), *Ysgrifau Diwinyddol, Cyfrol 2* (Penybont ar Ogwr, 1978), 105-122.

20 Er hynny, rhaid cofio rhybudd yr Athro Glanmor Williams am Luther: 'Yn sicr, nid cymeriad ydoedd y gellid ei gylchynu o fewn cwmpas brawddeg neu ddwy.' Glanmor Williams, *Grym Tafodau Tân*, 39. A'r diweddglo i'w drafodaeth: 'Eithr nid yw rhai o ddiwinyddion diweddar yr Eglwys Lutheraidd ymhell o'u lle wrth honni mai Luther a fu'n gyfrifol am yr hyn a elwir ganddynt yn Chwyldro Copernicaidd y grefydd Gristnogol.' *ibid.*, 40.

PENNOD 14

Dylanwad Pellgyrhaeddol John Calfin

Tasg anodd bob amser yw cloriannu dylanwad person hanes-yddol pwysig fel John Calfin. Mentraf grynhoi ei ddylanwad o dan nifer o benawdau. Bu fel y gwelsom yn arweinydd pwysig yn ei ddydd, yn arbennig yn ninas Genefa.

Yn ail, fel diwinydd yr Eglwys Ddiwygiedig. Gellir dweud fod Calfiniaeth wedi ei seilio'n llwyr ar yr athrawiaeth am Dduw,a gofal am y ddynoliaeth.[1] Cofiwn fod Crist yn Gyfryngwr ac yn gwbl allweddol i Calfin, oherwydd hebddo ni allai Duw gyflwyno ei newyddion da i'r ddynoliaeth. Gwelsom bwysigrwydd Calfin fel diwinydd yr Eglwys Gristnogol, a'r Ysbryd Glân, ac am hyn i gyd y mae ei gymynrodd yn un aruthrol i waddol y ffydd Gristnogol.

Ei ddylanwad parhaol, yn drydydd, yn y byd a'r betws. Dywedodd John T. McNeil y byddai holl hanes modern y Gorllewin yn gwbl wahanol heb ddylanwad parhaol Calfin.[2] Daeth Calfiniaeth yn fudiad rhyngwladol. Yn Ffrainc gelwid y Calfiniaid yn Huguenotiaid (enw yn deillio o'r garfan oedd o blaid y Swistir yn Genefa). Genefa oedd canolfan y cenhadu mawr. Sefydlwyd Eglwys Galfinaidd ddiwygiedig yn ninas Paris yn 1555 ac o fewn tair blynedd o amser cafwyd ymateb rhyfeddol. Gwelid a chlywid pedair mil o Huguenotiaid yn addoli a moli Duw ar lwybr y gân ym mhrifddinas Paris erbyn 1558.[3] Yn wir, maentumir fod o leiaf 2,150 o eglwysi Calfinaidd yn Ffrainc erbyn 1562. Llwyddodd Calfin yn ei ddydd yn Ffrainc yn rhyfeddol am nifer o resymau. Yr oedd ef yn Ffrancwr balch, yn ymhyfrydu yn yr iaith ac yn parchu nodweddion cenedlaethol y genedl. Yr oedd yr Huguenotiaid yn bobl o ddifrif a'u moesoldeb yn creu syndod ymysg eu cymdogion. Dedfryd Preserved Smith amdanynt yw: 'In an age of profligacy, the *men of the religion*, as they called themselves, walked the paths of rectitude and sobriety.'[4]

Yn y cyfnod hwn sefydlwyd rhwydwaith anhygoel, gyda chuddfannau a thai diogel ar gyfer y cenhadon, gan fod yna sefyllfa anodd yn Ffrainc oherwydd nerth y frenhiniaeth, a'r gwrthdaro rhwng brenhiniaeth Catherine de Medici a'r uchelwyr. Sefydlwyd argrafftai yn y dirgel yn Lyons a Paris i argraffu cyhoeddiadau Calfin a bu'r rhain yn atgyfnerthiad i'r crwsâd. Lluniodd Calfin Gyffes Ffydd ar gyfer eglwysi Calfinaidd y wlad, a'u cefnogi ym mhob ryw fodd. Byddai hanes Ffrainc wedi bod yn dra gwahanol pe bai Calfin wedi cael ei ffordd a phe bai'r wlad wedi mwynhau heddwch parhaol. Wyth mlynedd ar ôl ei farwolaeth, ar 24 Awst 1572, bu cyflafan waedlyd Gŵyl St Bartholomew, pan gafodd nifer o wŷr bonheddig Protestannaidd eu lladd yn Paris.[5] Rhoddodd Catherine de Medici bob cefnogaeth i'r gyflafan a lladdwyd cannoedd ar gannoedd o Huguenotiaid. Lledodd y trais a'r erlid ledled Ffrainc, a bu hyn yn ergyd arswydus i waith cenhadol, efengylaidd y Calfiniaid. Dihangodd llawer o'r Huguenotiaid i Loegr gan ymsefydlu yng Nghaint, Norwich a Llundain, a chyfoethogi bywyd economaidd a chrefyddol Lloegr yn ddirfawr. Am yr ugain mlynedd nesaf y dewis yn wynebu Calfiniaid Ffrainc oedd gwrthryfel, alltudiaeth neu farwolaeth. Ond ni fu gweledigaeth na gweithgarwch Calfin a'i ganlynwyr yn ofer. Erbyn 1598 yr oedd tua deg y cant o'r boblogaeth yn Galfiniaid, y rhan fwyaf ohonynt yn byw yn y dinasoedd, a golygai hyn tua dwy filiwn o bobl. Ond cofier am yr ymfudo mawr oherwydd yr erledigaeth. Bu Calfin yn gwbl allweddol yn llwyddiant Calfiniaeth yn yr unfed ganrif ar bymtheg yn Ffrainc. Bu'n ffodus yn ei gydweithwyr a gwelir hynny yn ei lythyron niferus atynt.

Gwlad arall y gwelir dylanwad Calfin yn grefyddol ydyw'r Iseldiroedd. Uchelgais Philip II o Sbaen oedd gofalu fod yr Eglwys Babyddol yn tra-arglwyddiaethu yn yr Iseldiroedd fel yn Sbaen. Ond yn yr Iseldiroedd yr oedd cyhoeddiadau Calfin ar y Diwygiad yn cael derbyniad da, ac erbyn 1559 llwyddodd y Calfiniaid i lunio Cyffes a elwid yn *Confessio Belgica*. Erbyn 1560 ceid nifer o wŷr bonheddig yn cefnogi Calfin. Dyma'r bobl oedd wedi ymgyfoethogi trwy fasnach ac yn ddigon parod i gefnogi chwyldro. Hwy oedd y dosbarth canol ffyniannus. Dylanwadodd y rhain ar y dosbarth gweithiol o blaid Calfiniaeth, a thyrrodd rhai o'r Ail fedyddwyr i'r gwersyll. Yn anffodus rhannwyd y mudiad Calfinaidd yn ddwy garfan, y rhai a elwid yn Rekkelijken neu y Cymrodeddwyr a hefyd y Preciezen neu'r Cedyrn, a cheid ambell un yn gwrthryfela yn erbyn rhai o gredodau amlycaf Calfin.[6] Un felly oedd y mudiad a gychwynnwyd gan y marsiandïwr o Amsterdam, Theodore Coornhert. Gwrthodai ef y gred mewn rhagordeiniad a rhoddai'r pwyslais ar ysbryd Crist yn hytrach nag ar ddogma a seremonïau.Ond yn 1566 dechreuodd Duc Alva erlid Protestaniaid a dihangodd miloedd o Galfiniaid mewn alltudiaeth i Lundain a'r cyffiniau. Croesawodd y Frenhines Elisabeth hwy yn dywysogaidd, a'u cymell i gartrefu yn ninas Norwich. Penderfynodd y gweddill efelychu'r drefniadaeth Galfinaidd yn Ffrainc oedd wedi goresgyn erledigaeth, a dyma ddechrau'r gwrthryfel yn yr Iseldiroedd a fu yn hynod o lwyddiannus, gan ryddhau y trefedigaethau yn gyfan gwbl o hualau Sbaen. Gellid dweud fod hanes y wladwriaeth yn yr Iseldiroedd yn un o storïau mwyaf ysbrydoledig Ewrop, a chwarewyd rhan allweddol yn hyn i gyd gan y Calfiniaid. Gwelwyd dewrder amlwg yn eu hanes. Pobl oeddent a oedd yn barod i farw dros eu ffydd. Yr oedd arnynt hwy ofn chwyldro cymdeithasol pe sefydlid gweriniaeth Galfinaidd. Ond yn yr Iseldiroedd ei hun ni cheid y gwrthwynebiad hwn. Cynyddodd y Calfiniaid mewn grym, dylanwad a rhif, gan sefydlu eglwysi llewyrchus yn y dinasoedd. Yr oedd y gredo Galfinaidd yn gafael yn y deallusion a'r marsiandïwyr, a phenderfynodd William Dawel, Tywysog Oren, ymddiried ynddynt yn ei wrthryfel yn erbyn Sbaen. Cafodd eu cefnogaeth ac erbyn 1571 yn Synod Emden cyflwynwyd system Galfinaidd gyflawn.[7] Dwy flynedd yn ddiweddarach yr oedd y Tywysog wedi coleddu Calfiniaeth. Gwelodd y gogledd flynyddoedd o ddioddefaint ac o ymladd ffyrnig, ond erbyn yr ail ganrif ar bymtheg yr Iseldiroedd oedd y wlad gyda'r llynges gryfaf yn y byd, ac yr oedd yn wladwriaeth Galfinaidd. Bu disgyblion Calfin, fel Philip van Marnix (1540-98), yn fwy llwyddiannus yno nag yn Ffrainc ei hun. Rhoddodd yr Iseldiroedd Frenin i Loegr a Chymru, a sefydlodd drefedigaethau yn yr America ac yn Asia. Ffrwyth Calfiniaeth oedd y brifysgol newydd yn Leyden. Rhoddodd honno i'n byd Jacobus Arminius, a gafodd ei hyfforddi fel bugail yn Academi Genefa ryw ugain mlynedd ar ôl marw Calfin. Dychwelodd i Amsterdam i ddysgu rhai athrawiaethau gwahanol i'r rhai a dderbyniasai yn Genefa, yn arbennig ar ragordeiniad.[8] Ei safbwynt ef oedd fod Duw yn rhagordeinio pobl i iachawdwriaeth ar sail ei ragwybodaeth o'u ffydd yn hytrach nag ar sail ei ewyllys ddwyfol fel y dysgai Calfin. Ar ôl ei farwolaeth yn 1609, argymhellai'r dilynwyr, y daethpwyd i'w hadnabod fel Arminiaid, ei faniffesto fel athroniaeth grefyddol a haeddai sylw'r byd Gorllewinol ac yn y ddeunawfed ganrif daeth John Wesley a'i frawd Charles yn Arminiaid o argyhoeddiad. Yn 1618-19, cynhaliwyd synod o ddiwinyddion Diwygiedig yn Dordt (neu Dordrecht) i drafod safbwynt yr Arminiaid. Rhwygwyd y Mudiad gan ddadleuon ffyrnig a chrynhowyd y dadleuon hyn yn Bump Pwnc. Daeth Arminiaeth yn gystadleuydd gyda Calfiniaeth fel ysgol bwysig o ddiwinyddiaeth. Bu cyfraniad yr Iseldiroedd i fyd y celfyddydau, diwinyddiaeth, athroniaeth, ynghyd â goddefgarwch a rhyddid, yn fynegiant o gymeriad y bobl a'u crefydd, gan gynnwys Calfiniaeth.

Gwlad arall hynod o bwysig yn hanes y Diwygiad Protestannaidd a thystiolaeth Calfin yw'r Almaen. Yr oedd yr Almaen yn amharod iawn i gofleidio syniadau a safbwynt Calfin, gan fod Martin Luther yn eicon y genedl a Lutheriaeth wedi cael cyfle i wreiddio. Ond ni fu Calfin yn ddi-dyst a hynny yn bennaf oherwydd ymateb Frederic III (1559-76), a reolai diroedd yn ymyl yr afon Rhein, fel Etholydd rhanbarth Palatin.[9]

Bu iddo synnu a rhyfeddu at ethos Calfin ac yn arbennig y pwyslais ar ymroddiad ym myd masnach a diwydiant a hefyd y ddisgyblaeth bersonol a arferid wyneb yn wyneb â themtasiynau cnawdol. Yr oedd y Diwygiad Lutheraidd yn fregus a digon aneffeithiol yn etholaeth Palatin yng ngolwg yr Etholydd, Frederic. Gwelir yn hanes yr Etholydd ddylanwad rhai o'r Diwygwyr eraill, yn arbennig dylanwad dilynwyr Zwingli a dilynwyr Melanchthon, ond yr un oedd ar bedestal oedd y diwinydd o Genefa. Gwnaeth Frederic ddinas Heidelberg yn ddinas bwysig i Galfiniaeth Ewrop, yn arbennig yn yr Iseldiroedd a Dwyrain Ewrop.

Daeth nifer o dywysogion Almaenaidd yn Galfiniaid, a hynny oherwydd edmygedd o John Calfin ac am iddynt gofleidio'i ddiwinyddiaeth. Ac nid rhyfedd yw sylwi bod Calfiniaeth ar ddechrau'r ail ganrif ar bymtheg yn grefydd 28 gwladwriaeth Almeinig. Ond dylid nodi mai gwladwriaethau bychain oeddent. Yr oedd yr Etholaeth Balatin yn un o'r rhai mwyaf, ac felly ni ddylid rhoddi'r argraff fod Calfiniaeth wedi bod mor llwyddiannus yn yr Almaen ag y bu Lutheriaeth. Ffydd estron oedd Calfiniaeth i laweroedd yn yr Almaen, ar yr un tir ag Eglwys Rufain.

Methodd John Calfin â ffafrio undeb gyda'r Lutheriaid, yn bennaf oherwydd bod Philip Melanchthon a'i ddirprwy Joachim Westphal yn amharod i gymrodeddu. Pwysleisiai'r ddau ohonynt y gwahaniaethau amlwg rhyngddynt fel Lutheriaid a'r diwinyddion Calfinaidd.

Bu Calfiniaeth yn rym hefyd yn Nwyrain Ewrop ac yn rhan o waddol John Calfin. Cymerer y dystiolaeth sydd gennym am ddiddordeb John Calfin yng ngwlad Pwyl. Agorwyd y drws, fel petai, gan Francesco Lismanino. Yn y flwyddyn 1546 aeth ef gyda'r Frenhines Bona Sforza i Wlad Pwyl, fel ei chyffesydd.[10] Yno daeth Lismanino o dan ddylanwad Calfin, gan drefnu darllen rhannau o'r *Bannau* i'r Brenin Sigismund II Augustus ddwywaith yr wythnos. Pan gafodd Lismanino gyfle i ymweld â Calfin yn Genefa yn 1553, penderfynodd ymddihatru o'i alwedigaeth fel mynach a dod yn lleygwr Calfinaidd. Priododd cyn dychwelyd i Wlad Pwyl yn 1556. Cyn ymadael â Genefa cyflwynodd i Calfin restr o enwau tirfeddianwyr a gwŷr bonheddig yng ngwlad Pwyl y medrai'r diwygiwr ohebu â hwy gan gyflwyno cynghorion a chysuron. Ar 29 Rhagfyr 1555 anfonodd Calfin naw o lythyron i wlad Pwyl. Yn y llythyron hyn siarsiodd Calfin y Pwyliaid i ddal yn ffyddlon yn y ffydd ac i wneud eu gorau glas i hyrwyddo'r Diwygiad Protestannaidd o fewn cylch eu dylanwad. Yn ei dyb ef, yr oedd dau beth pwysig, sef cyfieithu'r Ysgrythurau i'r iaith frodorol a sefydlu Academi, lle y medrid hyfforddi gweinidogion y dyfodol.

Anfonwyd llythyr dyddiedig 2 Mai 1556 gan saith o weinidogion a deg o wŷr bonheddig o gyfarfyddiad y Synod yn nhref Pinaczów yn gwahodd Calfin i ymweld â hwy.[11] Yn ychwanegol anfonwyd y cais gyda llythyr i Gyngor Genefa yn gofyn iddynt ryddhau John Calfin am rai misoedd, fel y medrai deithio i wlad Pwyl i weld y gwaith drosto ef ei hun.

Ni chafodd y gweinidogion ateb i'w cais am bron i flwyddyn gan nad oedd neb yn teithio i'r cyfeiriad hwnnw o Genefa. Ond ar 8 Mawrth, 1557 atebodd Calfin, gan ddiolch am y gwahoddiad, ond yn ei wrthod am na ellid ei ryddhau o 'fagad gofalon bugail' ac athro ac arweinydd ym mywyd dinas Genefa. Gan fod Johannes Alasco wedi cyrraedd gwlad Pwyl, yntau yn frwdfrydig o blaid y diwygiad, ni theimlai Calfin yr un cyfrifoldeb.

Ar 19 Tachwedd 1557 anfonodd Calfin nifer o lythyron i wŷr amlwg yng ngwlad Pwyl, yn eu plith Jan Tarnowski. Yr oedd ef wedi anfon ateb ar 26 Mehefin 1556 i lythyr blaenorol a ddaeth o law Calfin ar 29 Rhagfyr 1555. Teimlai Jan Tarnowski y byddai perygl mawr i hyrwyddo y Diwygiad Protestannaidd, gan gofio dylanwad yr Eglwys Babyddol. Byddai'n anorfod yn arwain at wrthdaro. Ymatebodd Calfin mewn llythyr yn 1558, gan werth-fawrogi gonestrwydd Jan Tarnowski, a chan atgoffa ei gyfaill o bwysigrwydd crefydd i greu heddwch yn y wlad. Credai Calfin fod pawb sy'n arwain a than bwysau i gyflawni eu dyletswydd, i gael eu harwain gan Dduw. Gall yr Arglwydd ddelio â phob ymrafael na ellir dianc rhagddo a dyfynna o Salm 46.

Anfonodd Tarnowski lythyr arall ym mis Mai 1559 ac atebodd Calfin ar 15 Tachwedd trwy fynegi ei safbwynt ar y berthynas rhwng gwasanaeth i Dduw a chyfrifoldeb gwleidyddol. Yr oedd Tarnowski yn gweld cyfrifoldeb arweinwyr y wlad i geisio gweithredu heddwch yn y cymunedau uwchlaw pob peth arall, ond i Calfin, nid oedd hynny yn cynnwys pob dyletswydd. Y mae gennym ddyletswydd i fyw yn dduwiol ac yn sanctaidd a gweithredu'n effeithiol fel gweision i Dduw.

Gellir dweud fod dylanwad Calfin o bell wedi bod yn effeithiol, a bod eraill wedi cynorthwyo'n ddirfawr.[12] Ond un garfan ymhlith llawer un arall fu'r Calfiniaid. Bu'r Ail Fedyddwyr yn egnïol yn y wlad, a'r Lutheriaid, a Brodyr Bohemia a gafodd eu hesgymuno o'u tiriogaeth a chael cartref newydd yng ngwlad Pwyl. Yr olaf o'r grwpiau i ymgartrefu oedd yr Undodiaid. Methiant mwyaf Calfiniaeth yng ngwlad Pwyl oedd y ffaith fod y Brenin Sigismund yn arweinydd ofnus o'r Babaeth, ac er iddo glywed gyda'i glust gryn dipyn o syniadau Calfin, ni feddai ar asgwrn cefn i'w cefnogi gant y cant. Ond bu Calfin yn hynod o barod i gyfnewid syniadau a brwydro yn galed yn erbyn syniadau Francesco Stancaro (1501-74), mynach o'r Eidal a drodd yn Brotestant, ac a symudodd yn 1549 i ddysgu Hebraeg ym mhrifysgol Krakow. Cafodd drafferth i esbonio gweinidogaeth Iesu fel cyfryngwr a chyfrifwyd ef gan synod Pinczow yn heretig. Galwyd ar Calfin i oleuo ei feddwl a bu cryn dipyn o ohebiaeth rhyngddynt.

Yn Bohemia, teyrnas a fu'n gartref i'r anghydffurfiwr Jan Hus, croesawyd y Diwygiad Protestannaidd â breichiau agored. Dylanwadwyd ar Frodyr Bohemia i ddechrau gan Luther ond yn fwy fyth gan Calfin. Er ymdrechion i'w bychanu, cafwyd erbyn 1567 oddefgarwch i'r Protestaniaid. Ond ni fu Calfiniaeth yn ddylanwad parhaol yn Bohemia oherwydd cenhadu grymus y Babaeth. Llwyddodd Protestaniaeth i ymledu i Hwngari a llwyddodd y mudiad Calfinaidd yno fel y gwnaeth Undodiaeth. Derbyniodd y Magyars, llwyth niferus, ffurf Heidelberg o Galfiniaeth.

Yn nhiriogaeth Transylvania croesawyd y Diwygiad a chafodd cyffes Augsburg ei derbyn mewn Synod yn 1572. Bu'r Undodiaid yn hynod o lwyddiannus erbyn 1600 gan i nifer ohonynt ymsefydlu yno, ar ôl iddynt gael eu taflu allan o wlad Pwyl. Yn Transylvania, sefydlodd y teulu brenhinol Galfiniaeth fel y grefydd swyddogol a bu brwydro ffyrnig yn erbyn Hapsbwrgiaid Catholig yn y Rhyfel Deng Mlynedd ar Hugain (1618-48).[13]

Gwlad arall lle y gwelir dylanwad Calfin ydyw'r Alban. Gwyddom am arhosiad John Knox yn Genefa am gyfnod ac iddo ddychwelyd i'r Alban yn 1559. Cafodd gyfle gwych yn Genefa fel bugail y gynulleidfa o alltudion a addolai yn yr iaith Saesneg a datblygodd ei safbwynt ei hun fel Calfinydd. Yn Genefa, y cyhoeddwyd *The First Blast of the Trumpet against the Monstrous Regiment of Women,* a hynny yn 1558. Yn wahanol i Calfin nid oedd gan Knox unrhyw ddyhead i weld merch yn arwain ac yn ysgwyddo cyfrifoldeb mewn byd nac eglwys. Golygai'r gair *regiment* yn y teitl llywodraeth. Apeliodd at yr Ysgrythurau, ac at y Tadau Eglwys er profi bod y syniad o ferch yn llywodraethu mewn gwlad, cenedl neu ddinas yn anghydnaws â Natur, yn groes i fwriad Duw a'i ewyllys a'i orchmynion. Fe'i beirniadwyd am y gyfrol a'i chynnwys gan John Calfin. Y targed oedd Mari Tudur, ond teimlodd y Frenhines Elisabeth ei ymosodiad i'r byw.

Aeth Knox yn ôl i'r Alban i hyrwyddo'r Diwygiad ar linellau Calfinaidd a llwyddo yn 1560, pan gafwyd gwared â milwyr Ffrengig Mary Guise. Darparodd y *First Book of Discipline,* sydd yn ymgais i addasu y ffurf Brotestannaidd a sefydlwyd yn Genefa ar gyfer y sefyllfa yn yr Alban. Ond aeth Knox yn bellach, gan drosglwyddo i'r sffêr boliticaidd syniadau yr oedd Calfin wedi eu cynnwys yn unig yn sffêr llywodraeth eglwysig. Cymerodd Knox y syniad o lywodraeth gynrychioliadol oedd yn nodweddu eglwysi Calfinaidd Diwygiedig, hynny yw, cymunedau a arweinid gan flaenoriaid a etholasid ar gyfer y byd gwleidyddol a hynny ar lefel leol, rhanbarthol a chenedlaethol.

Bu hyn yn newid chwyldroadol.Felly byddai cynghorau lleol yn cyfateb i'r henaduriaethau, y cynghorau rhanbarthol yn debyg i'r Cymdeithasfeydd, a'r Cyngor Cenedlaethol yn cyfateb i'r Gymanfa Gyffredinol. Llywyddid dros yr aelodau o blith y cyhoedd a'r capeli, yn hytrach na chan gynrychiolwyr y llywodraethwyr gwleidyddol. Canlyniad dylanwad Calfin yng ngwir ystyr y gair oedd y cyfnewidiad hwn, a bu'r syniadau hyn yn bwysig yn y cyfnewidiadau a gymerodd le fel canlyniad i'r Rhyfel Cartref yn yr ail ganrif ar bymtheg yn Lloegr.

Nid oedd gan Knox unrhyw gydymdeimlad â'r Babaeth. Yr oedd yn ddigymrodedd, yn llawer mwy eithafol na Martin Luther a John Calfin, ac yn fwy tebyg i'r Ail Fedyddwyr. Credai Knox fod Rhufain yn fwy llwgr na 'Kirk Caiaphas' a roddodd hawl i'r dorf groeshoelio Brenin y Gogoniant.[14] Fel Calfin credai Knox fod disgyblaeth yn hanfodol i bob eglwys. Ni allai eglwys fodoli yn y

152

byd heb weithredu disgyblaeth ar eu haelodau. Derbyniwyd y Diwygiad Protestanniadd gan Senedd yr Alban. Daeth llu o ddiwygiadau i fodolaeth a threfniadaeth trwy'r Eglwys leol a alwyd yn Kirk, sef heddiw Eglwys Bresbyteraidd yr Alban, megis y *Scots Confession* a'r *First Book of Discipline* a'r *Second Book of Discipline*.

Sefydlwyd Eglwys yr Alban yn gyfan gwbl ar batrwm cyfraniad a gwELedigaeth John Calfin. Llwyddodd Knox yn rhyfeddol fel Calfinydd, yn ei bregethau tân a brwmstan: *volcanic* yw'r term a ddefnyddiodd Michael Reeves amdanynt.[15] Er ei amhoblogrwydd yng nghylchoedd y teulu brenhinol, llwyddodd i ddenu digon o aristocratiaid i'w gefnogi. Cefnogodd y Frenhines Elisabeth ef a'i chwyldro gan anfon milwyr i'r ffin a chynorthwyo'r Calfiniaid i ennill y dydd, a chyhoeddi trwy Senedd yr Alban yn 1560 nad oedd gan y Pab o hyn allan ddim awdurdod yn y wlad tu hwnt i Fur Hadrian.

Dyma oedd chwyldro yng ngwir ystyr y gair. Yn 1558 yr oedd Lloegr a'r Alban yn wledydd Catholig; dwy flynedd yn ddiweddarach, yn 1560 yr oeddent yn Brotestaniaid.[16] Byddai'n cymryd amser i Galfiniaeth wreiddio yn yr Alban. Gwelir hynny adeg y Pasg 1561 yn ninas Caeredin. Derbyniodd llai nag un allan o bob deg Sacrament Swper yr Arglwydd o ddwylo'r Calfiniaid. Nid eu bod o angenrheidrwydd yn bleidiol a brwd-frydig dros yr offeren, ond eu bod heb gael amser i ddeall yn llwyr y ddiwinyddiaeth a goleddai John Knox a'i gydweithwyr o ystordy Calfin yn Genefa. Yr oedd angen gweinidogion wedi eu hyfforddi mewn Calfiniaeth ac yn barod i arwain oedfaon ar linellau eglwysi Genefa, cyn y byddai'r boblogaeth yn dod yn Brotestaniaid o argyhoeddiad.

Ffaith arall na ellir mo'i anghofio yw fod y Diwygiad Protestannaidd mor wahanol i'r hyn a gymerodd le yn Lloegr a Chymru, ac yn wir yn y Diwygiad a ddigwyddodd yn yr Almaen a'r Swistir. Yn Lloegr a Chymru gwleidyddiaeth oedd y grym cryfaf y tu ôl i'r cyfnewidiadau yn hytrach na diwinyddiaeth. I frenhinoedd a breninesau Lloegr gwleidyddiaeth oedd canol-bwynt eu hymresymiad, ond nid oedd hynny yn wir o gwbl yn hanes Luther, Zwingli na Calfin. A'r gwahaniaeth arall oedd hwn. Yn yr Alban fe ddaeth yr alwad am newid crefyddol, oddi wrth John Knox, y Calfin, a'i gyd-Calfiniaid. Pobl gyffredin a phobl yn gweld gobaith gwella eu byd oedd y tu ôl i'r cyfnewidiadau, ond yn Lloegr y brenin a'r frenhines a'u disgynyddion trwy'r Diwygwyr fel Walter Travers (1548-1635) oedd yn gyfrifol am y newid syfrdanol. Ond ar ôl dweud hynny, er y gwahaniaeth mawr rhwng Martin Luther a Harri'r Wythfed, a rhwng John Calfin a'r Frenhines Elisabeth, yn ei hanfod chwyldro diwinyddol oedd y Diwygiad Protestannaidd ym mhob gwlad fel y pwysleisia Travers yn 1574.[17]

Yr oedd y Frenhines Elisabeth yn ddrwgdybus iawn o John Knox a'i gred fod holl broblemau Prydain yn deillio o'r ffaith mai merched oedd yn dal yr awenau, pan ddylai'r cyfrifoldeb am lywodraeth gwlad fod yn nwylo dynion yn unig. Dywedid fod y Frenhines yn methu credu fod dyn Duw wedi llunio cyfrol fel y *The First Blast of the Trumpet against the Monstrous Regiment and Empire of Women*. Ond er gwaethaf cyfrol dros ben llestri Knox treiddiodd dylanwad John Calfin i Loegr a Chymru a daeth Calfiniaeth trwy'r Piwritaniaid yn elfen bwysig ryfeddol o grefydd y gwledydd hyn.Ni fu sefyllfa Cymru yn debyg o gwbl i'r Alban,ac ni orseddwyd Calfiniaeth dros nos fel y gwnaeth Knox. Ond daeth Calfiniaeth yn rhyfeddol o bwysig erbyn y ddeunawfed ganrif. Gwelodd pob un o'r Diwygwyr fel Howel Harris, Daniel Rowland, William Williams a Peter Williams werth syniadau Calfin,ac er i rai gael drafferth i dderbyn etholedigaeth,eto erbyn y Sasiwn Unedig yn 1743, yr oeddynt yn arddel safbwynt George Whitefield ar Galfiniaeth yn hytrach nag Arminiaeth y brodyr John a Charles Wesley. Disgwylid hefyd i'r dychweledigion gytuno ar yr athrawiaethau Calfinaidd. Ffrwyth Diwygiad Crefyddol y ddeunawfed ganrif oedd hyrwyddo y gwareiddiad Calfinaidd. Daeth cenhedlaeth ar ôl cenhedlaeth i gefnogi'r blaenoriaethau, sef gwaith yr Ysgol Sul, lledaenu Beibl Peter Williams, cyhoeddi cyfrolau a chylchgronau, addasu Calfiniaeth i'r cannoedd o fyfyrwyr ar gyfer y Weini-dogaeth. Lleihaodd y diddordeb a'r diwinydda yn yr ugeinfed ganrif a hefyd pwysigrwydd Calfin i'r enwadau crefyddol yng Nghymru.Ond er hynny ym myd yr emyn a'r canu crefyddol daliodd y dystiolaeth Galfinaidd yn rhyfeddol o rymus. Ni fu Eglwys Loegr yn eglwys gwbl Galfinaidd. Cadwodd hi'r dystiolaeth Babyddol a'r dystiolaeth Brotestannaidd o fewn yr Eglwys Anglicanaidd. Dylanwadodd Calfin ar yr Eglwys yn ddiwinyddol, fel y gwelir yn y 39 Erthygl, sy'n sail o ran cred i'r aelodau a'r offeiriaid, ond llwyddwyd i gadw'r hen ffydd a'r ffydd newydd o fewn yr un gyfundrefn.

Arhosodd rhai Calfiniaid amlwg yn Eglwys Loegr, tra bu eraill yn weithgar o fewn Presbyteriaeth, yr Ymwahanwyr, a'r Bedyddwyr. Erbyn yr ail ganrif ar bymtheg ymfudodd rhai Calfiniaid i'r Unol Daleithiau. Yr oedd rhai ohonynt wedi ymfudo i'r Iseldiroedd ac yn y 1620au cawn hanes arwrol y Tadau Pererin yn croesi Môr yr Iwerydd am y byd newydd. Bu'r rhain yn ddylanwadol dros ben fel arweinwyr, a bu y gredo Galfinaidd yn gyfrwng hyder i'r dynion a merched a ddaeth o dan ddylanwad y gred.

Cymerir yn ganiataol fod Calfiniaid yn Biwritaniaid ac y mae hynny'n wir am fod Calfin ei hun yn mynnu byw bywyd Piwritanaidd o ddydd i ddydd.

Dylanwad pwysig arall Calfin oedd ei agwedd at yr Iddewon. Dioddefodd yr Iddewon yn gyson erledigaeth o'r ddeuddegfed ganrif ymlaen ar gyfandir Ewrop. Y mae agwedd Luther at yr Iddewon wedi cael sylw helaeth.[8] Credai Calfin yn gydwybodol iawn fod gan Dduw le arbennig i'r Iddewon. Yr oedd yr Iddew 'y cyntaf i'w eni yn nheulu Duw, ac yr oedd y lle cyntaf iddo o hyd' yn nhrefn Duw. Dylanwadodd Calfin ar y Diwygiad, er gwaethaf agwedd negyddol Luther, wrth ymdrin â'r Iddewon.

Canlyniad arall i ddylanwad Calfin yw'r agwedd flaengar mewn rhai cyfeiriadau at ferched a hynny mewn oes pan gyfrifid y ferch yn israddol. Ac er bod Calfin a'i ddilynwyr wedi eu beirniadu yn ôl safonau ein dyddiau ni, y mae'n rhaid cofio fod Calfin ar un llaw yn flaengar ac yna ar gwestiynau eraill yn adweithiol. Gwelir hynny'n amlwg yn ei ymateb i broblemau'r dydd, ac yn ei syniadaeth gymdeithasol. Credai Calfin fod gwahaniaethau statws a gwahaniaethau rhwng dynion a merched yn deillio oddi wrth Dduw ac felly y dylid eu beirniadu. Ar ddau gwestiwn poenus, fodd bynnag, yn Genefa dangosodd

Calfin ei fod yn flaengar. Y cwestiwn cyntaf oedd ysgariad oherwydd godineb. Llwyddodd Calfin i gael ei ffordd a gofalai fod yr un hawliau yn cael eu cyflwyno i ferched ag i ddynion. Cefnogodd hefyd ostwng oedran priodi, heb ganiatâd rhieni, o 24 oed i 20 oed.

Y mae'n rhaid cydnabod iddo gael dylanwad mawr yn ein byd.Y mae'r dylanwad hwn, nid yn unig ym myd lledaeniad y mudiad a'r Eglwysi Presbyteraidd, ond hefyd ar ddatblygiad cyfalafiaeth a'r amgylchedd ac addysg a pharchu Dydd yr Arglwydd a gwleidyddiaeth. Gwelwyd y syniad o Weriniaeth yn cael ei dderbyn, o dan bwysau'r Calfiniaid, yn yr Iseldiroedd. Ar ôl brwydro caled yn erbyn brenin Sbaen daeth yr Iseldiroedd yn Weriniaeth annibynnol Galfinaidd yn yr ail ganrif ar bymtheg.

Dylid rhoddi sylw i athroniaeth Calfin ar yr amgylchedd. Dadleuai Calfin fod y Creawdwr wedi paratoi ar gyfer ein hanghenion, fel y mae wedi paratoi ar gyfer ein mwynhad. Nid yw Duw'n dymuno i bobl ymwadu â'r byd, ond ei werthfawrogi a'i iawn ddefnyddio. Gallem fyw ar fara a dŵr, ond nid hynny yw dymuniad y cynhaliwr; y mae ef am i ni gael gwin a chynhaliaeth eang. Ni fyddai Calfin yn cytuno gyda Gandhi fod digon ar gyfer ein hanghenion, ond nid digon ar gyfer ein trachwant. Ei ddadl yw fod Duw wedi paratoi digon a mwy na digon ar gyfer y ddynoliaeth, yn wir wedi paratoi bendithion ychwanegol ar gyfer ein mwyniant a'n llawenydd. Os yw'r amgylchfyd ym methu cyflenwi anghenion yr holl deulu dynol, y mae hynny wedi digwydd am ein bod wedi methu trefnu'n ddigon da ar gyfer rhannau o'r byd sydd y tu allan i'r wledd. Y mae Duw'n cynnig yr hyn sydd ei angen arnom, ond dylem ar bob cyfrif gofio gweddïo am ein bara beunyddiol a rhyfeddu at y modd y'n cynhelir ni gan ddarpariaeth haelionus Duw. Rhoddodd Duw gyfrifoldeb i ddynion a merched i ofalu am ei greadigaeth, i gasglu'r ffrwyth, gan gofio ei fod yn wasanaethwr.[19] Nid yw Duw'n rhoddi'r cyfrifoldeb yn gyfangwbl ar y ddynoliaeth. Y mae Ef ei hun yn barod i ddysgu pobl i ddeall yn well sut mae'r byd yn gweithredu.

Pwysa Calfin arnom i beidio ag amharchu'r greadigaeth. Sonia am yr angen i ofalu ar ôl coed y maes, y berllan a'i phrennau afalau: cynhaliaeth i ddyn. Sonia hefyd am yr angen i ofalu ar ôl y tŷ, sydd yn dipyn o ddirgelwch, nes i ni gofio fod llawer iawn o gartrefi'r Swistir wedi eu hadeiladu o goed.[20] Credai Calfin hefyd y dylid peidio â gorlwytho ein defnydd o'n hamgylchfyd. Rhydd Calfin rybudd fod y Greadigaeth fel ei phreswylwyr i ddefnyddio'r Saboth fel cyfle i orffwys. Yn y *Bannau* dywed: 'Y mae'r credinwyr i orffwys o'u gwaith er mwyn caniatáu i Dduw weithredu ynddynt.'[21] Dylid cofio ymhellach fod Duw wedi creu'r ddynoliaeth i'w ogoneddu Ef. A'r ffordd fwyaf ymarferol o wneud hynny ydyw trwy'r tlawd a'r unig a'r gwan, a chyfeiria ef at eiriau Iesu yn Efengyl Mathew, pennod 25, 31-45. Y mae'r rhai sydd yn dweud nad oedd Calfin yn poeni am y tlawd yn cyfeiliorni'n ddybryd.[22] Atgoffa Calfin ni fod 'Duw yn derbyn popeth a roddwn i'r tlawd fel pe baem wedi ei gyflwyno iddo Ef.' Yn ei esboniad ar 2 Corinthiaid 8: 15, sydd yn ein hatgoffa ni o'r hanes a gawn yn Exodus 16, dywed Calfin y dylid atgoffa'r rhai sydd yn mwynhau bywyd cyfforddus, naill ai trwy etifeddiaeth neu lafur caled, ei bod yn ddyletswydd arnynt i gyflwyno'r hyn sydd dros ben i esmwytháu bywyd y brodyr anghenus. Ceir yr un pwyslais yn ei bregethau.

Dyn ymarferol oedd diwinydd Genefa. Dadleua rhai o bobl y Blaid Werdd ei bod hi'n bwysig gofalu am yr amgylchedd er mwyn ein plant a'n hwyrion. Ond byddai Calfin yn anghytuno. Dylem ddefnyddio'r amgylchedd i fwydo'r boblogaeth, a'i pharchu heddiw a rhoddi pob cymorth i'r had a heuir a'r cynhaeaf a ddaw, ond heb amddifadu'r tlawd a'r anghenus o reidiau bywyd yn y dyddiau presennol.

Mewn pregeth ar Mathew 3: 9-10 dywed Calfin ein bod i ysgwyddo cyfrifoldeb am anghenion tlodion y byd sydd yn galw am weithredu ar fyrder a heb ei ohirio. Dyma'i eiriau: 'Y maent fel llofruddion os gwelant eu cymdogion yn nychu ac eto heb agor eu dwylo i'w cynorthwyo. Yn hyn o beth, rwyf yn dweud wrthych, maent yn sicr yn llofruddion.'[23]

Heb amheuaeth y mae dylanwad John Calfin ar ein byd yn aruthrol o bwysig. Tra gwelir dylanwad Luther yn yr Almaen, ac yn y cymunedau lle yr ymfudodd trigolion o'r wlad honno, ceir gweld dilynwyr Calfin trwy'r byd cyfan. Mewn rhai gwledydd, fel yr Alban a Chymru, bu'n hynod o ddylanwadol, mewn mannau eraill fel yr Eidal neu'r Almaen yn llai felly. Ond boed y dylanwad yn fawr neu'n fach, bu'r Calfinydd yn weithredol mewn cymdeithas. Heddiw y mae Protestaniaeth Ddiwygiedig a Chalfiniaeth i'w canfod ar raddfa eang ar gyfandir Asia, yn arbennig yn Ne Corea.[24] Yno y mae Presbyteriaid Corea yn bwerus ac yn defnyddio fframwaith Calfinaidd. Y mae diwinyddiaeth Galfinaidd Corea yn rymus ei dylanwad.[25]

Gellid dadlau nad yw dylanwad Calfin yn gyfyngedig i enwadau a gwledydd ond yn llawer ehangach. Y flaenoriaeth a welwn mewn Calfiniaeth yw'r pwyslais ar alwad Duw i'r unigolyn i werthfawrogi ei ddarpariaeth ar ein cyfer a'r neges fod gwaith yn ffordd i glodfori'r Creawdwr. O hyn y deilliodd y gwerthoedd a fu'n gyfrifol am ddatblygiad Cyfalafiaeth. Gwelodd eraill gomitment i ryddid cydwybodol fel gwaddol Calfin i wareiddiad, a chawn haneswyr yn ein hatgoffa bod cryn lawer o ddiwylliant a gwareiddiad yr Unol Daleithiau wedi dod i fodolaeth yn sgil syniadaeth John Calfin ar Gymdeithas..

Gallwn gytuno gyda R. H. Tawney fod Calfin wedi gwneud Cyfalafiaeth yn ideoleg dderbyniol ac felly wedi cyfrannu at ei ddatblygiad. Daeth y gwledydd Protestannaidd i groesawu'r Chwyldro Diwydiannol, gwledydd fel Prydain a'r Ideldiroedd a chymunedau o fewn yr Unol Daleithiau. Gwelodd John Calfin ei hun fel ysgolhaig ofnus a swil ond yn un a gafodd ei alw gan Dduw i gynorthwyo yn y dasg o ddiwygio bywyd a gwaith yr Eglwys. Ond fe ddefnyddiodd Duw ef yn helaeth fel arweinydd ysbrydol a meddyliwr trefnus, esboniwr yr Ysgrythurau a phregethwr y Gair.[26]

Martin Luther a Huldrych Zwingli oedd penseiri'r Diwygiad Protestannaidd ond John Calfin oedd yr un a roddodd ruddin ac egni i'r mudiad. Cyfrifwn ef yn Ddiwinydd o'r radd flaenaf er y byddai ef ei hun yn dymuno cael ei gofio fel un a alwodd y byd i adnabod Duw. Dyma eiriau Calfin:

> Mewn gair, mae angen i bobl gydnabod mai oddi wrtho Ef y daw pob peth da, er mwyn iddynt beidio â chwilio am ddim byd arall ond Duw, oherwydd nes iddynt wneud hynny ni fyddant byth yn plygu'r glin i'w addoli o lwyrfryd calon. Yn

fwy na hynny, os na chredant mai Duw yw eu holl ddedwyddwch, ni fyddant byth yn ei addoli'n gywir nac yn gyflawn.[27]

Athrylith mawr oedd John Calfin ac ni fu ei debyg yn hanes yr Eglwys Ddiwygiedig. Amhosibl yw crynhoi ei gyfraniad aruthrol ond gellir llwyr gytuno â'r Athro John Adair, pan ddywed: 'Crisialodd Calfin Brotestaniaeth.'[28] Dyna mewn un brawddeg deyrnged a deilynga.

1   Calvin, *Institutes*, 2, 10, 20, 284.
2   J. T. McNeill, 'The Church in Sixteenth Century Reformed Theology', *Journal of Religion*, Cyf XXII (1942), 251.
3   Evans, *Zwingli a Calfin*, 68.
4   Smith, *Reformation*, 170.
5   Reeves, *The Unquenchable Flame*, 108.
6   Smith, *Reformation*,193.
7   Evans, *Zwingli a Calfin*, 70.
8   Reeves, *The Unquenchable Flame*, 111.
9   Evans, *Zwingli a Calfin*, 71.
10 de Greef, *The Writings of John Calvin*, 201.
11 *ibid.*
12 Ceir y cefndir yng nghyfrolau ardderchog Diarmid MacCulloch, *Reformation: Europe's House Divided, 1490-1700* (Llundain, 2003) a Euan Cameron, *The European Reformation* (Rhydychen, 1991).
13 H. J. Hillerbrand, 'The Spread of the Protestant Reformation of the Sixteenth Century: a historical case study in the transfer of ideas', *South Atlantic Quarterly*, Vol ixiii (1968), 268-86.
14 Paul D. L. Avis, *The Church in the Theology of the Reformers* (Llundain, 1981), 50.
15 Reeves, *The Unquenchable Flame*, 141.
16 *ibid.*, 142.
17 Samuel J Knox, *Walters Travers: Paragon of Elizabethan Puritanism* (Llundain, 1962), 25-40.
18 *ibid.*, 194. Gw. Paul Kriwaczek, *Yiddish Civilisation: the Rise and Fall of the Forgotten Nation* (Llundain, 2005), 173-177.
19 Edward Dommen, 'Calvin and the Environment', yn *John Calvin Rediscovered: The Impact of his Social and Economic Thought* (Golgn: Edward Dommen a James D Bratt), (Louisville, 2007), 55.
20 *ibid.*, 58.
21 *ibid.*, 59.
22 *ibid.*, 62.
23 Calvin, *Institutes*, 2. 8. 27, 175.
24 Seong-Won Park, 'The Social and Economic Impact of John Calvin on the Korean Church and Society', yn *John Calvin Rediscovered*, 109-120.

24 Adnabyddir diwinyddiaeth gyfoes De Corea wrth yr enw Diwinyddiaeth *Minjung*, *ibid.*, 118-120. Sonia Seong-Won Park: 'In the Korean context, the most vivid theological impact of Calvin's social and economic thought can be found in the *Minjung* theology and the *Minjung* Church movement that emerged in the 1970's and 1980's in response to the economy – first policy driven by the dictator Park Chung Hee', *ibid*, 118.

26 Evans 'John Calvin (1509-1564)', yn Rees (gol.) *Deuddeg Diwygiwr Protestannaidd*, 53-54.

27 Gw. McGrath, *Christianity's Dangerous Idea*, 96-104, 319-20.

28 John Adair, *Founding Fathers: The Puritans in England and America* (Llundain, 1982), 55. Dyma'r frawddeg sy'n crynhoi y Diwygiwr: *'Calvin crystallised the Reformation.'*

ATODIAD 1

Amseryddiaeth John Calfin a digwyddiadau pwysicaf ei gyfnod

1509   Ganwyd Jean Cauvin yn y dref farchnad Noyon a daeth i'w adnabod yn hanes yr eglwys Gristnogol fel John Calvin. Y cyfenw Calvinus yw'r enw Lladin am Cauvin, ac erbyn hyn yn Gymraeg aeth Calvinus yn Calfin. Diwrnod ei eni oedd 10 Gorffennaf.

1516   Cyhoeddi argraffiad Testament Newydd Groeg ,sef campwaith yr hiwmanydd Desiderius Erasmus.

1517   Martin Luther, y Diwygiwr o'r Almaen yn llunio 95 o ddatganiadau beirniadol o'r Eglwys Babyddol a'u hoelio ar ddrws Eglwys y Castell, Wittenberg.

1521   Luther yn cael ei esgymuno. Protestaniaeth yn cychwyn o ddifrif yn yr Almaen ac yn y Swistir o dan ddylanwad Zwingli.

1523   Calfin yn teithio i Paris fel myfyriwr i Goleg Montagu. Dinas Zürich yn cefnogi'n swyddogol safbwynt y Diwygiwr Huldrych Zwingli.

1524-5   Rhyfel yn yr Almaen, a elwir yn Rhyfel y Werin. Luther yn gwrthod cefnogi'r rhyfel.

1528   Llosgi'r Protestant Patrick Hamilton am heresi yn St Andrews yn yr Alban. Calfin yn ymaelodi yn Adran y Gyfraith, Prifysgol Orléans.

1529   Luther a Zwingli yn methu cytuno ar ddiwinyddiaeth Sacrament Swper yr Arglwydd yng nghyfarfyddiad Marburg.

1530   Calfin yn astudio y Gyfraith yn Bourges.

1531   Huldrych Zwingli yn cael ei ladd ym mrwydr Kappel ar 11 Hydref 1531.

1532   Ym mis Ebrill Calfin yn cyhoeddi ar ei liwt ei hun ei esboniad ar waith Seneca, *De Clementia*. Ychydig o brynwyr i'r gyfrol.

1533   Ar Tachwedd 1, rhydd Nicholas Cop ei anerchiad fel Rheithor newydd Prifysgol Paris sydd yn tueddu i gefnogi y 'diwygiad Protestannaidd'. Credai amryw o'r sefydliad eglwysig mai Calfin oedd awdur yr anerchiad. Dechrau erlid pob un oedd yn bleidiol i'r mudiad newydd. Cop a Calfin ac amryw eraill yn gorfod cilio o Paris.

1534   Ym mis Mai teithiodd Calfin i'w dref enedigol, Noyon, ac ymddiswyddo o'i gyfrifoldebau eglwysig. Erbyn mis Hydref gwelid erledigaeth ar bob Protestant yn Paris a'r cyffiniau.

1535   Calfin yn cyrraedd Basel ac yn mynd ati i baratoi ei gampwaith diwinyddol. Gorffen argraffiad cyntaf o *Bannau'r Ffydd* a luniwyd yn Lladin.

1536   Cyrraedd Genefa ac yn cael ei berswadio yn erbyn ei ddymuniad i aros i gynorthwyo Farel ac arweinwyr eraill y Diwygiad. Cyhoeddi yr *Institutes*. Erasmus yn marw. Dienyddio William Tyndale. Diddymu mynachlogydd yng Nghymru a Lloegr fel rhan o'r Diwygiad Protestannaidd o dan orchymyn y Brenin Harri VIII.

1537   Apwyntio Calfin yn Ddarllenydd yr Ysgrythurau Sanctaidd ac yn ddiweddarach yn fugail ar eglwys yn Genefa.

1538   Diarddel Calfin o Genefa. Cartrefodd yn Strasbourg gyda'r diwygiwr, Martin Bucer.

1539   Argraffiad newydd, cyflawnach yn cael ei gyhoeddi o *Bannau'r Ffydd* a hefyd paratoi *Yr Ateb i Sadolet*.

1540   Calfin yn priodi gydag Idelette de Bure, gweddw ac aelod o'i eglwys. Y Diwygiwr yn cyhoeddi ei esboniad Beiblaidd cyntaf ar yr Epistol at y Rhufeiniaid (paratôdd nifer fawr yn y blynyddoedd nesaf).

1541   Argraffwyd cyfieithiad o *Bannau'r Ffydd* i'r iaith Ffrangeg, a hefyd traethawd ar Swper yr Arglwydd; ym mis Medi dychwelodd Calfin ac Idelette a'u dau blentyn i fyw i Genefa. Johannes Sylvester yn cyfieithu'r Ysgrythurau i'r Hwngareg.

1545   Cyhoeddi argraffiad o *Bannau'r Ffydd* gyda chyfnewidiau ac ychwanegiadau helaeth.

1546   Marwolaeth Martin Luther yn Eisleben ar 18 Chwefror.

1547   Y Brenin Harri VIII yn marw, etifeddwyd y Deyrnas gan ei fab efengylaidd, Edward VI.

1548   Michael Agricola yn cyfieithu'r Ysgrythurau i'r iaith Ffineg.

1549   Marwolaeth gwraig Calfin, Idelette de Bure, yn Genefa.

1550   Y pedwaredd argraffiad diwygiedig o *Bannau'r Ffydd* yn yr iaith Ladin yn cael ei gyhoeddi.

1550   Ethol Cyngor yn Genefa oedd yn gefnogol i'r diwygiwr.

1553   Dienyddio'r heretig, Michael Servetus.

1554   Awdurdodau Basel yn condemnio Sebastian Castellio a hefyd Celio Curicone am herio safbwynt Calfin ar etholedigaeth.

1555   Calfin yn cyhoeddi rhagor o esboniadau. Raymond Chauvet, ynad yn Genefa, yn gwmni i Calfin ar ei daith i Bern ar ran

Cyngor Genefa. Trafod nifer o faterion pwysig yn y berthynas rhwng y ddwy dref.

1556 Cyngor Genefa wedi llwyr flino gydag agwedd negyddol Bern ac yn gwneud apêl at Zürich, Basel a Schaffhausen am gefnogaeth. Ailddechreuwyd y trafodaethau, ond gofalod Perrin a'i gefnogwyr fod Bern yn dal yn llugoer.

1557 Bern a Genefa yn dod o'r diwedd i ddealltwriaeth ac yn barod i amddiffyn ei gilydd pe bai raid.

1558 Calfin yn tawelu'r dyfroedd ymysg gweinidogion Neuchâtel ar gwestiwn priodas Farel gyda merch ifanc o'r enw Marie Torel, alltudion, hi a'i mam a'i brawd o Ffrainc.

1559 Agor yr Academi yn Genefa ar 5 Mehefin o dan lywyddiaeth Calfin, pwerdy y Diwygiad Protestannaidd i'r dyfodol o dan arweiniad y dysgedig Theodore Beza.

1560 Rhai Protestaniaid yn Ffrainc yn defnyddio grym ac yn anwybyddu arweiniad Calfin. Methodd y cynllwyn a alwyd yn *Conspiracy of Amboise* gyda chanlyniadau echrydus, sef tywallt gwaed y diniwed.

1561 Calfin yn cysuro a chyngori Jeanne d'Albret ar ei phenderfyniad i ymaelodi mewn cymuned Galfinaidd yn Ffrainc.

1562 Dioddefaint enbyd ar 1 Mawrth yn nhiriogaeth Vassy, a Calfin yn ymateb trwy ohebiaeth gyda Jean Budé.

1563 Llywodraethwr Languedoc, Antoine de Crussol, yn gwahodd Calfin i roddi arweiniad iddo mewn perthynas â gorymdaith yng nghwmni'r Ymherawdwr Siarl IX. Calfin yn graddol wanhau o ran iechyd.

1564 Ar 2 Chwefror, Calfin yn rhoddi ei ddarlith olaf ar ddarn o Lyfr Eseciel. Yna ar 6 Chwefror traddododd ei bregeth olaf.

27 Mawrth	Ymlwybrodd John Calfin am y tro olaf i Neuadd Dinas Genefa, ac ar ran ei gyd-weinidogion cynigiodd enw Nicolas Colladon fel y Rheithor.
2 Ebrill	Sul y Pasg – Derbyniodd y sacrament o Swper yr Arglwydd yn yr eglwys.
25 Ebrill	Arwyddodd ei ewyllys gan nodi pwy fyddai yn derbyn yr ychydig bethau oedd ganddo i'w gadael ar ei ôl.
2 Mai	Daeth un o'i ffrindiau cynnar, Guillaume Farel, i ymweld ag ef yn ei gystudd.
19 Mai	Y gweinidogion yn cyfarfod am y tro olaf yn ei

gartref ac yn cynnal cyfarfod gweddi a fu'n gysur mawr iddo.

27 Mai

Bu farw y Diwygiwr John Calfin yng nghwmni ei olynydd Theodore Beza a bu'r angladd y diwrnod canlynol, 27 Mai 1564. Yn yr hanner can mlynedd diwethaf y daethom i lwyr sylweddoli gymaint o gymorth y bu Beza iddo. Gw. Theodore Beza, *Correspondence de Theodore de Beze*, golygwyd gan Hippolyte Aubert et al, 12 cyfrol (Genefa, 1960-86).

ATODIAD 2

Llyfryddiaeth Ddethol

1. Rhai cyfrolau o waith John Calfin a gyfieithiwyd i'r Saesneg

a. Pregethau

Calvin, John, *The Mystery of Godliness and other Selected Sermons* (Grand Rapids, 1950).

Calvin, John, *Sermons on the Beatitiudes*, (gol. Robert White) (Caeredin, 2006).

Calvin, John, *Sermons on 2 Samuel, Chapters 1-13*, (cyf. Douglas Kelly) (Caeredin, 1992).

Calvin, John, *The Deity of Christ and Other Sermons*, (cyf. Leroy Nixon) (Grand Rapids, 1950).

Calvin, John, *Sermons on Isaiah's Prophecy of the Death and Passion of Christ* (gol. T. H. L. Parker) (Llundain, 1956).

Calvin, John, *Sermons from Job*, (cyf. Leroy Nixon) (Grand Rapids, 1952).

Calvin, John, *Sermons on the Gospel according to Isaiah*, (cyf. Leroy Nixon) (Grand Rapids, 1953).

Calvin, John, *Sermons on the Book of Micah*, (cyf. a goln. Benjamin Wirt Farley a Blair Reynolds) (Phillipsburg, 2003).

Calvin, John, *Sermons on Genesis*, Chapters 1: 1-11:4, (cyf. Rob Roy McGregor) (Caeredin, 2009).

Forbes, John (gol.), *A Selection of the Most Celebrated Sermons of John Calvin, Minister of the Gospel, and One of the Principal Leaders of the Protestant Reformation* (Grand Rapids, 1950). Cyhoeddwyd yr argraffiad cyntaf yn Efrog Newydd yn 1830 gan S. a D. A. Forbes.

b. Bannau y Grefydd Gristnogol

Battles, Ford Lewis, *Analysis of the Institutes of the Christian Religion of John Calvin* (Grand Rapids, 1980).

Battles, Ford Lewis (gol.), *Institutes of the Christian Religion* (argraffiad 1536), (Atlanta, 1975).

Calvin, John, *Institutes of the Christian Religion*, Argraffiad 1536, (cyf. Ford Lewis Battles) (Grand Rapids, 1986).

McNeill, John T. (gol.), *Calvin, Institutes of the Christian Religion*, (cyf. Ford Lewis Battles) (Philadelphia, 1960). Dwy gyfrol o argraffiad 1559 o'r iaith Ladin.

Murray, John (gol.), *John Calvin: Institutes of the Christian Religion*, (cyf. Henry Beveridge) (Peabody, 2008).

c. Cyfrolau eraill

Battles, Ford Lewis a Hugo, André Malan (goln.), *Calvin's Commentary on Seneca's De Clementia* (Leiden, 1969).

Baum, W., Cunitz E., Reuss E. (goln.), *Ioannis Calvini opera quae supersunt omnia* (Berlin a Brunswick, 1863-1900).

John Dillenberger (gol.), *John Calvin: Selections from His Writings*, (Missoula, 1975).

Terry, Richard R. (gol), *Calvin's First Psalter* (Llundain, 1932).

ch. Esboniadau

Calvin, John, *The Epistles of Paul the Apostle to the Galatians, Ephesians, Philippians and Colossians*, (cyf. T. H. L. Parker) (Caeredin, 1965).

Calvin, John, *The Epistles of Paul to the Romans and Thessalonians* (cyf. Ross McKenzie) (Caeredin, 1963).

Calvin, John, *The Gospel according to John, Part One*, 1-10, (cyf. T. H. L. Parker) (Caeredin, 1961).

Calvin, John, *Genesis, The Crossway Classic Commentaries*, (goln. Alister McGrath a J. I . Packer) (Wheaton, 2001).

Calvin, John, *Commentary of the First Epistle of Paul the Apostle to the Corinithians*, (gol.) David Torrance (Caeredin, 1960).

Calvin, John, *A Harmony of the Gospels, Matthew, Mark and Luke* Vol I, (cyf.) A. W. Morrison, (goln.) David W. Torrace a Thomas F. Torrance (Caeredin, 1972).

Calvin, John, *Calvin's New Testament Commentaries* (goln. David W. Torrance a Thomas F. Torrance, 12 Cyfrol (Caeredin, 1972).

Calvin, John, *A Harmony of the Gospels, Matthew, Mark and Luke* Cyfrol 2, (cyf.) T. H. L. Parker, (goln.) David W. Torrance a Thomas F. Torrance (Caeredin, 1972).

Calvin, John, *A Harmony of the Gospels, Matthew, Mark and Luke* Cyfrol 3, a *The Epistles of James and Jude*, (cyf.) A. W. Morrison, (goln.) David W. Torrance a Thomas F. Torrance (Caeredin, 1972).

Calvin, John, *Commentary on the Psalms* (gol. David C. Searle) (Caerdin, 2009).

Calvin, John, *Calvin's Old Testament Commentaries, Cyf. 18, Ezekiel (Chapter 1-12)*, (cyf.) D. Foxgrover a D. Martin (Grand Rapids, 1994); Cyfrol 20, *Daniel I (Chapters 1-6)*, (cyf.) T. H. L. Parker (Grand Rapids, 1993).

2. Cyfrolau yn Saesneg ar Fywyd a Gwaith John Calfin

Balke, Willem, *Calvin and the Anabaptist Radicals*, (cyf. William J. Heynen) (Grand Rapids, 1981).

Barth, Karl, *The Theology of John Calvin*, (Grand Rapids, 1995).

Battles, F. L. (gol.), *The Piety of John Calvin* (Grand Rapids, 1978).

Beza, Theodore, *The Life of John Calvin* (Darlington, 1997).

Bieler, André, *Calvin's Economic and Social Thought* (Genefa, 2006)

Bonnet, Jules, *Letters of John Calvin* (Efrog Newydd, 1858).

Buren, Paul van, *Christ in our Place: The Substitutionary Character of Calvin's Doctrine of Reconciliation* (Grand Rapids, 1957).

Davies, Alfred Thomas, *John Calvin and the Influence of Protestantism on National Life and Character* (Llundain, 1949).

Davis, Thomas J., *The Clearest Promises of God: The Development of Calvin's Eucharistic Teaching* (Efrog Newydd, 1995).

Davis, Thomas J., *Spiritual Leaders and Thinkers: John Calvin* (Philadelphia, 2005).

Dommen, Edward a Beatty, James D., (goln.) *John Calvin Rediscovered: The Impact of his Social and Economic Thought* (Louisville, 2007).

Duffield, C. E. (gol.), *John Calvin: Courtenay Studies in Reformation Theology* (Grand Rapids, 1966).

Duffield, C. E. (gol.), *John Calvin, A Collection of Essays* (Efrog Newydd, 1972).

Elwood, Christopher, *Calvin for Armchair Theologians* (Louisville, 2002).

Edmondson, Stephen, *Calvin's Christology* (Caergrawnt, 2004).

George, Timothy, (gol.), *John Calvin and the Church: A Prism of Reform* (Louisville, 1990).

Graham, W. Fred, *The Constructive Revolutionary: John Calvin and his Socio-Economic Impact* (Atlanta, 1978).

Greef, Wulfert de, *The Writings of John Calvin, Expanded Edition* (cyf. Lyle D. Bierma) (Louisville, 2009).

Halsema, Thea B. van, *This was John Calvin* (Michigan, 1981).

Hartness, Georgia Elma, *John Calvin: the Man and his Ethics* (Efrog Newydd, 1931).

Hancock, Ralph C., *Calvin and the Foundations of Modern Politics* (Utica, 1989).

Helm, Paul, *Calvin and the Calvinists* (Caeredin, 1982).

Helm, Paul, *John Calvin's Ideas* (Caeredin, 2004).

Henry, Paul, *The Life and Times of John Calvin: The Great Reformers* (cyf. Henry Stebbing) (Efrog Newydd 1851).

Higman, Frances M., *The Style of John Calvin in his French Polemical Treatises* (Llundain, 1967).

Hopfl, Haro, *The Christian Polity of John Calvin* (Caergrawnt ac Efrog Newydd, 1982).

Hunt, R. Carew, *Calvin,* (Llundain, 1930).

Hunter, A. Mitchell, *The Teaching of Calvin: A Modern Interpretation* (Llundain, 1950).

Jansen, John, *Calvin's Doctrine of the Work of Christ* (Llundain, 1956).

Lane, A. N. S., *John Calvin: Student of the Church Fathers* (Caeredin, 1999).

M'Crie, Thomas, *The early years of John Calvin, the great Reformer* (Llundain, 1849).

M'Crie, Thomas, *The early years of John Calvin: A Fragment 1509-1536* (Caeredin, 1880).

McGrath, Alister E., *The Life of John Calvin: A Study in the Shaping of Western Culture* (Rhydychen, 1990).

McPherson, Joyce, *The River of Change: The Story of John Calvin* (Lebanon, Tenn., 1998).

Milner, Benjamin Charles, *Calvin's Doctrine of the Church* (Leiden, 1970).

Mullett, Michael, *Calvin* (Llundain, 2002).

Naphy, William C., *Calvin and the Consolidation of the Geneva Reformation* (Louisville, 2003).

Niesel, W., *The Theology of Calvin* (Llundain, 1956).

Neuer, Wilhelm a Armstrong, Brian C., *Calvinus Sincerioris Religionis Vindex* (Kirksville, 1997).

Partee, Charles B., *Calvin and Classical Philosophy* (Louisville, 2005).

Parker, T. H. L., *The Oracles of God: an Introduction to the Preaching of John Calvin* (Llundain, 1947).

Parker, T. H. L., *Calvin: an introduction to his thought* (Llundain, 2002).

Piper, John, *John Calvin and the Later Reformation* (Llundain, 1990).

Piper, John, *John Calvin and His Passion for the Majesty of God* (Nottingham, 2009).

Puckett, David L., *John Calvin's Exegesis of the Old Testament* (Louisville, 1995).

Rees, D. Ben, *John Calvin and his Welsh Calvinistic Disciples* (Llangoed, 2009).

Selderhuis, Herman J., *John Calvin: A Pilgrim's Life* (Nottingham, 2009).

Selinger, Suzanne, *Calvin against Himself* (Hamdon, 1984).

Stauffer, Richard, *The Humanness of John Calvin: The Reformer as a Husband, Father, Pastor and Friend* (Vestavia Hills, 2009).

Stickelberger, Emanuel, *Calvin: A Life* (cyf. David Gelzer) (Richmond, 1954).

Shepherd, Victor A., *The Nature and Function of Faith in the Theology of John Calvin* (Macon, 1983).

Tamburello, Dennis E., *Union with Christ, John Calvin and the Mysticism of St. Bernard* (Louisville, 1994).

Thompson, Mark D. (gol.), *Engaging with Calvin: Aspects of the Reformer's Legacy for today (Nottingham, 2009).*

Torrance, Thomas F., *The Hermeneutics of John Calvin* (Caeredin, 1988).

Warfield, B. B., *Calvin and Calvinism* (Efrog Newydd, 1931).

Warfield, Benjamin, *Calvin and Augustine* (Philadelphia, 1971).

Wallace, Ronald, S., *Calvin, Geneva and the Reformation* (Caeredin, 1988).

Willis, David, *Calvin's Catholic Christology: The Function of the so-called Extra Calvinisticure in Calvin's Theology* (Leiden, 1966).

Young, David A., *John Calvin and the Natural World* (Lanham, MD, 2007).

Zachman, Randall C., *The Assurance of Faith: Conscience in the Theology of Martin Luther and John Calvin* (Minneapolis, 1993).

3. Detholiad o erthyglau yn astudio John Calfin a'i waith yn Saesneg

Cooke, Charles L., 'Calvin's Illnesses and the relation to Christian Vocation', yn John Leith and W. Stacy Johnson (goln.), *Calvin's Studies* (Davidson, NC, 1985), 41-52.

Eire, Carlos M. N., *War against the Idols, The Reformation of Worship from Erasmus to Calvin* (Caergrawnt, 1986), 195-233.

Douglas, J. D., 'Calvin's Relation to Social and Economic Change', *Church and Society* Cyf. XV (Mawrth, Ebrill 1984) ,20-38.

Eeningenburg, E. M., 'The Place of the Covenant in Calvin's Thinking', *The Reformed Review*, Cyf. X (1957), 1-22.

Gerrish, Brian A., 'John Calvin and the Reformed Doctrine of the Lord's Supper', *McCormick Quarterly* Cyf. XXII (1969), 85-98.

Hall, Basil, 'Calvin against the Calvinist', yn G. E. Duffield (gol.), *John Calvin* (Appleford, 1966), 20-35.

Hockema, A. A., 'The Covenant of Grace in Calvin's Teaching', *Calvin Theological Journal*, Cyf. II (1967), 133-161.

Knox, R. Buick, 'John Calvin – an elusive churchman', *Scottish Journal of Theology*, Cyf. XXXIV, 1972, 147-156.

Leith, John H., 'John Calvin's Polemic against Idolatry', yn J. McDowell Richards (gol.), *Soli Deo Gloria: New Testament Essays in Honour of William Childs Robinson*, (Richmond, Pa.: 1968), 111-24.

Lillbank, P. A., 'Calvin's Convental Response to the Anabaptist View of Baptism', *Christianity and Civilization*, Cyf. I (1982), 185-232.

Mackintosh, H. R., 'John Calvin: Expositor and Dogmatist', *The Review and the Expositor* (Ebrill, 1910), 179-186.

McNeill, J. T., 'The Church in Sixteenth-Century Reformed Theology', *Journal of Religion*, Cyf. XXII (1942), 251-69.

McNeill, J. T., 'The Significance of the Word of God for Calvin', *Church History* Cyf. XXVIII (1959), 131-146.

Muller, Richard A., 'John Calvin and Later Calvinism: The Identity of the Reformed Tradition', yn David Bagchi a David C. Steinmetz (goln), *The Cambridge Companion to Reformation Theology* (Caergrawnt, 2004), 135-148.

Partee, Charles, 'Calvin's Central Dogma Again', *Sixteenth-Century Journal*, Cyf. XVIII (1987), 19-28.

Partee, Charles, 'Calvin's Polemic: Foundational Connection in the Service of God's Truth', yn Wilhelm H. Neuser a Brian G. Armstrong (goln.), *Calvinus Sincerioris Religionis Vindex* (Kirtsvill, MO: 1997), 97-122.

Prins, Richard, 'The Image of God in Adam and the Restoration of Man in Jesus Christ: A Study of Calvin', *Scottish Journal of Theology*, 25 (1972), 32-42.

Spijker,Willem van't, 'Calvin's Friendship with Martin Bucer', yn David Foxgrover (gol.) *Calvin Studies Society Papers, 1995-1997: Calvin and Spirituality; Calvin and his Contemporaries* (Grand Rapids, 1998), 169-186.

Vos, G., 'The Doctrine of Covenant in Reformed Theology', yn R. B. Gaffin, Jr. (gol.), *Redemptive History and Biblical Interpretation: The Shorter Writings of Geerhardus Vos* (Phillipsburg, NJ, 1980), 234-267.

Wallace, R. S., 'John Calvin (1509-64)', yn Sinclair B. Ferguson a David F. Wright (goln.), *New Dictionary of Theology* (Caerlŷr, 1988), 120-124.

Wenger, Thomas L., 'The New Perspective on Calvin: Responding to Recent Calvin Interpretations', *Journal of Evangelical Theological Society*, Cyf. V, rhif 2 (Mehefin 2007), 311-28.

Wilcox, Peter, 'A toast to the most maligned of theologians', *The Times* (Gorffennaf 4, 2009).

Wolterstorff, N., 'The wounds of God: Calvin's Theology of Social Injustice', *Reformed Journal*, Cyf. XVI (Mehefin, 1987), 14-22.

Wood, A. S., 'Calvinistic Methodism', yn J. D. Douglas (gol.) *The New International Dictionary of the Christian Church* (Grand Rapids, 1978).

4. Cyfrolau ar Ddiwygwyr Protestannaidd a Deiliaid y Dadeni Dysg

Alexander, J. H., *Ladies of the Reformation: Short Biographies of Distinguished Ladies of the Sixteenth Century* (Harpenden, 1978).

Atkinson J., *Martin Luther and the Birth of Protestantism* (Atlanta, 1982).

Allen, P.S., *The Age of Erasmus* (Rhydychen, 1914).

Avis, Paul. D.L., *The Church in the Theology of the Reformers* (Llundain, 1981).

Bainton, Roland H., *Here I Stand: A Life of Martin Luther* (Nashville, 1950).

Bainton, Roland H., *Erasmus of Christendom* (Efrog Newydd, 1969).

Bornkamm, Heinrich, *Luther in Mid-Career 1521-1530* (Llundain, 1983).

Courvoisier, Jacques, *Zwingli: A Reformed Theologian* (Richmond, 1963).

Douglas, Richard M. *Jacopo Sadoleto, 1477-1547: Humanist and Reformer* (Caergrawnt, 1959).

Ebeling, Gerhard, *Luther: An Introduction to his thought* (Philadelphia, 1970).

Edwards, Mark U., *Luther and the False Brethren* (Standford, 1975).

Eells, Hasting, *Martin Bucer* (New Haven, 1931).

Erasmus, Desiderius, *Christian Humanism and the Reformation: Selected Writings of Erasmus with the Life of Erasmus* (gol. Beatus Rhenaus) (Efrog Newydd, 1975).

Furcha, E. J. A. Pipkin, H. Wayne, (goln.), *Prophet, Protestant: The work of Huldrych Zwingli after Five Hundred Years* (Allison, 1984).

Gabler, Ulrich, *Huldrych Zwingli: His life and Work* (cyf. Ruth C. L. Gritsch) (Philadelphia, 1986).

Gerrish, Brian A., *The Old Protestantism and the New: Essays of the Reformation Heritage* (Caeredin, 1982).

Hagenbach, K.R., *Oswald Myconius* (Eberfeld, 1859).

Harbison, E. Harris, *The Christian Scholar in the Age of the Reformation* (Selinsgrove, 1984).

Rilliet, Jean, *Zwingli, Third Man of the Reformation* (Philadelphia, 1964).

Stephens, W. P. , *The Holy Spirit in the Theology of Martin Bucer* (Caergrawnt, 1970).

Wright, D. F. (gol.), *Common Places of Martin Bucer* (Sutton Courtenay, 1972).

5. Cyfrolau ar y Diwygiad Protestannaidd

Bainton, Roland H, *The Reformation of the Sixteenth Century* (Llundain, 1960).

Cameron, Euan, *The European Reformation* (Rhydychen, 1991).

Dickens, A. G., *The Age of Humanism and Reformation: Europe in the Fourteenth, Fifteenth and Sixteenth Centuries* (Llundain, 1977).

Elton, G. R., *Europe from Renaissance to Reformation* (Llundain, 2001).

Fernández, Amesto a Wilson, Derek, *Reformation: Christianity and the World 1500-2000* (Llundain, 1996).

Gelder, H. A. Enno van, *The Two Reformations of the Sixteenth Century* (The Hague, 1964).

Hughes, Philip, *A Popular History of the Reformation* (Llundain, 1957).

MacCulloch, Diarmaid, *Reformation: Europe's House Divided, 1490-1700* (Llundain, 2003).

McGrath, Alister E., *Christianity's Dangerous Idea: the Protestant Revolution: A History from the sixteenth century to the twenty-first* (Llundain, 2007).

Reeves, Michael, *The Unquenchable Flame: Introducing the Reformation* (Nottingham, 2009).

Smith, Preserved, *Reformation in Europe* (Llundain, 1960).

Williams, George H., *The Radical Reformation* (Philadelphia, 1962).

6. John Calfin a'r Diwygiad Protestannaidd yn Gymraeg – Llyfrau a Llyfrynnau.

Calfin, John, *Ffydd i'n Dydd: Amlinelliad o'r Ffydd Gristnogol*, addaswyd gan Euros Wyn Jones (Llangefni, 2003).

Evans, John (Llanerch), *Bywyd ac Athrawiaeth John Calfin gyda detholion lawer o'i waith* (Caernarfon, 1909).

Evans, W. Gareth, *Zwingli a Calfin a'r Diwygiad Protestannaidd yn y Swistir* (Aberystwyth, 1994).

Jenkins, D. Erwyd, *John Calfin* (Dinbych, 1909).

Jones, John Morgan (Merthyr Tudful), *John Calfin: Ei fywyd a'i Waith* (Dolgellau, 1909).

Jones, R. M., *Llên Cymru a Chrefydd: Diben y Llenor* (Abertawe, 1977).

Jones, R. M., *Cyfriniaeth Gymraeg* (Caerdydd, 1994).

Jones, R. Tudur, *Cymru a'r Diwygiad Protestannaidd* (Bangor, 1987).

Rees, D. Ben, *Lledu Gorwelion: Hanes Calfin a'r Diwygiad Protestannaidd* (Chwilog, 2009).

Rees, D. Ben, *John Calfin a'i Ddisgyblion Calfinaidd Cymraeg* (Llangoed, 2009).

Tudor, S. O., *Beth yw Calfiniaeth?* (Caernarfon, 1957).

Williams, Glanmor, *Bywyd ac Amserau'r Esgob Richard Davies* (Caerdydd, 1953).

Williams, Glanmor, *Dadeni, Diwygiad a Diwylliant Cymru* (Caerdydd, 1964).

Williams, Glanmor, *Grym Tafodau Tân: ysgrifau Hanesyddol ar Grefydd a Diwylliant* (Llandysul, 1984).

7 Ethyglau ac Ysgrifau yn Gymraeg ar Calfin a'r Diwygiad Protestannaidd

Cross, M. Claire, 'Nid oes i ni ddinas barhaus: alltudion yn ystod y Diwygiad Protestannaidd 1520-1570', *Y Cylchgrawn Hanes*, Cyf. IV (1999), 1-5.

Evans, Eifion, 'John Calfin 1509-1564', yn D. Ben Rees (gol.), *Deuddeg Diwygiwr Protestannaidd* (Allerton, Lerpwl a Llanddewi Brefi, 1988), 41-55.

Evans, Emlyn, 'Calfin, nid Luther, oedd yn iawn am yr Iddewon', *Y Goleuad*, Cyf. CXXXV, Rhif 1, Ionawr 5, 2007, 1.

Evans, R. H., 'Nicholas Ridley 1502-1555', yn D. Ben Rees (gol.), *Deuddeg Diwygiwr Protestannaidd* (Allerton, Lerpwl a Llanddewi Brefi, 1988),137-154

Humphreys, James, 'John Calvin a'r Ysgrythurau', *Y Traethodydd*, Ebrill, 1959 (Cyf. CXIV, Rhif 491), 56-64.

Jones, John Gwynfor, 'Pab Genefa': Agweddau ar gyfraniad John Calfin (1509-64) i'r Diwygiad Protestannaidd', *Y Goleuad*, Gorffennaf 10, 2009, 7, a *Y Goleuad*, Gorffennaf 17, 2009, 7.

Jones, I. Ivon, 'Pregethu'r Gair yn ôl Karl Barth', *Y Traethodydd*, Ionawr 1936, Cyf. V, Rhif 1, 18-27.

James, E. Wyn, 'Calfin a Brycheiniog', *Barn* 288 (Ionawr, 1987), 17-20.

Jenkins, R. T., 'Y newid yng Nghymru yng nghyfnod y Tuduriaid', yn *Yr Apêl at Hanes ac Ysgrifau Eraill* (Wrecsam, 1930), 9-34.

Jenkins, R. T., 'Dylanwad Dr Lewis Edwards ar Feddwl Cymru', yn *Ymyl y Ddalen* (Wrecsam, 1957), 190-207.

Knox, R. Buick, 'Thomas Cranmer (1489-1556)', yn D. Ben Rees (gol.), *Deuddeg Diwygiwr Protestannaidd* (Allerton, Lerpwl a Llanddewi Brefi, 1988), 56-61.

Thomas, Dewi W., 'Hugh Latimer c. 1485-1555', yn D. Ben Rees (gol.) *Deuddeg Diwygiwr Protestannaidd* (Allerton, Lerpwl a Llanddewi Brefi, 1988), 86-100.

Rees, D. Ben, 'John Calfin a Calfiniaeth', *Cristion*, Rhifyn 82 (Mai/Mehefin 1997), 18-20.

Rees, D. Ben, 'Ffydd i'n Dydd: Cymwynas yr Athro Euros Wyn Jones', *Y Goleuad*, Mehefin 6, 2008, 6.

Lloyd, Geraint:, 'Calfin, Darwin a Dyn', *Y Cylchgrawn Efengylaidd*, Cyf. 46, Rhif 2, Haf 2009, 20-23.

Thomas, Isaac, 'Y Beibl a Chymru', *Adroddiad Cyfarfodydd Undeb yr Annibynwyr Cymraeg Llanrwst a'r Cylch*, Mehefin 5, 6, 7, 8, 1967 (Abertawe, 1967), 59-64.

Williams, Adrian P., 'Johann Bugenhagen c. 1485-1558', yn D. Ben Rees (gol.), *Deuddeg Diwygiwr Protestannaidd* (Allerton, Lerpwl a Llanddewi Brefi, 1988), 29-40.

Williams, Glanmor, 'Crefydd a llenyddiaeth Gymraeg yn oes y Diwygiad Protestannaidd', yn Geraint H. Jenkins (gol.), *Cof Cenedl – Ysgrifau ar hanes Cymru* (Llandysul, 1986), 36-63.

Williams, Harri, 'Diwinyddiaeth Paul Tillich', *Y Traethodydd*, Gorffennaf 1959, Cyf. XIV, Rhif 492. 1ff.

8. Cyfrolau eraill a ddefnyddiwyd wrth baratoi'r gyfrol – Cymraeg a Saesneg

Barth, Karl, *Revolutionary Theology in the Making* (Richmond, 1964).

Bendix, R., *Max Weber: An Intellectual Portrait* (Llundain, 1960).

Bowen, Geraint (gol.), *Y Traddodiad Rhyddiaith* (Llandysul, 1970).

Bronowsky, J a Mazlish, Bruce, *The Western Intellectual Tradition* (Harmondsworth, 1963).

Cooper, J. C. (gol.), *Cassell Dictionary of Christianity* (Llundain, 1997).

Cross, F. L. a Livingstone, E. A. (goln.), *Dictionary of the Christian Church* (Peabody, 2007).

Farel, A. Guillaume, *Group of historians, professors and pastors 1489-1565* (Neuchâtel, 1930).

Fenton, Roger, *A Treatise of Usurie* (Llundain, 1612).

Firth, David G. a Williamson, H. G. M. (goln.), *Interpreting Isaiah: Issues and Approaches* (Nottingham, 2009).

Fuhrmann, Paul T., *Instruction on Faith* (Llundain, 1949).

Gibbard, Noel (gol.), *Ysgrifau Diwinyddol*, Cyf. 2 (Penybont ar Ogwr, 1978).

Hillebrand, Hans J. (gol.), *The Oxford Encyclopaedia of the Reformation*, 4 Cyfrol (Efrog Newydd, 1966).

Hinnells, John R. (gol.), *Who's Who of World Religions* (Llundain a Basingstoke, 1992).

Hitchens, Christopher, *God is not Great: How Religion Poisons Everything* (Boston, 2007).

Huxley, Aldous, *Proper Studies* (Llundain, 1929).

Jones, R. Tudur, *Hanes Undeb yr Annibynwyr Cymraeg* (Abertawe, 1966).

Kuiper, R. B., *As to being Reformed* (Grand Rapids, 1926).

Lenski, Gerhard, *The Religious Factor: A Sociological Study of Religion's Impact on Politics, Economics and Family Life* (Efrog Newydd, 1961).

Llyfr Gwasanaeth Eglwys Methodistiaid Calfinaidd Cymru (Caernarfon, 1958).

McKim, Donald K. (gol.), *The Cambridge Companion to John Calvin* (Efrog Newydd, 2004).

Olsen, Roger E., *The Mosaic of Christian Belief: Twenty Centuries of Unity and Diversity* (Downers Grove, 2002).

Rauschenbusch, Walter, *Christianity and the Social Crisis* (Efrog Newydd, 1911).

Rees, D. Ben, *Pregethu a Phregethwyr* (Dinbych, 1997).

Roberts, Gomer Morgan (gol.), *Selected Trevecka Letters 1742-1747* (Caernarfon, 1958).

Samuelson, Kurt, *Religion and Economic Action* (cyf. o'r Swedeg gan G. French) (Llundain, 1963).

Stephens, Meic (gol.), *Cydymaith i Lenyddiaeth Cymru* (Caerdydd, 1986)
Tawney, R. H. *Religion and the Rise of Capitalism* (Llundain, 1926).
Thielicke, H. (gol.), *Encounter with Spurgeon* (Llundain, 1964).
Ullman, Walter, *The Individual and Society in the Middle Ages* (Baltimore, 1966).
Walter, Michael, *The Revolution of the Saints: A Study of the Origin of Radical Politics* (Cambridge, 1965).
Watson, Philip S., *Let God be God!* (Philadelphia, 1964).
Weber, Max, *The Protestant Ethic and the Spirit of Capitalism* (Llundain, 1976).

MYNEGAI

i bersonau a phrif bynciau

Caeredin, 154.

Caergrawnt, 37, 61, 112.

Calfin, Charles (brawd y diwygiwr), 19, 49.

Calfin, Gerard, (ei dad), 19, 24.

Calfin, Idelette (gwraig y diwygiwr), 59-60, 91, 162.

Calfin, John, nodweddion ei fywyd cynnar, 15-16; a'i deulu, 19-20; ei addysg ym Mharis, 21-22; yn Orléans a Bourges, 24-28; ei dröedigaeth, 27; ei addysg a'i weithgarwch ym mhrifddinas Ffrainc, 30-4;yn ninas Basel, 36-42; llunio ei gampwaith diwinyddol, 40-1;ei arhosiad cyntaf yng Ngenefa, 45-52;yn alltud yn Strasbourg, 53-60; trefnu yr eglwys yng Ngenefa fel canolfan pregethu, 62-9; ei wrthwynebwyr, 71-80;a'i ddylanwad ar Genefa, 82-6; ei farwolaeth, 87; yr arweinydd, 90-112; yn cysuro a chymodi, 93-100; arweinydd Protestaniaid Ffrainc, 98-101; ei gyfraniad i dwf cyfalafiaeth, 136-142; i'r byd, 145-159; braslun o'i yrfa, 161-164; rhai cyfrolau o'i eiddo, 165; llyfryddiaeth, 166-175.

Calfiniaeth, 63, 65, 68, 73, 83, 140-1, 145, 152-3, 154, 155.

Caniadaeth y Cysegr, 58, 103-4.

Castellio, Sebastian, 73, 162.

Capito, Wolfgang, 55.

Caroli, Pierre, 39, 49-50, 130.

Charles, Thomas, 83, 88.

Cyfryngau Gofal, 127.

Cyfiawnhad trwy ffydd, 39, 91.

Cymru, 138.

Cordier, Mathurin, 20-1.

Colet, John, 11.

Confessio Belgica, 146.

Coornhert, Theodore, 147.

Cop, Nicholas, 30-3, 36, 161.

Dadleuon Diwinyddol, 75-6.

Diacon, 58, 62-3.

Disgrifio Basel fel canolfan Dysg, 46.

Y Dadeni Dysg, 10, 20, 28, 81.

Davies, Pennar, 18, 43, 143.

Davies, Richard (yr Esgob), 94.

Davies, Thomas (noddwr y Ddarlith Davies), 7.

Darwin, Charles, 136.

Detroit, 140-1.

De Corea, 158, 160.

Dioddefaint, 123-4.

Dryllio Delwau, 45.

Eidal, 10, 42, 137.

Eiriolwr, 131.

Eckart, Johannes, 9.

Eglwys Gatholig, 9-14, 19-20, 22, 26, 28, 30, 33, 36, 41, 48, 55, 64, 76, 120, 127, 132-3, 136, 150.

Eilunaddoliaeth, 20, 119.
Elias, John, 17.
Esboniad ar y Salmau, 27.
Esboniadau, 27, 56.
Erasmus, Desiderius, 11, 21-22, 26, 27-8, 30, 37, 42-3, 162, 170-1.
Erfurt, 11.
Epistol at y Rhufeiniaid, 13-14.
Evans, Eifion, 18, 111, 160.
Evans, Emlyn (Bethesda), 173.
Evans, W. Gareth, 16, 18, 43, 52, 82.
Etholedigaeth, 71-2, 91, 136, 140, 143.
Estienne, Robert, 75.

Farel, Guillaume, 38, 45, 52, 83, 87, 93, 96, 103, 163.
Frankfurt, 66, 94.
Ffoaduriaid o Ffrainc, 108-109.
Ffrainc, 36, 39, 42, 45, 48, 56, 58, 78, 86, 101, 107, 145-6.
Ffransis o Assissi, 9.

Ganoczy, Alexandre, 31, 34, 43-4, 52.
Genefa, 12, 23, 41-2, 45-52, 59, 65-71, 72-80, 82-89, 128.
Greef, Wulfert de, 113-114, 159, 167.
Gogledd Iwerddon, 138.
Graham, W. Fred, 128, 131.
Gruffydd, R.Geraint, 8.
Groeg, 11, 29, 37.
Groote, Gerhard, 9.
Gutenberg, Johannes, 10.
Grynaeus, Simon, 37-8.
Gwrthryfel y Gwerinwyr, 133, 161.
Gweinidogion Genefa, 65-9, 98, 99-100, 106-8.
Gweddi, 41, 51, 66, 103, 11, 127, 138.
Gwleidyddiaeth, 47-8, 78-9, 90, 128-129, 132-143, 152.
Gwybodaeth, 117, 126.

Hall, Basil, 17, 169.
Harpenden, 61, 169.
Hamilton, Patrick, 161.
Helm, Paul, 167.
Hereticiaid, 25, 33, 49, 72, 75-6, 80, 93-4, 122, 130, 151.
Henuriaid lleyg, 63.
Hillerbrand, Hans J., 64, 70, 159.
Huguenotiaid, 86-7, 96-103, 105, 145-6.
Hunt, Carew, 64, 70, 167.
Hwngari, 151.
Hyfforddwr i'r Grefydd Gristnogol, 83, 88.

Iddewon, 155.
Iseldiroedd, 63, 86, 138, 140.

Jansen, John, 131.
Jonas, Justus, 12.
Jones, Bobi, 8, 141, 143.
Jones, Euros Wyn, 8, 71, 80, 131.
Jones, Griffith, 83, 88.
Jones, John Gwynfor, 8, 173.
Jones, John Morgan (Merthyr), 70, 80, 172.
Jones, Richard(Llanfrothen), 141.
Jones, R.Tudur, 115, 141, 143-4, 172, 174.
Jenkins, David Erwyd, 77, 81, 172.
Jenkins, R.T., 173.
Jefferson, Thomas, 135.
Jud, Leo, 37.

Klein, Catherine, 37.
Khergericht (llys gwladol), 15.
Knox, John, 82, 88, 90, 93-5, 151-2.
Knox, R.Buick, 173.
Kuyper, Abraham, 141, 144.

Leclerc, Jean, 22.
Lefranc, Jeanne (mam John Calfin), 19-20.
Lenski, Gerhard, 140.
Lombard, Peter, 130.
Luther, Martin, 11-17, 20, 25, 27, 29, 30, 38, 40-1, 53, 58, 80, 91, 93, 104, 119, 128, 133-4, 142-3, 144, 154, 158.
Loyola, Ignatius, 10.
Lucianus, Martinus (ffug enw John Calfin yn Basel), 37, 40.
Lladin, 11, 23, 24, 43, 57.
Llanbedr-Pont-Steffan, 139.
Llanddewi Brefi, 139.
Lloegr Newydd, 15.
Llundain, 147.
Llys eglwysig (Genefa), 63, 104-6.

Marburg, 14.
Marx, Karl, 136.
Matthews, Hugh, 143.
Major, John, 22.
Meaux, 25.
McNeil, John T., 145, 159, 169.
Melancthon, Philip, 12, 17, 25, 34, 56, 83, 149.
Myconius, Oswald, 38, 96.

Norwich, 146-7.
Noyon, 19, 20, 24, 33, 119, 161.

Oecolampadius, John, 38, 43, 63.
Ofergoeliaeth, 27, 45, 85, 108.
Origen, 130.
Offeren, 36, 39-40, 46, 49, 57, 98, 101, 153.
Owen, John, 8.

Paris, 20, 22, 24, 28-9, 30-3, 84, 98-100, 124, 145-6.
Parker, T. L. H., 56, 60, 168.
Piwritaniaid, 154-5, 160.
Pregethu, 38, 47, 62, 66-8, 120.
Prifathro eneiniedig, 85.
Powell, W.Eifion, 34, 60, 115.
Psychopannychia (Hirnos enaid), 34, 42.

Rees, William ('Gwilym Hiraethog'), 141, 143.
Reeves, Michael, 18, 153, 159.
Robert, Pierre ('Olivetan'), 24, 38.
Roberts, Ellis, 136, 141, 143.
Roberts, Samuel (Llanbrynmair)141.
Rhagluniaeth, 122-4.
Rhufain, 36, 103, 152.

Sadoleto, Jacopo, 55.
Seneca, De Clementia, 28-9, 161.
Sacramentau, 39-40, 54, 56-8, 62, 68, 106, 126, 131.
Savonarola, 10.
Sbaen, 146-7.
Stancaro, Francesco, 151.
Servetus, Michael, 74-7, 122, 162.
Sturm, John, 55.
Strasbourg, 12, 33, 39, 42, 50-1, 53-55, 58-60, 62, 91-2, 96.
Smith, Preserved, 145-6.
Standonck, Jean, 21-2, 23.
Swistir, 12, 15, 96-7, 145.
Sylvester, Johannes, 162.
Synod Pinczow (1550-1563), 150.

Tagaut, Jean, 84.
Tarnowski, Jan, 150.
Tawney, R. H., 137-8, 143, 158, 175.
Travers, Walter, 154, 159
Teulu Brenhinol Ffrainc, 30, 33, 42, 47, 96, 97-101, 116-117, 149.
Teulu Brenhinol Lloegr, 153-4.
Thomas, John (Lerpwl) a'i dri brawd yn y ddinas, 139.
Torrance, Thomas F., 166, 169.